Magia Angelical

Cómo sanar vidas pasadas y lo que no te dijeron sobre cómo manifestar la vida de tus sueños

Angela Grace

Arcángeles: Zadquiel 1

Arcángeles: Metatrón 37

Arcángeles: Jofiel   155

Arcángeles: Uriel   193

Descarga GRATIS la versión audio de este libro (en inglés)

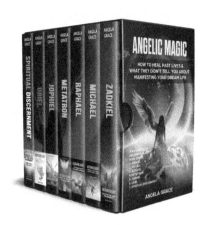

Puedes disfrutar de este libro también en formato de audio. Si te gusta escuchar audiolibros en tu vida cotidiana, tengo grandes noticias para ti. Puedes descargar la versión audio de este libro (en inglés) completamente **GRATIS** con solo registrarte en una prueba **GRATUITA** de 30 días con Audible. Más detalles a continuación:

Beneficios de la prueba gratuita de Audible

Como cliente de Audible, recibirás los siguientes beneficios con tu prueba gratuita de 30 días:

- Copia gratuita de este libro en formato audio (en inglés).

- Después de la prueba gratuita, recibirás 1 crédito por mes para usar en cualquier audiolibro.

- Tus créditos se acumularán automáticamente al mes siguiente si no los usas.

- Elige entre más de 400.000 títulos.

- Escucha audiolibros donde quieras con la aplicación de Audible para múltiples dispositivos.

- Puedes cambiar fácilmente y sin problemas los audiolibros que no te gusten.

- Conserva tus audiolibros para siempre, incluso si cancelas tu suscripción.

- ¡Y mucho más!

Haz clic en los siguientes enlaces:

AUDIBLE US : bit.ly/angelicmagic

AUDIBLE UK : bit.ly/angelicmagicuk

Audio de meditación guiada de 10 minutos ¡gratis! (En inglés)

¿No te gustaría añadir aún más motivación, inspiración y valor en tu camino hacia la espiritualidad? Como agradecimiento, desde lo más profundo de mi corazón, te concedo acceso GRATUITO a un audio de diez minutos de meditación guiada de la llama violeta (en inglés).

Si estás listo para soltar toda esa energía negativa que ya no te sirve, aprovecha esta meditación de la llama violeta.

- Con la llama violeta podrás liberar la energía bloqueada en tu interior fácilmente

- Limpia tu karma para aumentar tu felicidad

- Haz crecer tu espíritu de nuevo y regresa al camino hacia tu destino

Haz clic aquí y obtén tu audio de meditación guiada de la llama violeta ¡gratis! (En inglés)

bit.ly/violetflameguided

Por favor, deja una reseña en Amazon

Desde lo más profundo de mi corazón, quiero agradecerte por haber leído este libro. Realmente espero que te ayude en tu viaje espiritual y a vivir una vida más feliz y empoderada. Si te ha sido de ayuda, me gustaría pedirte un favor. ¿Serías tan amable de dejar una reseña de este libro en Amazon? Lo apreciaría muchísimo y sé que tendrá un impacto en las vidas de otras personas que buscan alcanzar la espiritualidad en todo el mundo y les dará esperanzas y energía.

¡Muchas gracias y buena suerte!

Angela Grace

Arcángeles: Zadquiel

Zadquiel, la llama violeta y los secretos de la limpieza kármica angelical

(Libro 1 de la serie Arcángeles)

Angela Grace

Introducción

"YO SOY la Llama Violeta

en acción en mí ahora

YO SOY la Llama Violeta

sólo ante la Luz me inclino

YO SOY la Llama Violeta

en poderosa Fuerza Cósmica

YO SOY la Luz de Dios

resplandeciendo a toda hora

YO SOY la Llama Violeta

brillando como un sol

YO SOY el poder sagrado de Dios

liberando a cada uno"   (Summit Lighthouse, 2014)

¿Cómo te sientes después de haber repetido este decreto? ¿Notas alguna diferencia desde que comenzaste a leer este libro? Tal vez sientes que tienes más energía. Tal vez sientes que tienes más motivación. Tal vez no sabes bien cómo explicar la manera en que te sientes, pero sabes que te sientes diferente. Como si una luz dentro de ti brillara con más intensidad. Incluso si duró solo un instante, lo sentiste, y eso es lo que importa.

Esa es la luz a la que muchas personas llaman la llama violeta. Es una parte de ti que genera más misericordia, perdón, transmutación y libertad. Imagina que la llama no es simplemente un fuego violeta o un rayo de luz, sino energía espiritual. Es el séptimo rayo del Espíritu Santo y te ayuda a transformar tu energía negativa en positiva. El rayo violeta sienta las bases para tu sanación.

Es probable que conozcas al Espíritu Santo como la tercera persona de la Santísima Trinidad o lo veas como un vínculo con Dios. Esto es cierto, pero el Espíritu Santo es mucho más que un ser superior. De hecho, existen varios, conocidos como arcángeles. Ellos son los ángeles superiores que trabajan a la par de Dios y tus ángeles de la guarda. Cada uno de ellos tiene asignadas diferentes responsabilidades. Por ejemplo, el Arcángel Miguel es el protector y el arcángel más importante; él te protege en las batallas. El Arcángel Ariel trabaja junto con los animales y la naturaleza y el Arcángel Rafael trabaja junto con las personas que tienen vocación de sanación, como los doctores, enfermeras y terapeutas.

Los arcángeles y la llama violeta tienen un vínculo muy estrecho, lo cual significa que los beneficios que recibes provienen de diferentes seres superiores. Ellos trabajan juntos para crear una energía poderosa que te ayudará a sanar mediante los rayos violeta.

Uno de los beneficios es la paz interior que crece dentro de ti. La percibirás como una sensación ligera y agradable. Mientras más practiques las afirmaciones, mantengas una actitud positiva, te enfoques en el perdón y sigas el camino que los seres superiores iluminan para ti, la paz se hará más fuerte.

Junto con la paz llega la capacidad de mantener la calma. Muchas personas sienten que este beneficio las toma por sorpresa. Por ejemplo, cada vez que se encuentran en una situación que solía generarles ansiedad o preocupación; recuerdan haber sentido miedo en el pasado, pero ahora se sienten mucho más tranquilas. Pueden pensar con claridad y buscar una solución sin problemas. Es en este momento cuando das un paso atrás y te das cuenta de lo mucho que has cambiado gracias a la energía violeta que rodea tu alma.

Otro beneficio es que tus pensamientos cambian. Ya no te centras en los pensamientos negativos incluso cuando se cuelan en tu mente. Aprendes a usar los poderes de la llama para lograr concentrarte en tus pensamientos positivos. Te da la fortaleza necesaria para aceptar tus pensamientos o emociones más oscuras y entender que cambiarlos está en tus manos. Está en ti elegir tus propios pensamientos.

La llama violeta y los arcángeles te ayudan a encontrar un equilibrio. Te ayudan a crear una unión en tu alma que da estabilidad a tus chakras. Sentirás que tu corazón se ablanda y que hay más compasión, comprensión, sensibilidad, alegría y libertad en tu vida. También quieres ayudar a los demás a abrir sus mentes y sus corazones y a recibir este nuevo amor que sientes. Es importante que sepas que lo que sientes es el calor y el amor de la llama violeta y de los seres superiores. Es su energía la que te llena.

Escribí este libro porque quiero que sientas ese amor. Quiero que alcances la versión óptima de ti mismo gracias al poder de la llama violeta. El estudio de los arcángeles no es un tema que posee expertos académicos. No está respaldado por la ciencia. Está respaldado por tu intuición y por tus creencias. Para ver la llama violeta, debes abrir tu mente y tu corazón. Tienes que sintonizar esa intuición y entender que está bien creer en algo que te hace sentir bien por dentro y por fuera. Lo que es mejor para ti, el camino que crees firmemente que es el que debes seguir.

No estarás solo en este camino, porque las energías de los arcángeles, de los ángeles de la guarda y del universo estarán siempre a tu alrededor. Acompáñame en este camino y aprende sobre el Arcángel Zadquiel y la llama violeta y cómo pasar tiempo con tus arcángeles para lograr la vida espiritual que mereces.

Capítulo 1: Introducción al Arcángel Zadquiel y la llama violeta

El Arcángel Zadquiel es conocido como el ángel de la misericordia, y su nombre significa "la justicia de Dios". Trabaja en conjunto con su llama gemela, la Amatista Sagrada, para servir a la humanidad mediante la séptima llama. Cuando se los invoca, ya sea a través de la meditación o de la palabra hablada, ellos llegarán junto con otros ángeles de la llama violeta y te ayudarán a cumplir tus deseos. Por ejemplo, puedes recibir señales de que están cerca o pueden darte una "corazonada" de lo que debes hacer.

Zadquiel te ayudará a ser una persona más compasiva. Te ayudará a encontrar objetos perdidos, mejorará tu memoria y te ayudará a sanar física, emocional y mentalmente. Zadquiel también te apoyará mientras aprendes a perdonarte a ti mismo y a los demás, a recordar información importante y a estudiar mejor. Si quieres aprender a dejar atrás los prejuicios, debes invocar a los ángeles de la llama violeta mediante el Arcángel Zadquiel.

Una de las tareas principales de los arcángeles es ayudarte a ver tu luz interior. Dejarás de pensar en tus errores como aspectos negativos de tu vida y comenzarás a verlos como una forma de aprender y crecer. También verás los defectos de tu personalidad como bendiciones en tu vida, porque sabes que la perfección es imposible de lograr. Buscarás formas de concentrarte en tu carácter para convertirte en tu mejor versión, en la mejor persona que puedas imaginar.

Algunas personas creen que su mejor versión es alguien que nunca comete errores, que no tiene problemas de ningún tipo, que está de buen humor todo el tiempo, que no tiene defectos y a quien todo el mundo adora. Si esa es la persona que quieres visualizar para ti, adelante, escríbelo. Sin embargo, es importante que sepas que no necesitas imaginar a la persona perfecta, sino que debes imaginar una versión realista de la persona en que deseas convertirte. Quizás pienses en tus metas a largo plazo, como graduarte de la universidad y obtener el trabajo de tus sueños. Quieres casarte, tener hijos, y ser lo más paciente posible con ellos. Quieres ser una persona más compasiva y mejorar tu autoestima. Tu mejor versión entiende que nadie es perfecto y que no necesitas alcanzar la perfección, pero sí necesitas aprender de tus errores y controlar tu voz crítica interior.

Una vez que tienes una idea de en lo que te quieres convertir, escríbelo o crea un panel de visualización con los aspectos principales de tu personalidad. Observa esta obra creativa cada día para recordar que vale la pena el esfuerzo. Ten en mente que a lo largo del tiempo puedes cambiar tu versión ideal, sobre todo si ya has cumplido alguna meta. Como todo ser humano, estás en constante evolución, y esto puede cambiar tu percepción de lo que es importante para ti y en consecuencia cambiar aspectos de tu versión ideal.

El Arcángel Zadquiel y sus huestes te ayudarán a transformar tus hábitos y pensamientos tóxicos en saludables. Dios quiere que disfrutes de la belleza del mundo y que te veas a ti mismo como una persona amada, talentosa e increíble. Este cambio de actitud es difícil de lograr para muchas personas a lo largo de sus vidas debido a su entorno, sus patrones de pensamiento, sus hábitos y sus emociones. Por ejemplo, cuando estamos estresados, tendemos a pensar de manera negativa sobre nosotros mismos y sobre las personas que nos rodean. Cuando piensas y sientes de esta forma todos los días, se convierte en una mentalidad negativa.

Puedes saber que Zadquiel está alrededor gracias a diferentes señales. Quizás veas solo una de estas señales o puedas reconocer varias.

Recuerdas algo. Si tuviste problemas para recordar algo importante, su equipo está de tu lado. El pensamiento simplemente aparecerá en tu mente o tal vez sientas un susurro en tu oído.

Ves una luz azul o violeta. Aunque en tu imaginación veas un rayo de luz violeta, ver distintos tonos de azul también es señal de que su equipo está cerca de ti. Si ves alguno de esos tonos, es momento de prestar atención a todo lo que sientas, escuches o pienses, porque ellos están intentando comunicarse contigo.

Lo sientes. Tal vez por instinto, sepas o sientas que Zadquiel o alguien de su equipo está cerca. No dudes de lo que sientes, abre tu mente y siéntete a gusto con tu intuición.

El Maestro Ascendido de la llama violeta, un ser evolucionado que ha caminado por esta tierra, es Saint Germain, quien nos enseña sobre la séptima llama y es un legendario maestro espiritual de sabiduría ancestral. Él se focalizó en estrategias para ayudar a las personas a aprender sobre el rayo de luz y poder mejorar sus vidas. Le pidió a Dios que envíe la llama a la tierra para poder ayudar a la humanidad y para que esta práctica continúe por los siglos de los siglos.

La llama violeta es una combinación de dos colores: azul y rosa. La llama azul proviene de la voluntad y el poder de Dios, también conocido como el Padre Celestial. La llama rosa es conocida como la Madre Celestial y representa el amor divino. Cuando te concentras en invocar al Arcángel Zadquiel, en los ejercicios, en la limpieza del karma o en las plegarias, estos dos colores se asocian para crear el violeta.

La llama es una herramienta de autotransformación y muchas personas creen que ahora es el momento perfecto para empezar a pensar en ello. El mundo está atravesando un momento difícil; son épocas turbulentas y de cambio constante. Existen muchas cosas negativas en este mundo que pueden afectar tu forma de pensar. La llama violeta puede ayudarte a superar los problemas, las tragedias y la negatividad para convertirte en una persona positiva, compasiva y llena de amor.

Para activarla, debes invocar al arcángel Zadquiel mediante afirmaciones o decretos. Él comenzará a actuar al instante, sanando tu cuerpo y tu alma. Tal vez sientas que vibras en una frecuencia más elevada después de rezarle al arcángel, o comienzas a sentir que estás vibrando. Tu intuición te hará saber que esos seres trabajan para ayudarte a sanar y permitir que sigas sanando. Si estás meditando, te mantendrás en ese estado hasta que sientas que es hora de volver a la realidad. Si tienes la mente enfocada en un proyecto, tienes que seguir a tu cuerpo, tu mente y tus emociones para saber si debes tomarte un descanso y disfrutar de las energías que recibes o seguir trabajando en tu proyecto. La clave es permitir la sanación. Presta atención a lo que te sucede y acéptalo.

A veces no sentirás nada de inmediato. Las energías comenzarán a trabajar, pero no lo notarás por varias razones. Quizás se debe a que no has abierto el tercer ojo, el que está ubicado en medio de tu frente. Tal vez sufres un desequilibrio mental o emocional. Puede ser que no te estés concentrando en las vibraciones que recibes. No te preocupes si no sientes nada de inmediato. Entiende que desarrollar tu espiritualidad es un proceso gradual, pero mientras más practiques y aprendas, más fuerte se volverá. No importa en qué lugar te encuentres a nivel físico y mental, si has invocado a la llama violeta, está funcionando.

Capítulo 2: Cómo invocar a la llama violeta y concentrar tu energía en la manifestación

El arcángel Zadquiel es un gran ser superior a quien invocar cuando sientes frustración, enojo, tristeza o negatividad. Sus huestes pueden ayudarte a encontrar el lado positivo de cada situación y hacerte sentir mejor a nivel emocional. Sin embargo, hay un par de cosas importantes que debes saber antes de invocar a la llama violeta.

Lo primero que debes saber es que debes invocar a un arcángel para que te ayude con una determinada situación en tu vida. Aunque ellos pueden sentir y saber con qué cosas necesitas ayuda, sigue siendo necesario que comuniques tus intenciones con claridad. Diles directamente lo que quieres, sin dudar ni sentir que estás pidiendo demasiado. Ellos están aquí para ayudarte y harán todo lo que esté a su alcance para asegurarse de que vivas una vida feliz y cumplas tu misión. Sin embargo, ten en mente que no siempre tienes que invocar a tus ángeles. Ellos pueden ayudarte en cualquier situación, hayas pedido expresamente su ayuda o no. De hecho, hay ángeles que siempre están a tu lado, los ángeles de la guarda, quienes te acompañan y te apoyan en todos los momentos de tu vida.

Cuando expreses tus intenciones, debes pensar con cuidado. No quieres tener ningún pensamiento negativo rondando por tu mente o emociones que pueden llevarte a herir a los demás. Piensa en el resultado que esperas de esta conexión y cómo quieres lograrlo. Debes usar toda tu energía para sacar lo mejor de ti, tu mejor versión. Siempre recuerda que, cuando te comunicas con los ángeles y la llama violeta, estás intentando acercarte cada vez más a tu yo superior.

Otro factor a considerar son tus pensamientos en ese preciso momento. La energía de tu mente es uno de los aspectos más importantes de tu vida que tienes la capacidad de controlar. Si tienes dificultades para enfocarte en lo positivo, usa estrategias como la meditación para ayudarte a cambiar tu patrón de pensamiento. Puedes transformar tus pensamientos negativos en positivos también durante el proceso. Por ejemplo, si sientes la calidez de la luz del Arcángel Zadquiel durante la meditación, mientras pides apoyo y energía para hacer cambios en tu vida, y estás pensando en los "no puedo", cambia tu pensamiento a "sí puedo y lo lograré con la energía de los ángeles que me rodea".

Antes de que te dispongas a invocar a los ángeles, debes recordar la palabra **paciencia**. Si estás abriendo tu tercer ojo, o si esta es la primera vez que invocas a la llama violeta, tu conexión puede ser algo estática y eso está bien. En vez de preocuparte, generar ansiedad u obsesionarte con pensamientos negativos, piensa en formas de abrir el portal hacia el mundo espiritual. Pregúntate si realmente crees en lo que estás haciendo, sigue intentándolo y concéntrate en equilibrar tus chakras.

Debes prepararte, porque este proceso tiene muchos pasos. Sin embargo, puedes seguir el método que mejor funcione para ti. Por ejemplo, tal vez descubras que comenzar con una plegaria y luego entrar en un estado de meditación ayuda a que tu mente mantenga la calma y pueda sentir la energía de los seres superiores que te rodean. Otras personas quizás sientan que una plegaria no es necesaria y recurren a ejercicios de respiración o a afirmaciones antes de comenzar. Nunca creas que estás haciendo algo mal durante el proceso, ya que no existe una forma perfecta de comunicarse con los ángeles. Siempre y cuando no te bloquees y te abras a escuchar, a sentir a los seres superiores y a seguir tu propio método, lograrás una fuerte conexión.

Busca un lugar cómodo y tranquilo. A estas alturas ya debes tener claras tus intenciones, así que es momento de buscar un lugar para comunicarte. Entiendo que puede ser difícil para ti si tienes hijos pequeños, pero es indispensable. Quizás te sea más fácil conectar con el Arcángel Zadquiel cuando todos se fueron a dormir o están en la escuela o el trabajo. Recuerda que tus seres superiores no tienen horarios de oficina, así que puedes conectarte con ellos en cualquier momento. También puedes ambientar un área de la casa con difusores, velas o música de relajación de fondo. La clave es no dejar que ningún ruido te distraiga.

Conéctate con la tierra. Cuando te dispongas a iniciar la conexión, debes conectarte con la tierra. Puedes hacerlo visualizando raíces que salen de tus pies hacia el suelo y viceversa. La clave es asegurarte de que esas raíces lleguen hasta el centro de la tierra y que puedas sentirlo. Tal vez sientas armonía, calma, o simplemente sientas que te has conectado con la tierra y ahora puedes comunicarte con los ángeles. También puedes recitar mantras o plegarias durante este proceso o en lugar de imaginar las raíces.

Si quieres enfocarte en la visualización, debes entrar en un estado de paz y relajación similar al de la meditación y cerrar tus ojos. Comienza respirando profundo y deja que tus músculos se relajen. Imagina que unas raíces, como las de un árbol, brotan de la planta de tus pies. Estas raíces están llenas de todos los colores de tu alma y de tu aura. Tal vez las veas amarillas, naranjas, violetas, azules, verdes o en una variedad de colores. Las raíces siguen brotando, se escabullen por la ventana, bajan por las paredes y llegan hasta el césped. Comienzan a enterrarse en el suelo, creando una sensación de calidez y forjando una conexión con el universo. Verás cómo la tierra se parte a medida que las raíces se abren paso en el suelo. La luz se hace más brillante y la conexión se hace más profunda. Atraviesa el barro y el agua y sigue su camino hacia el centro. Cuando tomas aire, la energía de la tierra recorre las raíces y llega hasta tu cuerpo y tu alma. Deja que tus pulmones se expandan con cada bocanada de aire y deja entrar toda la energía que puedas. Cuando exhalas, la energía recorre todo tu cuerpo y es absorbida por tus venas, tus huesos y tus células. Una vez que hayas terminado, puedes abrir los ojos y continuar con tu proceso de conexión.

Afirmación. Ya sea que decidas seguir el camino de la afirmación o incluso combinar los dos métodos de conexión, debes entrar en un estado de relajación sin alcanzar un estado de meditación total. Cierra los ojos y respira profundo tres veces. Deja que tus pulmones se expandan lo más que puedan mientras inspiras lentamente. Mantén la respiración unos segundos antes de expulsar el aire poco a poco. Una vez que hayas entrado en un estado de relajación, repite una frase que sientas que te ayudará a mantenerte con los pies en la tierra, por ejemplo: "la Madre Tierra y mis raíces están conectadas. Somos una sola cosa" o "mis raíces se entierran profundamente en el suelo y llegan hasta el centro de la tierra. La Madre Tierra y yo estamos conectados". Cuando sientas que es momento de continuar con el siguiente paso, puedes abrir los ojos.

Recita una plegaria de protección al Arcángel Miguel. Cuando abres el portal al mundo espiritual, incluso si es solo para conectarte con los seres superiores, permites que cualquier entidad entre a tu hogar. Puedes sentirte a gusto y conectarte con las mejores intenciones en mente, pero quizás tu corazón no está yendo por el mismo camino. En cambio, notas que hay dejos de ira y frustración en tu interior y eso deja la puerta abierta a las entidades negativas. Por lo tanto, siempre tómate un tiempo para rezar una plegaria de protección al Arcángel Miguel antes de comunicarte con el Arcángel Zadquiel o cualquier otro arcángel. Todo lo que debes hacer es decir: "Arcángel Miguel, mi protector, invoco tu energía y tu amor para que me protejas de la negatividad durante mi comunicación con los ángeles. Te agradezco por tu ayuda". Si estás en medio de la conexión y sientes una presencia negativa a tu alrededor que llama a tu puerta espiritual, puedes invocar la ayuda de Miguel de cualquier manera, incluso diciendo "Arcángel Miguel, ¡ayúdame!".

Visualiza la llama violeta. Una vez que hayas encontrado la forma de conectarte con la Madre Tierra e invocado la protección del Arcángel Miguel, cuando te encuentres en un estado de relajación y te hayas preparado para conectar con el Arcángel Zadquiel, debes encontrar una transición para poder concentrarte en la llama violeta. Por ejemplo, puedes imaginar simplemente una llama ardiente. Comienza visualizando un ángel que enciende una vela violeta, y observa cómo la llama cambia de color, de azul a violeta. También puedes pensar en una imagen de la vela que encontraste en internet. No importa cómo lo hagas, asegúrate de que puedas identificarte con ello, así podrás formar un vínculo estrecho.

Capítulo 3: Ejercicios, mantras y afirmaciones para transformar tu energía negativa

Existen muchos ejercicios que puedes hacer para invocar a la llama violeta. También puedes usar mantras y afirmaciones. Como eres principiante, busca la técnica que mejor funcione para ti y quédate con ella durante un tiempo. Sin embargo, es importante que te abras a otras maneras de transformar tu energía negativa una vez que te sientas más cómodo invocando al Arcángel Zadquiel.

La forma en la que repites estos mantras o afirmaciones tiene mucho que ver con qué tanto crees en la llama y en su poder. La palabra hablada tiene mucha fuerza, así que es mejor decir tus mantras y afirmaciones en voz alta. Otra razón por la que es importante decir las palabras es porque se conectan con tu chakra de la garganta.

Si quieres que la llama violeta sea aún más poderosa, debes repetir las palabras durante varios minutos. El promedio es entre cinco y siete minutos, pero otras personas pueden estar hasta quince minutos.

Otra forma de darle más sentido a lo que estás afirmando es hablar fuerte. Comienza usando tu voz interior, la que la señora de la biblioteca te decía que usaras, y termina gritando lo más fuerte que puedas.

Luz de protección espiritual

Uno de los primeros métodos que les digo a los principiantes que usen es un simple proceso de protección de dos pasos.

El primer paso es *visualizar una luz blanca que te envuelve*. Esta es tu burbuja de protección del Arcángel Miguel y de tus ángeles de la guarda. Te protegerá de la negatividad que circula en tu entorno, de tus pensamientos o de cualquier tipo de energía maligna que intenta alcanzarte. Algunas personas dicen que la burbuja es la "armadura del Señor", mientras que otras dicen que es la energía de la espada del Arcángel Miguel.

La luz protectora también ayudará a tu energía. Cuando suceden muchas cosas a tu alrededor, ya sean personas o energías espirituales, puedes sentir que tu energía se agota. Piensa en la última vez que fuiste a hacer compras a un centro comercial o viste a tu hijo competir en un evento deportivo. Tal vez has terminado cansado o agotado emocionalmente después de eso, porque no te protegiste de las personas que absorben tu energía sin saberlo.

Otra razón por la que debes visualizar esta luz es porque puede ayudarte a mantener centrada tu aura. Te sentirás en paz y tendrás más paciencia para aprender y crecer.

La luz no se ceñirá a tu cuerpo como un traje de baño, sino que también cubrirá todo tu entorno inmediato. Mide alrededor de tres metros de diámetro, comienza encima de tu cabeza y te rodea por completo hasta por debajo de tus pies.

Puedes hacer aparecer esta luz invocando la ayuda del Arcángel Miguel y pidiéndole que te proteja con su luz y su energía. Luego puedes imaginar la luz que desciende desde los Cielos y crece cada vez más a medida que se acerca a ti. Una vez que llega hasta justo por encima de tu cabeza, se expande para crear un círculo gigante a tu alrededor.

Otra forma es recitar un decreto de "yo soy". Debes crear la presencia de un canal de luz radiante y decir que quieres invocar al fuego violeta. Por ejemplo, puedes repetir: "yo soy una persona amada. Estoy en presencia de una luz radiante, que comienza arriba de mi cabeza y me rodea hasta por debajo de los pies. Esa luz proviene de la llama del maestro ascendido. Invoco a los seres superiores del Arcángel Miguel y de mis ángeles de la guarda para que me ayuden y me protejan. Invoco a la llama violeta que encenderá mi deseo. Juntos, como un solo ser; yo y la llama violeta".

El segundo paso es *sellar tu aura y tu corazón con la energía protectora*. Esto te ayudará a mantener el campo energético de la llama violeta en tu interior. Te asegurará de que sientas su calor cuando completes el ejercicio y sigas con tu día. Si no invocaste al Arcángel Miguel en el primer paso, lo debes hacer ahora; solo pide su ayuda o recita una plegaria. Por ejemplo, puedes decir: "Arcángel Miguel, invoco tu esfera azul de energía protectora. Te pido que rodees mi corazón para que la luz invada mis chakras y mi aura. Ruego por tu más poderosa protección frente a la negatividad que puede adueñarse de mi corazón y de partes de mi alma. Te pido que protejas el diseño original de mi corazón y de mi alma".

También puedes invocar a Miguel mediante un decreto. "Arcángel Miguel delante de mí, Arcángel Miguel detrás de mí. Estás a mi izquierda, estás a mi derecha. Arcángel Miguel, ¡estás donde quiera que vaya! Gozo de tu protección. Soy alguien amado. Siento tu protección de amor a mi alrededor. ¡Tu protección está aquí! ¡Está aquí!".

Decreto del fuego violeta

Cuando invoques a la llama violeta, debes creer que tú eres el fuego. Debes percibirte como esa fuerza poderosa que puede traer paz y armonía a tu vida. Debes creer que puedes reparar los daños de tu pasado e incluso de tus vidas pasadas. Por lo tanto, debes darte ánimos cuando comiences este proceso. Es como en los juegos de fútbol americano de la secundaria y la universidad, en donde las animadoras aparecían para alentar al equipo. Luego la música sonaba en los parlantes y los jugadores salían de a uno al campo de juego. Hacen esto para que el público y ellos mismos estén entusiasmados por el juego. Tú debes entrar en una mentalidad similar.

Una forma de hacerlo es recitar un decreto que te haga creer que tú eres el fuego violeta. Puedes crear tu propio decreto o decir las siguientes palabras: "soy un ser de la llama violeta. El fuego corre por mis venas. Mi alma y la luz se vuelven una sola cosa". Debes repetirlo varias veces y aumentar el ritmo poco a poco. También puedes repetir solo la primera línea ("soy un ser de la llama violeta") si te resulta más cómodo decir frases cortas en las primeras veces.

Visualización

La llama violeta funciona mejor cuando la imaginas en tu mente. Si te resulta difícil invocar al fuego, puedes intentar imaginarlo. Si necesitas algo de inspiración, comienza por mirar imágenes de luces y llamas de color violeta, o incluso investiga cómo otras personas imaginan que se ve la llama. Luego tómate un momento y busca un lugar cómodo y tranquilo para concentrarte en crear tu propia llama. Tal vez imagines que enciendes una vela para ayudarte a entrar en un estado de ánimo más pacífico. Puedes comenzar concentrándote en un débil punto violeta y visualizar cómo se hace cada vez más grande. Es importante que recurras a tu creatividad y a tu intuición. ¿Cómo crees que se ve la llama violeta? ¿Puedes dibujarla? Incluso si no eres un artista, aún así puedes dibujarla con lápiz y papel. Incluso si dibujas una vela cilíndrica con un óvalo como llama, es un paso más hacia la búsqueda de tu expresión creativa.

Tu ejercicio diario

Tu objetivo debe ser invocar a la llama violeta al menos una vez al día. Puedes intentar hacerlo cada día a la misma hora para crear una especie de rutina, pero cualquier momento del día estará bien. Incluso puedes desafiarte a formar un hábito, decretando que practicarás un ejercicio por día durante treinta días. Esto es realmente útil, porque generalmente hacen falta 21 días para formar un hábito.

No necesitas pensar en la energía durante mucho tiempo. Por ejemplo, uno de los ejercicios consiste en pensar o decir en voz alta lo siguiente: "ofrezco mi gratitud y mi amor a la llama violeta. Le ofrezco mi amor al Arcángel Zadquiel y él me enviará la llama violeta". Puedes repetir esto durante unos segundos o durante el tiempo que necesites.

También puedes reservar un periodo de tiempo para tus ejercicios diarios. Por ejemplo, puedes repetir la frase "soy un ser de la llama violeta" durante cinco minutos. Puedes decirla una cierta cantidad de veces a lo largo del día. Puedes hacerlo en momentos específicos o esporádicos según lo que mejor funcione para ti o se ajuste a tu rutina. Por ejemplo, si estás asando hamburguesas o cocinando una sopa, puedes repetir el mantra cuando preparas la comida. También puedes hacerlo mientras te lavas las manos o cada vez que veas un auto blanco camino al trabajo.

Otros mantras o afirmaciones

Aquí tienes otros mantras o afirmaciones que puedes incluir en tu práctica diaria o cuando estés invocando a la llama violeta:

- Deja que la llama violeta brille dentro de mi alma.
- Soy lo que soy. Deja que la llama violeta se expanda y arda en mi interior.
- La Madre Tierra es fruto de la llama violeta. Soy un ser del fuego violeta.
- Estoy a favor de la paz. Estoy a favor del amor. Estoy a favor de la vida, y con la llama violeta acabo con todos los conflictos.
- Respiro el fuego violeta en cada una de mis células. Cada vez que respiro, la llama asciende en mi interior.
- Llama violeta de la libertad, tú traes la belleza de la verdad espiritual.
- Deja que la llama violeta me atraviese. Deja que ilumine cada átomo, cada célula y todos los electrones de mi cuerpo.
- Hoy lleno mi corazón con la libertad de Dios y aprendo a amar y perdonar.
- Oh, llama violeta, dame tu luz y ayúdame a ser libre.

Capítulo 4: La limpieza kármica y cómo las vidas pasadas pueden afectarnos

El karma se refiere al principio espiritual de causa y efecto. Significa que la forma en la que te has comportado en el pasado puede tener un efecto en lo que te suceda en el futuro. Por ejemplo, pusiste dinero en el platón de ofrendas de la iglesia y, cuando llegaste a casa, te enteraste de que ganaste un concurso y recibirás un jugoso premio en efectivo. El karma puede ser bueno o malo. Un ejemplo de karma negativo es burlarse de tu ex pareja cuando está atravesando un divorcio complicado, para luego verte en la misma situación años después.

Muchas personas creen en la energía del karma, pero en diferentes niveles. Por ejemplo, puedes creer que el karma se centra en las vidas pasadas y en tu vida actual, mientras que un amigo cree que el karma solo se centra en tu vida presente. Para ti, el karma puede tener un efecto en ti por una acción que hiciste hace cien años y que ni siquiera recuerdas, mientras que tu amigo no cree en esa posibilidad.

Otro factor es el hecho de que el karma no siempre se irá así como ha llegado. Algunas personas creen que tienen mala suerte por la forma en la que se comportaron en una vida pasada y que el karma no las dejará hasta que limpien su alma. Otras sienten que necesitan sanar sus heridas para poder liberar la energía kármica que los rodea, es decir, que el karma puede ayudar a tu alma a transformarse en un ser superior.

El karma no tiene una fecha límite. Puede viajar de vida en vida contigo sin olvidarse de ningún dato importante. Imagina que el karma es como una maleta que tu alma lleva a donde quiera que vaya. Nunca se pierde, y la única forma de sanar ese karma y liberarte de sus cadenas es abriéndola. Sin embargo, esto no significa que sabes lo que sucede. De hecho, puedes estar lidiando con esta energía sin que te des cuenta.

No importa lo que hayas hecho en el pasado, puedes usar la limpieza kármica para soltar las ideas restrictivas, las heridas, el dolor, los problemas y las emociones negativas y poder seguir con tu vida sintiéndote libre. No importa si es algo que ocurrió en una vida pasada o la semana pasada, tú puedes limpiar tu cuerpo, tu mente y tu alma.

Formas en las que las vidas pasadas nos afectan

Para entender este camino, debes creer en la reencarnación. Debes sentir que has nacido mucho antes de lo que crees y que por siglos has trabajado para alcanzar el propósito de tu alma. Algunas personas sueñan con sus vidas pasadas, mientras que otras tienen la sensación de haber vivido en un cierto lugar. También hay personas que creen saber quiénes fueron hace 200 años o más. Otras comienzan a reconstruir una parte de sus vidas pasadas a través del karma.

Una de las formas en la que la energía kármica puede afectarte, es la sensación de que *conoces a cada una de las personas de tu vida por una razón.* Las has conocido en tus vidas pasadas pero cada una jugaba un papel diferente. Por ejemplo, tu hermano puede haber sido tu tío o tu amigo. Tu madre puede haber sido tu hermana. Podrás comenzar a comprender por qué conoces a tus amigos, familiares, colegas y cualquier otra persona si te haces un par de preguntas:

- ¿Por qué esta persona forma parte de tu vida?
- ¿Qué ha venido a enseñarte?
- ¿Qué tienes que enseñarle?
- ¿Cuál es el karma que necesitas experimentar con esta persona?

El karma puede invertir los roles para que comiences a entender un lado diferente del mundo físico. Esto ocurre porque ayuda a tu alma a crecer. Por ejemplo, tu alma decide cambiar de género, vivir en un país diferente, o tú y uno de tus padres de una vida pasada cambian de roles. Tú te conviertes en el padre y la otra persona en el hijo o hija. Ciertos factores cambian porque necesitas sanar o aprender de una situación pasada.

El karma se repite por una razón: para ayudarte a alcanzar todo tu potencial. La frase "cosecharás tu siembra" es cierta. Si trataste pésimamente a alguien en una vida pasada, en esta vida podrían tratarte de una manera similar. Si has pasado tu tiempo ayudando a los demás, otras personas te ofrecerán su ayuda. Puedes saber cuál es tu energía kármica si observas los patrones en tu vida. Hazte preguntas como las siguientes: "¿por qué siempre el mismo tipo de personas aparecen en mi vida? ¿Hay algo que pueda hacer para evitar que ciertas situaciones ocurran?".

Limpieza kármica

Puedes invocar a la llama violeta para que te ayude a sanar y limpiar tu alma y a liberar tu karma. La clave es saber qué es lo que te está siguiendo y cómo invocar al fuego para corregir tu situación. A continuación veremos algunas de las circunstancias que siguen a las personas de vida en vida.

Si te encuentras luchando contra una enfermedad, ya sea mental, emocional o física, debes actuar para limpiar el karma que te está siguiendo. Puedes hacerlo invocando al Arcángel Zadquiel y pedirle que te ayude a sanar tus viejas heridas. Otra técnica es el uso de cristales o el reiki. Las enfermedades nos afectan cuando tu cuerpo no está sano y eso significa que tu alma no está sana. No tienes un equilibrio espiritual y tienes problemas para comunicarte con tu yo superior. Debes buscar los cristales que se asocien con los chakras con los que necesitas ayuda o los que te ayudarán a scr una persona más compasiva, paciente o saludable. Por ejemplo, si tienes problemas de ansiedad puedes llevar siempre contigo una piedra lunar en el bolsillo o usarla como una joya. La lepidolita es un cristal que te ayuda a equilibrar tu estado de ánimo y combatir la depresión. Es mejor si la usas como un collar, porque forma parte del tercer ojo y del chakra del corazón.

Otra razón por la que el karma puede seguirte a lo largo de tus vidas pasadas es porque no has perdonado a quienes te han herido. Incluso si han pasado cientos o miles de años, tu alma no lo olvida y sigue guardando rencor. Quizá se manifieste en estereotipos que tienes hacia ciertas personas o en la forma en que tratas a los demás. Quizá también lo sientas en ciertas enfermedades mentales, en el insomnio o en tus miedos. Una forma de soltar todo tu sufrimiento es a través de una plegaria de perdón.

Comienza diciendo en voz alta: "Mediante estas palabras, envío mi perdón al universo para dejar atrás todo el mal que he hecho a los demás y el mal que otras personas me han hecho".

A continuación, es momento de cerrar tus ojos y conectarte con los seres superiores con la siguiente afirmación u otra plegaria similar:

"Actúo desde el perdón. Me libero a mí mismo al expulsar todos los miedos y todas las dudas. Invoco a todo el poder cósmico para poder elevar mis vibraciones y superar el sufrimiento que siente mi alma. Invoco el perdón a cada hora, en cada lugar, durante toda mi vida. A través de esta energía, lleno mi vida de la gracia misericordiosa".

También puedes usar la llama violeta para ayudarte a sanar tu interior cuando la ira o la frustración arden dentro de ti. Muy a menudo estos sentimientos hacen que te aferres a tus heridas y cicatrices emocionales y psicológicas y quedes atrapado en sus cadenas. La clave está en soltar las emociones negativas de inmediato, tan rápido como aparecen. Puedes hacerlo a través de diferentes técnicas:

- Recita uno o varios de tus decretos de la llama violeta favoritos, tales como "soy un ser de la llama violeta. Soy un ser puro y feliz".
- Deja de hacer lo que estás haciendo y no te vuelvas una víctima de la negatividad. En cambio, respira profundo un par de veces e invoca la ayuda de la llama diciendo lo siguiente: "invoco al Arcángel Zadquiel y a la llama violeta para transmutar los motivos detrás de mis emociones negativas de inmediato".
- Después de recitar un decreto, puedes incrementar su poder con la visualización. Imagina cómo la llama violeta se enciende y se vuelve cada vez más brillante y cómo la negatividad comienza a desaparecer.
- Siempre debes terminar este proceso respirando profundo de nuevo, pero mucho más profundo que antes. Cuando exhales, imagina que la ira y la frustración salen de tu cuerpo y flotan en el aire para que el universo las transforme en energía positiva.

Cuando actúas de inmediato para frenar tus emociones negativas, eres capaz de acabar con el karma que le has enviado a alguien más, porque no dejas que la negatividad te controle.

Capítulo 5: Tu cuerpo espiritual

Ya conoces todo sobre tu cuerpo físico gracias a la anatomía, pero ¿alguna vez has pensado en tu cuerpo espiritual? Esta es la parte de ti que viaja de vida en vida y a la que nos referimos como nuestra alma. La manera en la que tu alma se desarrolla depende de tus creencias, sean religiosas o no. Por ejemplo, algunas personas creen que Dios es el creador de nuestra alma, mientras que otras sienten que es un conjunto de energía que se acumula a lo largo de nuestras vidas pasadas. Tu alma puede cambiar con el paso del tiempo gracias a las lecciones que has aprendido durante tu tiempo en esta tierra.

Tu alma es una descripción de quién eres; es el todo de tu personalidad. Por supuesto, tenemos rasgos "terrenales" como nuestra crianza, nuestro entorno, e incluso la sociedad en la que vivimos, que nos ayudan a formar nuestro carácter, pero la base es siempre nuestro ser espiritual.

Las personas creen que el objetivo principal en cada una de nuestras vidas es ayudar a que nuestra alma pueda sanar los traumas del pasado y crecer. Tu alma tiene una misión y tú seguirás moviéndote de vida en vida hasta que completes esa misión, y ese es el momento en el que te transformarás en tu yo superior. Sin embargo, habrá muchos desvíos y desafíos que serán un problema para tu proceso de crecimiento. Si no aprendes a superar estos obstáculos, pueden entorpecer tu desarrollo.

Señales de que has dejado de crecer espiritualmente

Para poder desarrollar tu ser espiritual en cada una de tus vidas, tienes que conocer las señales de alerta que te avisan que esta parte de ti ha dejado de crecer.

Sufres de estrés y te desconcentras con facilidad. La vida es estresante, por supuesto, y existen muchas distracciones que nos impiden mantener el foco en nuestra misión de vida. El problema es que, cuando sufres estrés, acarreas emociones negativas en tu interior que te impiden entrar en un estado de crecimiento espiritual. Debes buscar formas de relajarte y liberar tensiones, ya sea mediante mantras, meditación, aromaterapia, terapia o afirmaciones.

No sientes que estás creciendo. Tal vez sientes que no necesitas crecer a nivel espiritual o que no te concentras lo suficiente. La forma principal de lidiar con esta situación es entender y recordar que toda tu vida se centra en el aprendizaje para poder alcanzar tu yo superior.

Eres muy materialista. Las posesiones materiales como los autos, los zapatos, los libros y cualquier compra que hagas son cosas que nos dan placer en la vida. Por lo general, les dan a las personas una determinada apariencia en la sociedad, lo cual hace que quieras cada vez más de ellas. Quieres estar en la cima y mostrarles a los demás que estás en una muy buena posición financiera. Sin embargo, este patrón de pensamiento también puede desconectarte de tu plano más elevado. Suelta la necesidad de tener todas estas cosas en tu vida para que tu alma pueda crecer.

No sientes una conexión. Tu intuición puede indicarte que algo no está bien con tu conexión espiritual. Tal vez pienses que no vas por el camino correcto y que necesitas reforzar tus vínculos espirituales. Para hacerlo, puedes aprender más sobre tu alma, sobre la meditación, y sobre cómo conectar con tus seres superiores. También puedes usar la llama violeta para ayudar a mejorar tu comunicación.

¿Sufres un bloqueo espiritual?

Puedes haber entrado a este mundo con un bloqueo espiritual. También puedes haberlo sufrido durante tu infancia o tu adultez y no te has dado cuenta. Tal vez sientes que has alcanzado la iluminación espiritual y luego notas que algo ha cambiado; como si hubiera desaparecido. Puedes sentir paz y felicidad durante muchos años y después sentir que te las han arrebatado.

Tu alma acarrea tus emociones y las cargas que sientes en este momento. Puede volverse débil si no cuidas de ti mismo, y es por eso que el cuidado personal es tan importante. Para mantener a tu alma sana y feliz debes liberar todos los bloqueos. ¿Pero cómo saber si esto te ocurre a ti? No te preocupes, existen síntomas simples y evidentes. La clave es relacionarlos contigo a nivel espiritual y no a nivel físico. Por ejemplo, sientes cansancio y falta de energía, pero has descansado muy bien; entonces puede deberse a una barrera espiritual que te impide alcanzar tu yo superior.

Experiencia traumática. Uno de los motivos más poderosos detrás de un bloqueo es una experiencia traumática. Si ocurrió en una vida pasada, tal vez no sabes qué sucedió pero aún así le temes a ciertas situaciones. Por ejemplo, tal vez le tienes miedo al fuego porque falleciste en un incendio doméstico, o le temes al agua porque te has ahogado alguna vez. Si has pasado por este tipo de experiencias recientemente, es importante que hagas lo necesario para superar la situación. Puedes ponerte en contacto con un terapeuta o hacerle frente a tus miedos.

A continuación encontrarás algunos síntomas que pueden ser señales de traumas no resueltos en tu vida actual:

- Problemas para dormir.
- Sentirse atascado, incapaz de romper barreras emocionales o psicológicas.
- Sentir que caminas sin rumbo en una habitación a oscuras, sin saber a dónde ir.
- Lagunas en la memoria.
- Sentimientos intensos de ansiedad, miedo, ira, vergüenza y culpa que llegan al punto de ser inmanejables.
- Problemas para concentrarte en tareas del trabajo y de la vida cotidiana, incluso para relajarse o mirar películas.

- Pesadillas recurrentes o temores nocturnos de la situación traumática (incluso si sucedió en una vida pasada).
- Una intuición de "saber" que algo malo sucedió y tener una idea de lo que fue, como por ejemplo un accidente en auto o un asesinato.

No puedes relajarte. Trabajas duro y con mucha dedicación en tu empresa y en tu vida personal, pero te resulta difícil relajarte. Eres consciente de tu necesidad constante de hacer cosas, de trabajar sin descanso y de no poder sentarte a ver películas como el resto del mundo. Cuando sí tratas de relajarte, tus pensamientos te llenan de ansiedad y no puedes quedarte quieto.

Desapego emocional. Sientes que es mejor ignorar lo que sientes, hasta el punto de hacer lo mismo con los sentimientos de los demás. Incluso cuando tu pareja o tus hijos quieren hablar contigo de cómo se sienten o intentan ayudarte, tú te cierras. Tal vez cambias el tema de conversación o intentas convencerlos de que estás bien y que no tienen de qué preocuparse. Si están pasando por un momento difícil, a menudo te encuentras diciendo "bueno, las cosas pasan" o "no te preocupes por eso, no es algo tan malo". Quizás hasta intentas restarle importancia.

Tienes problemas con tu camino de vida. Sabes cuáles son tus intereses y tienes pasatiempos que disfrutas hacer. Incluso te gusta tu trabajo, pero todavía sientes que algo no está bien. Aún piensas que hay una parte de ti que te falta o no sientes que vas por buen camino. Tienes problemas para elegir qué camino seguir y a menudo buscas consejos de otras personas, lo cual puede desorientarte aún más a nivel emocional y psicológico.

Falta de energía. Parece que, sin importar cuánto duermas, aún sientes que no has descansado bien. Tal vez te despiertas pensando que tienes todo listo para enfrentarte al mundo y das las gracias por una buena noche de descanso, pero una vez que comienzas a moverte y concentrarte en distintas tareas, comienzas a cansarte y sientes la necesidad de dormir un poco más. Deseas dormir una siesta y podrías tomar una cada día, incluso cuando no sabes por qué, porque no tienes niños que te mantienen en vela toda la noche ni sufres de insomnio. Sientes que nunca tienes el combustible suficiente para impulsar tu vida.

Te sientes feliz pero no percibes la felicidad. Tienes tantas cosas para agradecer, desde tu trabajo hasta tu familia, pero aún así no encuentras el rumbo en tus emociones. Estás agotado y sientes que tienes problemas de depresión, pero no entiendes por qué. Piensas en lo feliz que fuiste ayer, pero ahora es como si no pudieras aferrarte a esa emoción, incluso si no sucedió nada que te hiciera sentir mal.

Libera tus bloqueos

Una vez que hayas aceptado que tienes un bloqueo, tienes que hacer lo necesario para superarlo, poder estar más alineado y alcanzar todo tu potencial. Comenzarás a atraer relaciones más sanas, aumentarás tu autoestima y descubrirás más oportunidades. Una buena forma de explicar cómo será tu vida después de liberarte es que será mucho más liviana. Te volverás una persona más radiante y encontrarás más amor en tu corazón. También sentirás que las personas te aman más.

Primero debes saber por qué tienes un bloqueo y qué está tratando de enseñarte. Por ejemplo, si descubres que tienes problemas de dinámicas de poder, aprende a encontrar tu propio poder. Tienes que hacer las paces con la pasión que arde dentro de ti y dejarla salir. Sin embargo, también debes mantener los pies en la tierra y llenar tu poder de amor y compasión. Si tienes problemas para entender por qué, tómate un tiempo para reflexionar y pedirle a la llama violeta y a tus ángeles de la guarda que te guíen para encontrar una respuesta. También puedes escribir tus temores y por qué ocurren y pensar qué puedes aprender de ellos. Es crucial que te concentres en tu intuición, ya que puedes tender a favorecer a la razón. Si lo haces, escríbelo y reflexiona sobre ello, porque tu intuición nunca te fallará.

También puedes descubrir más sobre tus bloqueos si haces una lista de tus patrones de vida. Intenta observar tu comportamiento y tus procesos de pensamiento en lugar de juzgarte por ciertas situaciones. Otra técnica que puede ayudarte a descubrir más sobre ti es meditar. Puedes hacerte preguntas como "¿qué patrones tengo en mis relaciones?" y "¿cómo me comporto en el trabajo?".

Después debes dejarle claro al universo y a los seres superiores tu intención de cambiar. Puedes hacerlo mediante la meditación, decirlo en voz alta o simplemente pensar en lo que sientes. Por ejemplo, puedes decir: "me rindo ante el universo y ante mis seres superiores. Por favor, guíenme en mi sanación espiritual para crear una conexión más fuerte con mi yo superior más auténtico. Estoy abierto a su amor, gracia y sanación".

Es importante tener en cuenta que, durante tu transición, puedes enfrentar dificultades a nivel mental. Tal vez te sumerjas en una depresión o te sientas triste durante unos días. También puedes sentirte mucho más exhausto que antes, lo cual es normal cuando estás atravesando un cambio espiritual. Si sufres de ansiedad, toma estas señales negativas como indicadores positivos, porque significa que estás a punto de alcanzar un estado de consciencia más elevado.

Ahora es el momento de usar tu tiempo sabiamente. Concéntrate en convertirte en la persona que imaginas que quieres ser o tu yo superior. Tal vez esto implique que debas emplear técnicas para ser una persona más paciente, compasiva o comprensiva. Una de las mejores formas de ayudarte a sanar es usar el tiempo que tienes para guiarte por un camino más sano.

Durante la transición, el tiempo está de tu lado. Tal vez sientas que no tienes suficientes horas en el día para trabajar en los proyectos de tu profesión, pero siempre tienes tiempo para enfocarte en ti. Si cometes un error, perdónate y aprende de ese error. Si una persona te hace daño, perdónala y, si es necesario, perdónate a ti mismo. Tómate algo de tiempo para aprender estrategias que te ayuden a mejorar tu amor propio. Pon tu mente en tareas que te hagan sentir feliz y ver lo bello de la vida.

Capítulo 6: Meditaciones de la llama violeta

Existen distintas meditaciones de la llama violeta que puedes usar para ayudarte a transformar tu vida. Cada una de ellas tiene su propósito especial. Por ejemplo, puedes usar una meditación para atraer más energía espiritual poderosa a tu vida y otra para ayudarte a sanar tus vidas pasadas. Otras se enfocarán en tus relaciones, en asuntos de tu profesión, en tu salud y en tu bienestar.

Prepárate para meditar

Debes prepararte de la misma manera en la que te preparas para visualizar, rezar o decir una afirmación. Sin embargo, hay un par de pasos especiales y significativos que debes realizar para alcanzar un estado de meditación y así poder realmente ver y sentir la llama. Este es el momento en el que atraerás la energía que te ayudará a transformar tu vida. También aprenderás los pasos cruciales que te ayudarán a liberarte y volver a la realidad.

Paso uno: Busca un lugar cómodo y tranquilo donde puedas estar a solas y sin interrupciones. Tal vez quieras recostarte en el césped o en un sofá, o sentarte en una silla. Antes de comenzar, debes asegurarte de que tu entorno sea el adecuado para atraer paz a tu corazón y tu alma. Mientras meditas, debes evitar la incomodidad o sentir que estás lidiando con pensamientos negativos. La energía que tienes en este momento es la energía que atraerás. Por ejemplo, si sientes estrés, atraerás más estrés y la meditación no funcionará.

Paso dos: Conéctate con el centro de la tierra. Como en cualquier otro ejercicio de conexión, imagina que tus raíces brotan de la planta de tus pies y llegan hasta la tierra. Las raíces atraviesan el césped, el suelo, el barro, las piedras y el agua hasta llegar al centro. Una vez que sientas la conexión, visualiza las energías de la tierra que llegan a ti a través de las raíces y se expanden por todo el cuerpo.

Paso tres: Tienes que despejar tu cuerpo, tu mente y tu alma de toda negatividad. Para ello, debes entrar en un estado de pseudo meditación mediante la respiración. Comienza respirando profundo y lento. Deja que tus pulmones se llenen de aire. Una vez que estén llenos, suelta el aire lentamente. Toma aire de nuevo, lenta y profundamente, pero esta vez visualiza cómo tus emociones y pensamientos negativos dejan tu cuerpo, fluyen por fuera de tu cuerpo, junto con el aire, y te sientes mucho más relajado y en calma. Repite este proceso hasta que comiences a sentir que tu cuerpo se hunde en la superficie en la que estás acostado o sentado. Tus extremidades comenzarán a relajarse y se sentirán pesadas.

Es importante que nunca pases a un estado de meditación total hasta que sientas que toda tu negatividad ha dejado tu cuerpo, mente y alma. Si te resulta difícil, tómate tu tiempo. Sé paciente con tus primeras meditaciones, porque te llevará un tiempo entrar en una mentalidad positiva, sobre todo si tienes problemas de depresión, ansiedad, ira, frustración o sobreexigencia.

Meditación para experimentar la llama violeta

Cierra los ojos y respira hondo y profundo. Mueve tu conciencia del exterior de tu cuerpo hacia el interior. Imagina que tus ángeles de la guarda y otros seres superiores te rodean; algunos de ellos dan un paso atrás para que los seres superiores asociados con la llama violeta den un paso adelante. Verás al Arcángel Zadquiel, a su hermano y a su equipo acercarse a ti; traen con ellos una brillante luz divina.

Ahora, centra tu conciencia en el mensaje que te conecta más profundamente con tus guías y tus seres superiores. Estás realmente en su presencia. Estás en presencia de la luz, del amor y de la paz. Relájate a medida que encuentras el ritmo de tu respiración. Una vez que estés en un estado de calma, te sintonizarás con la luz de vibración más elevada que los Arcángeles traen para ti.

Eres consciente de la luz que traen, la llama violeta. Observa esta luz. Visualiza y siente cómo la llama violeta se hace cada vez más radiante. Imagina que la luz se aparece justo en el centro de tu mente y rodea tu ser, por encima de tu cabeza y por debajo de tus pies. El calor de la luz cubre todo tu cuerpo.

Respira y deja que tu conciencia se centre en tu corazón, el lugar de tu alma. Visualiza cómo la luz de la llama se enciende y se expande en el chakra de tu corazón, sube por la garganta, se abre y se expande de nuevo. Imagina que la luz violeta se mueve hacia tu coronilla, se abre y se expande. Deja que tu conciencia se conecte con la unidad de la llama violeta.

Concéntrate en tu conciencia mientras la llama brilla con intensidad en tu interior y te conecta para alcanzar tu estado máximo de conciencia. Estírate para alcanzar las vibraciones más elevadas. Respira hondo por la boca para dejar entrar todas las vibraciones elevadas. Contén estas vibraciones y luego deja salir el aire. Siente cómo las vibraciones más bajas fluyen por fuera de tu cuerpo. Cada vez que tomas aire, la luz violeta trae más conciencia a una conciencia y a un reino más elevados. Cada vez que exhalas, el estrés, las preocupaciones y la negatividad dejan tu cuerpo.

Relaja tu respiración y deja que la llama violeta comience a transmutar la negatividad en positividad. A transformar los juicios, el ego, el dolor, las malas experiencias, la soledad, la depresión, la ansiedad y la sensación de inutilidad. Deja que la llama transmute el dolor y suelte los niveles bajos de densidad y manipulación en tu luz. Deja que estas energías bajas se disuelvan en la luz.

Toma aire y deja que las energías de la llama violeta entren en tu cuerpo. Deja que entren en tu alma. Absorbe los sentimientos positivos del universo. Siente alegría y felicidad. Deja que las energías limpien tu propia energía.

Vuelve tu atención a la llama violeta mientras sigue brillando con intensidad. Respira hondo y mueve los dedos de las manos y de los pies. Siente el suelo debajo de tus pies mientras cambias tu atención del interior al exterior. Abre los ojos y concéntrate en ser uno con tu entorno antes de seguir con tu día.

Haz clic aquí para obtener gratis tu audio de meditación guiada de la llama violeta.

Meditación para limpiar y sanar

Toma aire lentamente, mantén la respiración, y luego exhala. Cierra los ojos y observa tu respiración. Nota cómo se siente el aire cuando entra por la boca, baja por la garganta y llega hasta los pulmones. Siente el aire frío en tu cuerpo a medida que exhalas lentamente. Deja que el aire salga de los pulmones, fluya por la garganta y salga por la nariz.

Respira normalmente. Encuentra el ritmo relajado de tu respiración. Inhala, exhala, una y otra vez. Tu cuerpo está relajado y tu mente está en paz.

Concentra tu mente en la llama violeta. Imagina una tenue luz violeta en tu mente. A medida que se acerca a ti, se vuelve más y más brillante. La llama comienza a moverse. Está llena de luz divina. El centro de la llama es de un color violeta claro. Tus ojos se dirigen a los bordes de la llama, donde el color es más oscuro.

Mira cómo la llama baila frente a ti. En sus vibraciones está la energía que te ayudará a limpiar tu alma y a sanar tu corazón. Mientras sigues observando la llama, envíale al Arcángel Zadquiel y al universo un mensaje desde lo más profundo de tu corazón. La llama violeta se hace más radiante cuando le pides al universo y a los ángeles que te sanen.

La llama comienza a girar alrededor de tu cuerpo mientras elevas tu pedido. La llama violeta se vuelve más y más grande a medida que envuelve todo tu cuerpo, desde por encima de tu cabeza hasta por debajo de tus pies. Esta hermosa esfera de llama violeta te envuelve por completo.

Comenzarás a sentir las vibraciones de la llama a medida que forma una conexión contigo. Llega hasta tu mente y desciende por tu cuerpo, por la garganta y el corazón, y luego circula por tus venas. La vibración alcanza tus células y tus huesos, y baja por las piernas hasta llegar a tus pies. La energía de limpieza y sanación sigue circulando dentro de ti y comienza a acumularse en tu corazón, el lugar de tu alma. La luz se hace más brillante cuando se conecta con tu alma. Deja que el calor de la llama sane tu alma.

Mientras disfrutas de ese calor, dale gracias a la energía de la llama por sus poderes de limpieza y sanación. Cuando la llama comience a regresar al universo y se aleje de tu mente poco a poco, trae tu atención de vuelta a tu respiración. Concéntrate en las sensaciones de tu cuerpo. Mueve los dedos de los pies. Mueve los dedos de las manos y siente la superficie en la que te encuentras. Abre tus ojos lentamente y deja que tu cuerpo se adapte al mundo exterior.

Meditación para cambiar de energía

Cierra los ojos y siente el calor de la energía que viene hacia ti. Son tus ángeles, los que traen las energías del universo. En este momento los ves como una bola de luz, una luz brillante que se acerca más y más. En medio de esta luz comenzarás a ver un brillante rayo violeta.

El Arcángel Zadquiel está en el centro, acercándose a ti. Puedes ver sus manos abiertas y una llama violeta que brilla en las palmas de sus manos.

La llama violeta se hace más grande. Si fijas la mirada en la llama, verás cómo se mueve y flamea con la energía del universo. A medida que se acerca, el calor de la llama llega hasta tu corazón y se esparce por todo tu cuerpo y dentro de tu alma.

Deja que las energías fluyan por todo tu cuerpo y circulen en tu corazón. Los rayos violeta de la energía se vuelven más radiantes cuando se conectan con tu alma. Visualiza cómo tu cuerpo se enciende y se vuelve del mismo color, de la cabeza a los pies. Estás irradiando el calor, el amor y la paz de la energía.

Déjate impregnar de esa energía todo el tiempo que necesites. La luz seguirá haciéndose más brillante hasta que sientas la conexión en cada célula de tu cuerpo. Está presente en tu mente y cambia tus patrones de pensamiento. Tus emociones están equilibradas y eso crea una energía de paz que te cubre como una cálida manta violeta.

Vuelve tu atención a tu respiración y permite que la luz se absorba en tu interior. Mueve los dedos de las manos y de los pies para sentir todo tu cuerpo mientras abres los ojos lentamente. Observa tu entorno mientras te haces uno con tu nuevo cambio de energía.

Capítulo 7: Transmutación

Cuando realizas una transmutación, estás cambiando tu estado de ser actual. Estás alterando una parte de tus recuerdos, de tu personalidad o de cualquier cosa en la que decides centrarte. Puedes cambiar su apariencia o naturaleza a un estándar o creencia superior. El objetivo de la llama violeta es ayudarte a alcanzar tu yo espiritual superior. Te ayuda a descubrir el mundo que no puedes ver físicamente. Te permite abrir tu mente y aprender sobre el universo, los ángeles, los arcángeles y todos los seres que te rodean.

La transmutación puede ayudarte a conocer los motivos detrás de tu enfermedad. Aprenderás a purificar los átomos y electrones, a fortalecer tu proceso de perdón, a transformar tus emociones negativas e incluso a cambiar tu legado. También puedes alterar recuerdos dolorosos. Sin embargo, no puedes sumergirte de lleno en ninguno de estos cambios sin la llama violeta.

En la actualidad, muchas personas creen que la transmutación de la llama violeta es una técnica moderna para quienes quieren alcanzar un nivel de ser espiritual más elevado, pero ha existido por siglos. Las personas solían visualizar y rezarle al Arcángel Zadquiel y a Saint Germain para que las ayuden a sobrellevar las vicisitudes de la vida. Rezaban para que Saint Germain regresara a la tierra y las ayudara a construir un mundo mejor. Aunque la popularidad de la llama cayó estrepitosamente durante muchos siglos, volvió a resurgir a finales de los ochenta en una Convergencia Armónica. Las personas sentían que necesitaban el poder del fuego para mejorar las condiciones de la Tierra y ayudar a los demás a encontrar un mejor camino hacia la iluminación.

Los orígenes de la enfermedad

Cuando exploramos los orígenes de las enfermedades, debemos tener una visión más amplia del concepto de enfermedad. En general, cuando hablamos de enfermedad nos referimos a padecimientos físicos, ya sea un resfriado común, diabetes de tipo 2, eczema o cáncer. Sin embargo, los orígenes de la enfermedad son más profundos que solo a un nivel físico. De hecho, surgen a nivel emocional y mental. Esto te permite usar la llama violeta para transformar tus emociones o pensamientos de manera positiva y te ayudará a luchar contra cualquier enfermedad que padezcas. Piénsalo de esta manera: has escuchado a sobrevivientes de cáncer hablar de su salud mental y de cómo se enfocaban en lo positivo y se decían a sí mismos una y otra vez que iban a ganarle al cáncer. Incluso piensan que no hubieran ganado la batalla si no hubieran tenido una mentalidad tan fuerte. Los expertos están de acuerdo; los médicos siempre mantienen una conversación lo más amena y optimista posible y explican que la manera en la que tú llevas tu enfermedad sienta las bases para la recuperación.

Es importante aclarar que tener una mentalidad positiva no significa que nunca tendrás pensamientos negativos o nunca tendrás un mal día. Tampoco quiere decir que nunca dudarás de tus capacidades o te preguntarás si lo podrías haber hecho mejor. Más bien implica que aprenderás a frenar estos momentos y convertirlos en algo positivo. De algún modo, la llama violeta te ayuda a aprender a elegir tus propios pensamientos y a controlar tus emociones para poder superar todos los obstáculos en tu camino.

Una técnica que te ayudará a transformar tu vida es recitar este simple mantra a Saint Germain. Se llama el "mantra de afirmación" y se centra en tu pasado, ya sea de tus vidas pasadas o de tu vida actual. Te ayuda a transformar tu forma de pensar para poder soltar toda la negatividad que te reprime. Todo lo que debes hacer es repetir esta frase: "soy un ser de fuego violeta. Soy la pureza de los deseos de Dios" (Vaashiisht, 2019). Te servirá establecer un tiempo cuando digas este mantra. Te sugiero que sea de alrededor de quince minutos, en donde irás diciendo el mantra cada vez más rápido a medida que pasa el tiempo. Descubrirás que este mantra de solo dos oraciones te ayuda a mejorar tu mentalidad de inmediato. De hecho, tómate un momento ahora para intentarlo. Establece un periodo de tiempo y comienza a repetirlo. Haz que tu corazón y tu alma crean las palabras que salen de tu boca.

Otra forma de ayudarte a disminuir la negatividad en tu vida es mejorar el entorno de tu hogar. Cuando uses los poderes de la llama violeta, ni siquiera necesitas entrar a tu casa para darle una energía más liviana. Solo debes concentrarte en visualizar la llama donde quiera que estés. Pídele a Saint Germain y el Arcángel Zadquiel que te ayuden a traer la luz a tu hogar. Imagina a la llama que baja desde el cielo y viaja hasta tu puerta. En tu mente, visualiza cómo el fuego se mueve de habitación en habitación y ayuda a alegrar el estado de ánimo; trae paz, felicidad y fortaleza. El fuego se hace más fuerte a medida que te deshaces de las emociones y pensamientos indeseados. Imagina que la llama va dejando sus colores en cada habitación, en el pasillo y en las escaleras. Va dejando una huella de hermosos tonos violeta en cada lugar que recorre. Mientras más dejes ir la negatividad provocada por el desorden, las emociones fuertes, las frustraciones y las peleas, tu hogar será más radiante. Cuando la llama se aleje, visualiza cómo regresa al cielo y observa tu hogar y a todos los rayos violeta que lo iluminan.

Cuando se trata de soltar los orígenes de la enfermedad, siempre debes enfocarte en el perdón. Tal vez te dices a ti mismo que no necesitas perdonar a nadie, pero es muy probable que no sepas ni seas consciente de todo lo que reprimes dentro de tu alma. Ya hemos aprendido un decreto para pedirle a la llama violeta que te ayude a soltar. Ahora debes llevarlo un paso más allá y visualizar cómo desaparece la llama de la ira.

Comienza con el decreto del perdón o invocando a la llama violeta. Visualiza cómo llega a ti y entra en tu cuerpo. Siente el calor del dulce fuego mientras circula en tu corazón y se esparce por todas tus venas, tus células y tus huesos. Concéntrate en el fuego que llena tu aura de su luz radiante. A medida que crece, imagina una llama oscura de ira en tu centro. Ahí es donde acumulas todos tus problemas para perdonar y otras emociones negativas. Intentan mantenerse ocultos en las sombras para que no puedas deshacerte de ellos, pero con la llama violeta tienes el poder para ver, sentir y soltar.

Visualiza cómo la llama rodea a esa luz indeseada. Ahora, imagina que una llama rosa oscuro desciende de los Cielos y entra en tu alma. Es el fuego del amor y la compasión. El fuego se une a la llama violeta y juntos envuelven a la oscuridad y transmutan tu ira y tu negatividad en emociones positivas. Las llamas trabajan juntas para rodear tu alma y darte paz, perdón, amor y compasión.

La clave para usar la llama violeta del perdón es practicarlo con frecuencia. Comienza con un decreto o mantra y termina con una visualización. Puedes elegir incorporar este proceso en tu rutina diaria o usarlo cada vez que sientas la necesidad de perdonarte a ti mismo o a alguien más.

En ocasiones son las personas a las que ves todos los días quienes te hacen enojar y te hacen difícil poder perdonar. Aunque lo mejor que puedes hacer es tomar distancia de esas personas que generan negatividad, no siempre podemos hacerlo. Por ejemplo, tienes un compañero de trabajo que siempre está enojado y es despiadado, pero aún así necesitas mantener una relación laboral saludable. Tienes que trabajar con esa persona para mantener tu empleo y dar lo mejor de ti. Por lo tanto, debes buscar otro tipo de ayuda durante este proceso así no pierdes de vista tu transformación.

Una forma de mejorar los ánimos en tu oficina es pidiéndole al Arcángel Zadquiel que traiga la llama violeta al edificio de tu trabajo al igual que lo hizo en tu hogar. Puedes estar en tu escritorio, en el sofá o incluso en el auto mientras lo haces. Debes asegurarte de que la llama viaje por cada rincón del edificio, desde el sótano hasta el último piso. Si no conoces bien todo el espacio, haz lo que puedas para tener una idea, sobre todo en torno a tu espacio personal de trabajo. Camina por todo el edificio y recuerda lo más que puedas, porque tu objetivo es no solo iluminar tu oficina sino que también a quienes te rodean. Si traes trabajo a casa, visualiza que la llama entra a tu hogar y rodea el área donde trabajas y los objetos que usas, como tu maletín y tus útiles.

Es importante que no te olvides de tu salud física. Debes concentrarte en tu estado de salud integral (emocional, mental y física) para poder erradicar los orígenes de la enfermedad. Si no te sientes del todo bien o una parte de tu cuerpo se siente diferente, pídele a la llama violeta que sane esta parte de ti. También puedes visualizar al fuego que entra en tu cuerpo y destruye la energía vieja que causa ese dolor. Por ejemplo, si tienes dolor de garganta, visualiza cómo la llama rodea tu garganta y transmuta la energía tóxica en energía nueva y saludable.

Uno de los factores del que no son conscientes muchas personas es que una dolencia física a menudo implica que algo está mal con nuestro ser espiritual. Si tienes dolor de garganta, quizás te estés reprimiendo de decir algo que sientes. Un dolor de estómago puede significar que no estás seguro del camino que estás tomando o de algo que está ocurriendo ahora en tu vida. También puede significar que sientes que algo está mal pero no notas las señales. Además, puedes pedirle al Arcángel Zadquiel que use la llama para ayudar a sanar a tus amigos, familiares, compañeros de trabajo o a cualquiera que veas que esté sufriendo. Sin embargo, cuando le pidas a los seres superiores que ayuden a alguien más, asegúrate de pedir su ayuda solo si tu alma se los permite.

Capítulo 8: Reiki de la llama violeta

El reiki de la llama violeta es una energía poderosa de sanación que te ayuda a relajarte y a disminuir el estrés. Es parte de la energía de reiki que se centra en traer más armonía y equilibrio a tu vida. El problema es que muchos sanadores descubren que hay partes de la vida de una persona que crean bloqueos. También se cruzan con personas que tienen patrones obstinados y sienten que no tienen permitido sanar. En general, están llenas de negatividad, sobre todo a nivel inconsciente, y es difícil hacerles ver la luz al final del camino.

No todos los sanadores de reiki practican la técnica de la llama violeta, pero quienes lo hacen dicen que les permite llegar a lo más profundo del alma de la persona para que realmente pueda sanar. Ven el fuego como una herramienta poderosa capaz de desbloquear la conexión que no pueden alcanzar. Esto funciona porque contrario a la meditación consciente, donde dejamos ir la negatividad mediante la respiración, la llama llega y transmuta la oscuridad en luz. Sigue el patrón del bien que siempre prevalece ante el mal.

Si ya has practicado reiki alguna vez, es importante que sepas que la sensación que recibes de la llama violeta es diferente. Es una sensación más delicada y amable que te baña por completo. Algunas personas la describen como una sensación fresca, lo cual se diferencia de los métodos típicos que se usan en este tipo de sanación. El cambio en la energía puede hacernos sentir que no funciona tan bien como otras estrategias, pero esto no es así. Este es el tipo de vibración que necesitas.

Este tipo de reiki debe ser empleado junto con tus sesiones regulares. No está indicado para reemplazar otros tipos, sino para reforzar la energía que recibes. La clave está en aceptar tu ajuste de forma natural. No pienses en esto como algo por separado, mas bien visualiza que el poder se une en una sola cosa. Por ejemplo, si estás canalizando el Reiki nivel 2 e incluyes la llama, debes seguir en ese nivel. No imagines que debes alcanzar un nivel superior.

Uno de los beneficios de usar el fuego violeta de esta manera es poder visualizar la llama o sentir la energía sin tener que invocar al Arcángel Zadquiel o pedirle a los seres que vengan a ti. En cambio, puedes seguir con tu sesión y permitirte sentir las vibraciones mientras llegan de forma natural. Sin embargo, esto no significa que no debes invocar o pedir en absoluto. Si sueles invocar a los seres poderosos para que te ayuden o quieres incluir una protección extra mientras trabajas con energías, invoca a los arcángeles y a Saint Germain para que te ayuden. Siempre es buena idea seguir tus instintos y tus procesos regulares.

Sesión típica de reiki de la llama violeta

Si acudes a diferentes maestros de reiki, descubrirás que todos tienen una manera única de llevar a cabo un ajuste, pero al mismo tiempo siguen un patrón similar. Una de las razones es porque tienen distintos niveles. Maestros más experimentados sentirán la energía con más facilidad, mientras que los principiantes recién están aprendiendo, por lo que puede tomarles más tiempo o agregarán un par de pasos al proceso.

Antes de comenzar, tómate unos momentos para pedirle al Arcángel Miguel que te proteja. Puedes pensarlo o decirlo en voz alta. Puede ser simple; por ejemplo, puedes decir "Arcángel Miguel, por favor protégeme" o intenta con "querido Arcángel Miguel, por favor envuélveme con tu luz dorada de protección mientras me preparo para esta sesión. Gracias".

Luego debes invocar al Arcángel Rafael para que te ayude con el proceso de sanación. Puedes hacerlo recitando lo siguiente: "Arcángel Rafael, ángel de la sanación, te pido que me guíes con tu presencia y tu poder durante la sesión. Por favor, ayúdame a sacar los bloqueos de mi alma para alcanzar un campo energético más elevado. Gracias". De aquí en más, puedes invocar al Arcángel Zadquiel y a Saint Germain y pedirles que te guíen con la llama violeta sanadora.

Después debes prepararte para comenzar a sanar; respira profundo y lento un par de veces, al menos tres. En este momento podrás visualizar a los seres poderosos que se acercan a ti para ayudarte y podrás invocar a la llama violeta a través de una plegaria, un decreto o una afirmación. Por ejemplo, puedes decir: "adorada llama violeta, por favor acepta mis bloqueos y mi oscuridad en tu gentil luz de amor. Toma todo en tu poder y transfórmalo en positividad". Si aún no has comenzado a visualizar el fuego que sale de ti con sus vibrantes tonos violeta, puedes intentarlo ahora; imagina que arde justo frente a ti. Deja que tu rostro sienta el calor del fuego.

Ahora, abre los dedos de tus manos lo más que puedas. Déjalos que se estiren y alcancen esos bloqueos de negatividad que te impiden alcanzar todo tu potencial. Visualiza cómo atrapas esos bloqueos y remueves toda esa oscuridad de tu cuerpo y de tu alma. Mira en lo más profundo de tu interior para ver si quedó algún bloqueo y arráncalo con tus dedos. Imagina que sostienes los bloqueos encima de la llama y mira cómo se derriten y arden con la energía de la llama. Ellos no se mezclan con amor, con compasión, con el perdón o con la relajación. Ellos se transmutan a través de la energía violeta.

Una vez que sientas que has completado este proceso, expresa tu gratitud a todos los arcángeles y a cualquier otro ser poderoso que hayas invocado. Agradécele a la llama violeta por su energía e imagina que todos regresan de vuelta a los Cielos. Ahora puedes continuar con tu sesión regular de reiki.

Meditación guiada de reiki de la llama violeta

Otra opción es usar la meditación durante tu sesión de reiki. Esto es algo con lo que puede ayudarte tu maestro o que puedes hacer en la comodidad de tu hogar, así como harías con tu meditación diaria. Antes de comenzar con este proceso, debes asegurarte de prepararte bien y concentrarte en limpiar todos los pensamientos que puedas. No es necesario que te limpies de toda negatividad, porque lo harás durante la meditación. También debes pedirle al Arcángel Miguel que te proteja con su luz y al Arcángel Rafael que te ayude a sanar. A continuación encontrarás un ejemplo de meditación guiada para reiki.

Comienza guiándote hacia un estado de meditación; concéntrate en tu respiración. Una vez que entres en un estado de calma y relajación, enfócate en tu ser interior y lleva todos tus pensamientos al chakra de la coronilla. Visualiza que la energía positiva del universo entra por encima de tu cabeza a tu chakra superior. Deja que la energía fluya por todo tu cuerpo, que circule por tu corazón y que entre a tu alma. Concéntrate en la energía mientras relajas el ritmo de tu respiración.

Ahora, invoca al Arcángel Zadquiel y a la llama violeta. Pídele a Saint Germain que te ayude a crear el fuego radiante y visualiza que las huestes se unen por ti. Imagina el fuego de una vela violeta que arde intensamente frente a ti. Mientras se hace más grande, el fuego comienza a tornarse de un color violeta claro. Se esparce en tonos amarillos y azules; se hace claro en el centro de la llama y un tono violeta más oscuro en los bordes.

Deja que la llama comience a transmutar tus bloqueos y la negatividad a través de su luz. Imagina que la vela flota hacia tu corazón y comienza a iluminar todo tu cuerpo. Los tonos de violeta fluyen por encima de tu cabeza, bajan por tus piernas, rodean tus pies y se conectan en tu corazón.

Tómate un momento para decir tus intenciones a los seres poderosos. Diles que está todo listo para soltar tu vieja energía negativa y crear una nueva energía vibrante, llena de pasión y perdón. Tienes que soltar tu energía para hacer lugar a todas las buenas vibras del universo.

En silencio di las siguientes palabras: "estoy en paz. Soy una persona amada. Puedo dar amor". Repite estas palabras en tu interior tantas veces como lo desees. Mientras dices estas palabras (o una frase similar), imagina que los colores vibrantes se hacen cada vez más brillantes y fuertes. Ellos están limpiando tu energía y traen las energías positivas de la llama violeta.

Lleva toda tu atención a la llama. Repite despacio "soy la llama violeta" mientras examinas todo tu cuerpo y visualizas que todos los bloqueos que quedaban se van de tu cuerpo y de tu aura.

Una vez que la llama transmutó tu energía, comenzará a disminuir su intensidad. Mientras ves cómo la llama se disipa poco a poco, agradécele a los seres superiores por su ayuda. Respira lento y profundo un par de veces a medida que vuelves a enfocarte en tu ser exterior.

Estira tu cuerpo gentilmente y comienza a mover los dedos de las manos y de los pies. Mueve tu cuerpo poco a poco y luego abre los ojos. Conéctate con tu entorno mientras te preparas para seguir con tu día.

Capítulo 9: Cómo pasar tiempo con los arcángeles para vivir una vida celestial

A pesar de que debes invocar a los arcángeles cuando necesitas su ayuda, ellos siempre estarán cerca, sin importar las circunstancias. Ellos saben qué es lo que deseas y qué es lo que necesitas, pero no pueden ayudarte oficialmente a menos que solicites su ayuda. El motivo detrás de esto es que tienes tus propios ángeles de la guarda, cuyo trabajo es intervenir cuando sea necesario sin que se lo pidas. Una vez que los invoques, ellos descenderán de los Cielos y trabajarán con tus guardianes y otros ángeles para poder ayudarte.

Saber a quién invocar

Existen varios arcángeles principales, así que es bueno saber a quién invocar cuando necesitas ayuda. Piensa con qué cosas necesitas ayuda y fíjate cuál de ellos se centra en tus necesidades.

El **Arcángel Miguel** te ayuda en las batallas. Si estás en una guerra o sientes que estás en una lucha emocional, mental o física con alguien más, invoca a Miguel para que te ayude. Él también te protegerá en todas las circunstancias, incluso cuando medites. Por lo general está asociado con el color azul.

El **Arcángel Gabriel aparece** en tonos cobrizos. Es el ángel de la comunicación y puede ayudarte a expresar lo que realmente sientes cuando tienes miedo o no sabes cómo explicarte.

El **Arcángel Ariel** está asociado con los animales. Su color es el rosa y te ayuda a conectarte con tus mascotas y con otros animales. También es su protector, así que si alguna vez te preocupas por los animales, puedes pedirle a Ariel que los cuide y proteja.

El **Arcángel Rafael** ayuda con la salud y la sanación. Su color es verde esmeralda y puedes invocarlo cuando no te sientas bien o antes de comenzar una sesión de reiki. También puede ayudarte con tus pensamientos y emociones si estás en medio de un caos o estás desequilibrado. Él te motivará a generar emociones y pensamientos saludables.

El **Arcángel Raziel** es denominado el ángel mago porque ayuda con muchas cosas. Él representa los colores del arcoiris y puedes invocarlo mientras usas la llama violeta cuando te enfoques en sanar los traumas de vidas pasadas.

El **Arcángel Metatrón** es color púrpura y es otro arcángel que trabaja a la par de la llama violeta. Puedes invocarlo junto con el arcángel Zadquiel al momento de limpiar tus bloqueos o la negatividad de tu cuerpo.

El **Arcángel Zadquiel** está asociado mayormente con la llama violeta, pero tiene un color índigo oscuro. Se concentra sobre todo en el perdón, al igual que gran parte de la llama.

El **Arcángel Jofiel** te motiva a ver la belleza del mundo que te rodea. Cuando tengas dificultades o sientas que no eres capaz de ver lo bueno en los demás o en el mundo, invócalo. Él vendrá a ti en un color rosa oscuro.

El **Arcángel Uriel** es el arcángel de la inspiración, de las ideas y de las reflexiones divinas. Por lo general su color es el amarillo.

El **Arcángel Chamuel** es otro ángel que puedes usar con la llama violeta, ya que él es el ángel de la paz. Su color es el verde claro y puedes invocarlo cuando tengas problemas con tus patrones de pensamiento negativos o cuando necesites un impulso extra de paz, calma y relajación en tu vida.

El **Arcángel Sandalfón** te ayuda a recibir mensajes de tu entorno. Por ejemplo, si tienes problemas para aceptar cumplidos o te sientes desconectado cuando las personas se comunican contigo, invócalo para que te ayude. Él vendrá a ti en un color turquesa.

El **Arcángel Raguel** es conocido como el ángel de la armonía. También puede formar parte de la llama violeta porque puede ayudarte a crear un aura de concentración y paz. Cuando esté cerca, verás un halo de color azul claro y quizás escuches la música de un violín o de un arpa.

El **Arcángel Jeremiel** es otro ángel que trabaja a la par de la llama violeta. Forma parte del equipo del arcángel Zadquiel y vendrá a ayudarte a revisar tu vida, incluso tus vidas pasadas, y a liberar energía que ya no te sirve. Cuando mires a la llama, verás su color violeta oscuro.

El **Arcángel Azrael** ayuda a quienes están atravesando un duelo. Se manifiesta en un color amarillo pálido y te brindará una sensación de alivio.

El **Arcángel Haniel** está asociado con la clarividencia y la intuición. Cuando aprendas a conectar con tus ángeles y a confiar en tus instintos, él es un buen ángel con el que puedes trabajar. Se manifiesta en un color albiazul.

Invoca a los arcángeles para crear una vida de paz

Tal vez pienses que el problema con el que necesitas ayuda es insignificante, pero tus arcángeles no. Ellos querrán ayudarte en todas las formas posibles. Por ejemplo, se te cayó una píldora de tu caja de medicinas y no puedes encontrarla. Te preocupa que tus mascotas la hayan encontrado y se la hayan tragado. Tal vez sientes que esto no es un trabajo para tus ángeles, pero el Arcángel Ariel quiere guiarte hasta tu medicamento para proteger a tu bebé de cuatro patas, así que déjalo. Invócalo diciendo en tu mente o en voz alta "Arcángel Ariel, ayúdame a encontrar mi medicamento" y estará ahí para ti.

También puedes pedirles que te ayuden a través de la meditación. Es importante que escuches con atención mientras empleas este método porque sentirás que te están hablando a ti. Al principio tal vez solo entiendas lo que te están diciendo en tu mente; sus palabras vendrán a ti en forma de pensamientos. Una vez que tu conexión con el mundo espiritual sea más fuerte, comenzarás a escuchar sus dulces voces en tus oídos. No cuestiones lo que te dicen. Cuando los escuches por primera vez, será fácil cuestionar si es tu imaginación o si son realmente ellos. Sigue tu instinto y, si sientes que es lo correcto, créelo. No dudes de lo que sientes. Si sientes que algo está mal o que no escuchas el mensaje correctamente, pídeles que repitan lo que dijeron.

Otra opción para conectar es escribir una carta. Puedes usar las mismas palabras que dirías en voz alta o en tu mente o escribir mucho más. Es una gran forma de solicitar su ayuda si la necesitas y no te sientes cómodo hablando en voz alta, o no puedes concentrarte lo suficiente porque suceden muchas cosas a tu alrededor. Por ejemplo, si estás con un grupo de amigos y no te sientes a gusto con una situación o tienes miedo de alguien que está cerca de ti, es el momento perfecto para escribir. Tal vez prefieras escribir una carta porque te expresas mejor en la escritura y es más fácil para ti pedir ayuda a los arcángeles de esta manera. Siempre comienza tus cartas con el nombre del arcángel con el que quieres conectar, por ejemplo "querido Arcángel Ariel" o "divino Arcángel Miguel".

Visualiza que el arcángel está cerca de ti, listo para ayudarte. Comienza imaginando al arcángel que quieres invocar y di su nombre de tal manera que puedas fortalecer tu visualización. Por ejemplo, puedes decir en tu mente: "estoy visualizando al Arcángel Gabriel que está llegando a ayudarme". También puedes usar tu imaginación para ver a todos los ángeles que flotan a tu alrededor y se aseguran de que tus plegarias sean escuchadas.

Puedes invocar a los arcángeles mediante las emociones. Cada ángel crea distintas sensaciones para hacerte saber que están contigo, tales como la compasión, el amor y el calor. Cuando estés luchando contra la ira, la frustración o con cualquier otra emoción negativa, pídeles que vengan y te hagan sentir mejor. Ponte en sintonía con la manera en la que te sientes para que notes el cambio cuando ellos lleguen. Comenzarás a sentirte más liviano y en paz. Tus pensamientos se aclararán y sentirás que los ángeles están cerca de ti.

Una de las formas más poderosas para crear una vida divina es rezar una plegaria especial antes de dormir que incluya a los arcángeles Uriel, Miguel, Gabriel y Rafael. Dios les asignó a cada uno de estos arcángeles un punto cardinal (norte, sur, este y oeste). Al invocarlos, pueden ayudarte a equilibrar tu vida de distintas maneras en el momento en el que estás más cerca de ellos y más dispuesto a recibir su ayuda: mientras duermes.

Uriel es el norte, Miguel es el sur, Gabriel es el este y Rafael es el oeste. Cuando digas tus plegarias, primero debes ubicar a estos arcángeles en la dirección correcta en relación a ti. Por ejemplo, si el sur está a tu derecha, puedes decir: "a mi derecha, Miguel, y a mi izquierda, Gabriel; frente a mí, Uriel, y detrás de mí, Rafael" (Hopler, 2018). Esto debes hacerlo antes de dormir, porque es durante este tiempo en el que completamos la mayor parte de nuestro crecimiento espiritual.

Otra forma de pasar tiempo con los arcángeles es hablar con ellos como lo harías con cualquier otra persona. Puedes hacerlo cuando estés a solas o cuando te recuestes a descansar. Incluso puedes conectar con ellos cuando estés en tu auto. No necesitas hablar con ellos solo cuando quieres que te ayuden con algo. Puedes fortalecer tu conexión con ellos simplemente contándoles sobre tu día o sobre tus planes para una vida mejor. Una vez que ellos sepan los pasos que quieres seguir, comenzarán a trabajar contigo para que te alinees con tus objetivos. Los arcángeles, los ángeles y tus ángeles de la guarda son los seguidores más fervientes que tendrás en tu vida física y espiritual. Ellos siempre harán todo lo posible para asegurarse de que tengas éxito y vivas una vida feliz, saludable y equilibrada.

Una vez que solicites su ayuda, debes buscar las señales. Incluso cuando medites o hables con ellos, tal vez no los sientas ni recibas mensajes a través de tus pensamientos. De hecho, la manera principal en la que responden a tus preguntas o te guían en el camino de la vida es mediante señales. Tal vez huelas una determinada fragancia, como la lavanda, que indique la presencia de un ángel. Tal vez notes una repetición de números durante un tiempo, como 44 o 333. Estos son conocidos como los números angelicales, y cada uno de ellos tiene un mensaje. Por ejemplo, el ocho significa que tienes que sentirte cómodo con tu poder personal. Tienes que construir tu confianza, tus talentos y tus habilidades y darte cuenta de que lo que sientes y lo que haces es tu verdad. Si ves el número 888, significa que has estado trabajando en tu confianza y los ángeles lo saben. Están orgullosos del trabajo que has hecho y quieren hacerte saber que tus plegarias serán respondidas mediante recompensas inesperadas o abundancia material. Cada número del uno al diez tiene un significado especial. Cuando sientas que el número repetido es una señal de tus ángeles, busca en internet cuál es su significado, así podrás entender el mensaje y alcanzar todo tu potencial.

Conclusión

Repite en tu interior el decreto "yo soy la llama violeta". Puedes volver a la introducción y leerlo o recitar tu decreto favorito. También puedes repetir estas palabras varias veces. Ahora, fíjate cómo te sientes. ¿Te sientes diferente respecto de cuando comenzaste a leer este libro? Probablemente te sientes más cerca de la llama violeta. Puedes visualizarla de inmediato cuando comienzas a repetir el decreto. Puedes sentir que estás en un estado de calma y de concentración.

La llama violeta comienza a trabajar de inmediato cuando comienzas a usarla. Aunque algunos de sus beneficios aparecen gradualmente, puedes sentir que funciona de todos modos para armonizar tu vida y darte una sensación más fuerte de paz.

¿Notas que tus pensamientos han cambiado? ¿Sientes que comienzas a entender de dónde proviene tu negatividad y cómo puedes cambiarla? Es importante que notes tu progreso mientras te conectas con los seres superiores y el fuego radiante. Puedes escribir tus emociones, pensamientos y cualquier otra cosa en un diario. Una vez a la semana, abre tu diario y lee lo escrito las últimas semanas para notar tu progreso. Si ves intervalos en tu sanación, tómate un tiempo para concentrarte en esa área. Invoca a los arcángeles para que te guíen.

Sigue conectándote con los arcángeles y con la llama violeta, incluso si sientes que ya te encuentras en un buen lugar en la vida. Cuando estás en tu mejor momento, debes invocarlos para que te ayuden a seguir por ese camino. Siempre toma nota de las señales que ellos te dan, ya sea mediante números angelicales, mensajes que puedes ver y sentir o tus sueños. Escribe los mensajes para sacar tus propias conclusiones, porque no siempre te darán una respuesta directa. A veces pueden pasar días o meses antes de recibir una respuesta por varias razones. Quizás ellos sienten que tienes que trabajar en ti antes de entender el mensaje, o quizás tienes bloqueos que no te permiten entender todo el mensaje al instante. Sin embargo, si dejas ir la negatividad que te reprime, entonces podrás entender lo que están tratando de decirte.

Una enseñanza que debes guardar en tu corazón y en tu alma es que tienes que confiar en tus instintos. La llama violeta y los seres superiores no son una ciencia. No es un tema que puedes reforzar mediante estudios e investigación. Es un poder interior que sientes. Tu intuición te dirá cuando algo esté bien o mal. Debes dejar atrás tus dudas y creer en ti mismo.

Otra enseñanza de este libro es que debes tomarte tu tiempo durante tu proceso. No aprenderás a conectarte con los arcángeles de la noche a la mañana. Puede llevarte meses liberarte de tus bloqueos por completo; todo depende de qué tan profundos estén arraigados y cuánto permitas la ayuda de los ángeles. No debes dejar de fortalecer tu vínculo con los seres superiores. Es algo en lo que tendrás que trabajar el resto de tu vida si das el primer paso. ¡Tu vida celestial te está esperando!

Arcángeles: Metatrón

Metatrón, el bienestar, la alineación angelical y el don de lograr maravillas (Libro 2 de la serie Arcángeles)

Angela Grace

Introducción

Cuando comencé mi camino con los cristales y la sanación reiki, no tenía idea de todas las oportunidades que surgirían a lo largo del camino. Tampoco me di cuenta de todo lo que tenía que aprender sobre cómo sanarme a mí misma, de la sabiduría del universo, y de cómo hacer que todo eso suceda en mis propios términos.

Estaba a punto de ser consumida por la depresión. Me llevó a un lugar muy oscuro; el más oscuro en el que he estado. Después de haber perdido a mi pareja, tener problemas en el trabajo, y sentirme sola y aislada, mi vida cambió cuando comencé a estudiar y a practicar reiki. Gracias al reiki y los cristales, sentí que había vuelto a encontrarme a mí misma, pero esta vez era mi *yo verdadero*. Ya no era esa jovencita sociable y superficial que se rodeaba de amistades falsas, que se escondía de su pasado y de sus traumas y que ahogaba sus penas en vodka. Para nada; me estaba convirtiendo en la persona que siempre supe que tenía que ser pero no sabía cómo hacerlo.

Parece un sueño hecho realidad, ¿verdad? Estaba finalmente encaminándome hacia una transformación positiva. Mirando hacia atrás, puedo decir con seguridad que fue así. En ese momento no era tan obvio. Sentí que cada día cambiaba un poco más. Mis estados de ánimo, mis emociones, mis pensamientos y la forma en que percibía al mundo y a mí misma se transformaban poco a poco. Lo que más me costó fue ver cómo mis relaciones comenzaron a cambiar.

Vengo de una familia que nunca creyó en mí y la mayoría de mis amistades en mi vida adulta se basaban en vínculos banales determinados por el estatus social, así que la lista de personas con las que podía hablar de mi transformación personal era muy reducida. No podía imaginarme hablando del poder de los cristales con las amigas con las que voy a hacerme la manicura. La idea de hablar con mi familia sobre la sanación energética era demasiado descabellada. A pesar de su efectividad, aún existen muchas personas que consideran que el reiki y la sanación de los cristales son brujería, una pseudociencia, o simplemente un disparate.

Sentí que tenía muy pocas personas con quienes hablar, a excepción de mi amiga Linda (a quien le estoy eternamente agradecida por apoyarme y ayudarme en este camino), y comencé a sentirme sola de nuevo. Fue en ese momento en el que comencé a pensar que no era la única sanadora o maestra de energía que se sentía sola en el camino elegido. Entonces, comencé a buscar en internet formas de aliviar la soledad que sentía.

Allí me encontré con la idea de las entidades espirituales, quienes existen para guiar a los seres humanos y ofrecerles fortaleza y sanación; más específicamente, los arcángeles.

Llámalos entidades espirituales, milagrosas, o cualquier otro término que te parezca adecuado, pero es difícil negar la existencia de estas entidades tan benevolentes que nos guían. Muchas personas asocian a los arcángeles con la religión, pero la noción de los arcángeles, los maestros milagrosos y los guías espirituales existe desde hace mucho más tiempo que cualquiera de las religiones del mundo moderno. Se han encontrado muchas interpretaciones diferentes de los arcángeles en todo el mundo, las cuales abarcan miles de años de historia. Es por ese motivo que los arcángeles se han hecho conocidos entre los maestros de energía y los sanadores espirituales, más allá de sus afiliaciones espirituales.

Comencé a estudiar cómo trabajar con los arcángeles para poder crecer a nivel personal y espiritual. Es una sensación muy reconfortante e intrigante pensar que hay arcángeles que pueden convertirse en mis compañeros de energía y que pueden ofrecerme una guía y entendimiento cuando nadie más en mi vida podía hacerlo.

Uno de los arcángeles que descubrí, y que ha sido un poderoso catalizador para lograr un cambio en mi vida, es el arcángel Metatrón. Metatrón es un arcángel que inicia el cambio y la transformación. Me ayudó a recordar que el camino que estaba recorriendo era el indicado. Estaba atravesando muchas transformaciones personales y espirituales, pero Metatrón me recordó que no estaba sola, que tenía protectores y guías que me ayudarían en el camino, y eso me dio la fortaleza y el valor para seguir adelante.

A pesar de que estoy en un momento de mi vida en el que me siento feliz con lo que he logrado, estoy cómoda conmigo misma y he alcanzado un estado de paz espiritual, aún trabajo con el arcángel Metatrón y es mi confidente. Él está a mi lado cuando quiero lograr un cambio, grande o pequeño. Metatrón es testigo de los milagros que ocurren en mi vida. Es el ángel a quien acudo cuando necesito liberar mi mente de pensamientos abrumadores.

Desde que descubrí el poder de Metatrón y forma parte de mi repertorio espiritual de arcángeles, puedo decir con confianza y total honestidad que he dado los pasos correctos y he tomado las decisiones correctas para cambiar lo que necesitaba cambiar en mi vida. El cambio trae consigo el crecimiento, y me he convertido en una persona que está dispuesta a compartir su conocimiento y sus experiencias con personas como tú, que están buscando un poco de dirección en sus vidas.

Tal vez ya conoces lo básico de cómo trabajar con los arcángeles, o quizás trabajar con entidades espirituales es algo nuevo para ti. De igual manera, este libro te brindará la información que necesitas para conectar con el arcángel Metatrón, ayudarte a ti mismo y lograr un cambio. Al invocar a Metatrón, eliges transformar tu existencia, tal como yo lo hice.

Quizá te sientes igual que yo la primera vez que me encontré con la sanación energética: sola, deprimida, perdida y asustada. Tal vez le falta alegría, pasión y satisfacción a tu vida. Tal vez simplemente estás buscando respuestas, o una voz y una mano que te guíen en una nueva dirección. Los ángeles y arcángeles tienen un impacto casi universal y llenan a las personas de esperanza y calidez. Estoy aquí para ofrecerte todo eso.

Mediante mis experiencias y prácticas y el camino que he recorrido con Metatrón, tú también podrás experimentar un cambio profundo, lograr satisfacción en tu vida y alcanzar el éxito. Puedo enseñarte a trabajar con Metatrón de diferentes maneras, por ejemplo, con la meditación o afirmaciones. Puedo enseñarte a detectar la presencia de Metatrón y a combinar los dones y el poder de Metatrón con otros tipos de sanación energética. Logra una vida más empoderada con mi sabiduría y la energía de Metatrón.

Capítulo 1: Introducción al arcángel Metatrón

Cuando hablamos de los arcángeles, es importante aclarar que son individuos per se. Puedes invocar a distintos arcángeles para diferentes trabajos que hagas para ti y para otras personas. Los arcángeles tienen historias que se extienden a lo largo de miles de años y en muchas culturas. Cada uno tiene su personalidad, sus poderes especiales y sus asociaciones.

Sin embargo, los arcángeles son más que solo iconos. Son seres que han contribuido, cada uno a su manera, a la evolución humana, al cambio y el crecimiento de la sociedad. Metatrón es quien trae el cambio y, como tal, puedes invocarlo para la transformación. La transformación y el cambio son términos bastante amplios que se aplican a muchos diferentes aspectos de nuestra vida y al progreso que quieres ver en ella.

Metatrón es considerado el ángel más poderoso y el príncipe de los serafines. Tiene el poder de comandar a otros seres divinos y a todos los otros ángeles. Desde un punto de vista religioso, se dice que Metatrón es el único ángel que tiene acceso al Creador o Dios y su poder solo puede competir con el del Creador.

Aparte de esta afiliación religiosa, el poder de Metatrón no tiene comparación en el ámbito del estudio de los arcángeles y la sanación espiritual. Esta divinidad y este poder son respetados y apreciados por quienes trabajan con Metatrón.

En todas las creencias y espiritualidades por unanimidad, los ángeles son considerados seres divinos que tienen una misión. Esta misión estará asociada a un Dios o Creador o existirá separada de la religión según tus propias creencias. En lo que respecta a este libro, haremos referencia a connotaciones religiosas, pero trabajar con Metatrón y con los otros arcángeles no dependen de la fe religiosa.

Quienes estudian a los arcángeles no necesariamente tienen una afiliación religiosa, y durante muchos años se han inspirado e interesado en Metatrón y su existencia. Él se ha convertido en el arcángel preferido en muchas prácticas y estudios de los ángeles y arcángeles.

La historia de Metatrón

Históricamente, Metatrón es un ángel único y misterioso. Esto se debe principalmente a que nunca se lo menciona en la Biblia. Sin embargo, los historiadores, académicos y analistas de textos religiosos han afirmado que Metatrón es representado en la Biblia por muchos ángeles sin nombre. Además, Metatrón es el único arcángel hasta el momento cuyo nombre no termina con la letra L. Miguel, Rafael, Uriel, Gabriel y los otros arcángeles conocidos tienen una cadencia particular en su nombre que Metatrón no tiene.

Se especula que el nombre Metatrón proviene de unas palabras del hebreo o griego antiguo. Esas palabras varían en su significado: "el guardián del reloj", derivado de la palabra *mattara*; "vigilar y proteger", derivado de la palabra *memater*, o "quien sirve detrás del trono / quien ocupa un lugar al lado del trono", derivado de las palabras griegas *meta* y *thronos*. Existe otra palabra en latín, *mitator*, que significa "líder" y también se ha sugerido como origen del nombre Metatrón.

Metatrón aparece con su nombre en el libro de Enoc, en el Talmud, en la Cábala y en algunos textos islámicos. Se lo ha descrito como un ángel que registra la palabra de Dios y los eventos que ocurren en la Tierra, lo cual significa que siempre está observando a la Tierra y a la humanidad.

Las diferentes referencias religiosas a Metatrón reflejan diferentes perspectivas del arcángel y lo que representa. Sin embargo, tienen una cierta congruencia, debido a que aparece como un favorito de Dios y posee un estatus y un poder superiores a los de los demás ángeles.

En el tercer libro de Enoc, se dice que Metatrón es especial porque es el único ángel que nació humano. En su forma mortal era Enoc, pero Dios lo ascendió a los cielos después de la gran inundación para mostrar su misericordia. Al ascender, Enoc se transformó en un poderoso arcángel y se le dio poder por sobre los demás ángeles. Esto se debe a que Dios confiaba en Enoc y estaba muy orgulloso de su transformación de humano a ángel.

En el Talmud judío, Metatrón está sentado al lado de Dios. Esta es otra muestra de lo importante que es Metatrón para Dios y lo mucho que lo respeta. Todos los otros seres deben permanecer en una posición de sumisión frente a Dios. El Talmud sugiere que Metatrón puede sentarse junto a Dios porque es un escriba y es una posición mucho más cómoda para registrar todos los eventos divinos y mundanos. En este texto, también se cree que Metatrón tiene la capacidad de gobernar cuando Dios está ocupado o ausente.

En algunas creencias islámicas, Metatrón es considerado el ángel del velo y el único ser que realmente sabe lo que ocurrirá en el futuro. También se lo considera el ángel al cual se invoca para luchar contra los espíritus malignos, los demonios y otras magias negras.

A pesar de estar asociado con el poder y ser superior a los otros ángeles, el arcángel Metatrón no es una figura muy conocida en la religión. Sin embargo, en el estudio de los arcángeles y en la espiritualidad se ha convertido en una figura destacada a la que se acude para obtener guía y sanación.

Señales de la influencia y el poder sanador de Metatrón

Los espiritualistas, sanadores y expertos en arcángeles opinan que Metatrón sirve a la humanidad de diversas maneras, incluso en la sanación. Ellos aseguran haber visto destellos radiantes cuando Metatrón está cerca; los destellos representarían a la gloriosa corona que Dios impuso sobre él.

Otros expertos afirman que los pensamientos positivos que se les aparecen en periodos de depresión son señal de que el arcángel Metatrón quiere comunicarse directamente con alguien. Es su manera de guiar a los humanos hacia la positividad. Él registra los eventos particulares de cada persona y por lo tanto quiere que seamos felices, en vez de dejar que nos consuma la tristeza.

Metatrón es conocido por una figura geométrica denominada "el cubo de Metatrón". En capítulos siguientes hablaremos con más detalle de la geometría sagrada. Sin embargo, se dice que la presencia recurrente de figuras geométricas en la vida de una persona son indicadores de la influencia de Metatrón. Estas figuras recurrentes son consideradas impresiones del cubo de Metatrón, una figura geométrica muy poderosa cuando se trata de espiritualidad, sanación y transformación.

Se dice que el arcángel Metatrón también está relacionado con los números, más específicamente con el número 11. Si alguien ve el número 11 todo el tiempo, puede ser un signo de la influencia de Metatrón. Quizás Metatrón ya se ha puesto en contacto contigo y no supiste cómo interpretar las señales.

Capítulo 2: Invoca al arcángel Metatrón fácilmente

El arcángel Metatrón ayuda a guiar a las personas hacia la ascensión, lo cual en esencia implica elevar sus niveles energéticos y espirituales hacia un lugar de trascendencia divina. Él está comprometido con la creación de un paraíso en la Tierra y está dispuesto a ayudar a quienes buscan su guía y su sabiduría. Al igual que con la mayoría de las prácticas y la sanación espirituales, Metatrón debe ser invocado. Los arcángeles poseen un gran poder y usarán su influencia cada vez que sea posible, pero si no los contactas directamente, es muy probable que no intervengan.

No importa si recién comienzas en el estudio de los arcángeles o si ya tienes algo de experiencia; conocer algunas formas sencillas de invocar a Metatrón te ayudará a abrir la puerta a la transformación espiritual y energética.

Al invitar a Metatrón a tu vida, te abres para recibir la sanación espiritual y energética, puedes limpiarte de toda negatividad, obtienes protección contra las enfermedades y la corrupción y, por supuesto, te acercas a la transformación.

Aunque existen técnicas más avanzadas y detalladas para invocar a Metatrón y buscar una orientación específica, también puedes invocarlo fácilmente para tus prácticas de principiante o en ocasiones en las que no puedes emplear un método más profundo.

El arcángel Metatrón tiene un entendimiento muy íntimo de los seres humanos y de sus problemas. Esto quizás se debe a que alguna vez fue humano o por la idea histórica de que Metatrón observa y registra todo lo que sucede en el mundo, incluso a las vidas de cada persona. Este ángel está especialmente calificado para ser un sistema de apoyo personal para ti.

Meditación

La meditación es una práctica conocida por quienes estudian o participan en la espiritualidad o en la sanación energética. Se ha usado durante siglos para elevar el nivel de consciencia y le permite a quienes la practican recibir los mensajes y el conocimiento divinos. Entonces tiene sentido que esta práctica pueda emplearse para conectar con el arcángel Metatrón, ¿verdad?

Aunque para conectarte con Metatrón puedes usar meditaciones complejas y guiadas, para lograr una conexión sencilla no es necesaria una gran ceremonia de meditación. En cambio, todo lo que debes hacer es cerrar los ojos, respirar de manera profunda y prolongada, y dejar que todos los pensamientos, las preocupaciones y la ansiedad dejen tu mente. Mientras respiras y te relajas, visualiza la intención de que quieres conectarte con Metatrón.

Una vez que hayas despejado tu mente y hayas proclamado tu intención, podrás abrirte a recibir y a escuchar los mensajes del arcángel Metatrón.

Este es un ejercicio muy rápido que puedes hacer en cualquier momento y lugar. Mientras más lo practiques, más rápido podrás aclarar tus pensamientos y recibir una respuesta. Si tienes una pregunta específica, visualiza una intención como "solicito la guía del arcángel Metatrón para [incluye aquí tu pregunta o problema]". De esa manera, el mensaje que recibas puede ser más específico.

Esta invocación sencilla puede ayudarte sobre todo en momentos de estrés, cuando necesitas tomarte un tiempo para ti para ordenar tus pensamientos. También puedes hacerlo en una habitación llena de personas, aunque tal vez necesites practicar cómo acallar el resto de los ruidos antes de poder hacerlo.

Las meditaciones no tienen por qué ser largas y ritualistas para obtener resultados. Con solo relajar el cuerpo, aclarar la mente y visualizar la intención deseada, puedes invocar la guía de Metatrón. Como él es luz y energía positiva que resuena en una frecuencia más elevada, aclarar tu mente es esencial para elevarla a un estado superior y poder recibir mensajes del arcángel.

Activa tu pilar de luz

Cada persona tiene dentro de sí lo que se conoce como el "pilar de luz de la ascensión". Este pilar es un núcleo de luz en tu centro. Está en el centro de tu ser, pero también se expande a tu alrededor. El pilar de la ascensión te conecta con la tierra y el núcleo cristalino del planeta. Viaja por tu columna vertebral, circula en tu corazón, sale y se expande desde la coronilla y te conecta con el cosmos y lo divino.

Puedes invocar al arcángel Metatrón para activar este pilar en tu interior. Cuando actives tu pilar de luz, ganas poder para servirte a ti mismo y a los demás a un nivel más elevado para un bien común. Asciendes a una consciencia más elevada.

Invocar a Metatrón para activar este pilar no es difícil. Puede hacerse de forma muy sencilla con poca práctica o sin experiencia previa. Es buena idea si recién comienzas con el trabajo espiritual y la sanación energética. Si esta no es tu primera vez con los arcángeles, pero aún no has activado tu pilar de la ascensión, te será útil en tu propio proceso.

Para activar tu pilar, concéntrate en el espacio energético que está sobre la cabeza y sintoniza la energía del arcángel Metatrón. Como es un ser divino, él siempre estará dentro de tu alcance. Tal vez resuenes con la energía de Metatrón en la forma de una esfera brillante o una estructura cristalina color rosa y magenta.

Una vez que te hayas alineado con la energía de luz divina de Metatrón, deja que esa luz brille en todo tu ser. Piensa que es como un reflector que brilla sobre ti y sobre el pilar de energía, por abajo, por arriba y todo alrededor. Esa luz circulará por tu coronilla y dentro de tu corazón, bajará por tu columna, pasará por tu estómago y bajará hasta el núcleo cristalino del planeta que está en tu centro.

A medida que la luz fluye a través de ti, abre todos los caminos y canales energéticos y limpia la negatividad, el desorden de energía y la basura espiritual que crean bloqueos.

Recuerda reconectarte con la tierra después de una sanación energética como esta. Bebe un vaso de agua fría, apoya tus palmas y tu frente en el suelo, o toca una roca, un árbol o un tronco.

Aunque este ejercicio para invocar al arcángel Metatrón es específico para el pilar de luz de la ascensión, también puede usarse para abrir tus canales energéticos. Puede parecer complicado, pero es otra técnica rápida y sencilla para lograr una conexión con Metatrón y obtener su luz y su energía sanadora.

Capítulo 3: Ejercicios, mantras y afirmaciones para la transformación

Hay diferentes maneras de invocar al poder de Metatrón en tu vida cotidiana. Estos métodos de invocar poder están pensados para limpiar la negatividad de tu vida y de tus pensamientos. Con la capacidad de Metatrón de transformar y limpiar la negatividad, puedes cambiar tu vida y cambiarte a ti mismo.

Afirmaciones y mantras

Una afirmación es una práctica meditativa consciente pensada para modificar tus patrones de pensamiento. Tu cerebro está entrenado para pensar de una determinada manera. Mientras más pensamientos negativos tengas, tu cerebro se acostumbrará más fácilmente a ellos. Por ejemplo, si tienes pensamientos negativos sobre tu trabajo, con el tiempo esas reacciones se vuelven naturales. Cada vez que pienses en tu trabajo, tu cerebro puede crear sentimientos y pensamientos negativos. Sin embargo, si entrenas a tu cerebro para que tenga pensamientos positivos sobre tu trabajo, no sentirás estrés o ansiedad cuando se hable del tema.

Las afirmaciones son una forma de reprogramar tu mente. Usar afirmaciones asociadas con Metatrón te ayudará a absorber sus poderes de positividad, transformación y limpieza. Una afirmación puede convertirse en parte de ti si la dices en voz alta cada día. Escríbela en una nota autoadhesiva y pégala en la puerta o en un espejo donde te mires a menudo. Cada vez que veas la nota, di la afirmación en voz alta o recítala en tu mente.

Con cada declaración, tu mente comenzará a creer lo que estás afirmando y cambiarás tus patrones de pensamiento efectivamente. Usa afirmaciones que invoquen el poder y las cualidades de Metatrón y ellas se expandirán más allá de tus propios pensamientos e involucrarán a tus acciones y al mundo que te rodea.

Los mantras son sonidos, palabras o frases sagradas que te ayudarán a concentrarte y enfocarte, en particular durante la meditación. Usar un mantra que se alinee con el poder de Metatrón te ayudará a incorporar sus enseñanzas y su sabiduría cada vez que medites. También puedes usar estos mantras para poder mantener la concentración en una tarea o meta determinada.

El ejercicio de meditación del capítulo 2 puede mejorarse con un mantra que sirva para enfocarte en Metatrón y en sus dones. Puedes escribir los mantras o tenerlos presentes en tu mente, sobre todo cuando estés meditando e invocando a Metatrón.

Aquí tienes algunos ejemplos de afirmaciones que puedes usar para invocar a Metatrón y alinearte con él:

- "Me alineo con el arcángel Metatrón ahora mismo".
- "Me alineo con el poder de transformación de Metatrón".
- "Me lleno de la luz sanadora de Metatrón".

Puedes usar afirmaciones ya escritas, pero es mucho mejor si creas tus propias frases. Pueden ser tan amplias o específicas como quieras. Si tienes un objetivo en mente, como cambiar de empleo, limpiar tu mente de toda negatividad, o transformar alguna parte de tu vida, puedes usar afirmaciones más específicas.

Estas son algunas afirmaciones específicas en las que puedes inspirarte:

- "Me alineo con el poder de Metatrón para despejar la mente".
- "El poder de Metatrón transforma mi carrera profesional".
- "La luz de Metatrón limpia y transforma [menciona lo que quieres limpiar o transformar]".

Cuando uses las afirmaciones, es importante que recuerdes pronunciarlas como si lo que tú deseas ya estuviera sucediendo. Ese es el poder del pensamiento positivo y de cómo usar las afirmaciones de Metatrón puede cambiar la manera en la que piensas y en la que percibes el mundo.

Los mantras no son necesariamente palabras específicas. Pueden ser tan simples como una expresión de sonidos que sientes que te conectan más cerca de Metatrón. A veces, durante la meditación, puedes percibir un mantra sonoro y sentirás que debes repetirlo cada vez que trabajes con Metatrón.

Si recién comienzas con los mantras y su uso en la meditación, comienza simplemente entonando el nombre de Metatrón mientras meditas, ya que es poderoso en sí mismo. Mientras más trabajes con él, encontrarás otros mantras que te ayudarán a trabajar con Metatrón y los arcángeles.

Estos son algunos mantras que puedes usar para comenzar a trabajar con Metatrón:

- "Metatrón"
- "Transformación"
- "Cambio poderoso"

También hay mantras más avanzados:

- "El arcángel Metatrón siempre está conmigo".
- "Llevo la luz del arcángel Metatrón dentro de mí".

Al igual que las afirmaciones, los mejores mantras son aquellos que tú creas. Estarán llenos de tu poder personal. Si no sabes por dónde empezar con las afirmaciones y los mantras, hay muchos videos buenos en YouTube que pueden servirte de ayuda. Busca "afirmaciones de Metatrón" o "mantras de Metatrón" y encontrarás videos que pueden guiarte.

Plegarias

Las plegarias son similares a las afirmaciones y los mantras porque están pensadas para invocar el poder de entidades y seres espirituales. Sin embargo, la diferencia es que las plegarias son pedidos para una entidad espiritual o formas de expresar agradecimiento. Cuando trabajes con el arcángel Metatrón, es importante que le agradezcas por su ayuda y su guía. Además, puedes usar las plegarias para pedir por un resultado específico.

Estas son algunas plegarias que puedes usar para agradecerle a Metatrón:

- "Le doy gracias a Metatrón y a su increíble poder, guía y sabiduría".
- "Le agradezco al arcángel Metatrón por ser partícipe de mi transformación".

Puedes usar plegarias como estas para pedirle a Metatrón su ayuda o su guía en una situación en particular:

- "Metatrón, te pido que con tu luz sanadora limpies la negatividad de mi hogar".
- "Querido arcángel Metatrón, camina a mi lado mientras me transformo por dentro y por fuera".

Cuando eleves tus plegarias a Metatrón, no es necesario que armes una ceremonia o un ritual. Puedes comenzar o terminar el día con una plegaria o decir una cada vez que invoques a Metatrón. También puedes usarlas para invocar su poder de formas más avanzadas.

Liberación y protección energética

Terminaremos este capítulo con las plegarias de protección y liberación. Estos son dos métodos de sanación muy poderosos que pueden ser realzados por los arcángeles. Como estas plegarias son de transformación, Metatrón es el arcángel perfecto para invocar en este tipo de procesos. Pueden usarse para invocar su poder para los objetivos específicos de protección y liberación.

Si quieres, puedes fortalecer estas plegarias con una sesión de meditación. Baja las luces un poco y respira de manera calma y profunda para calmar la mente y librarte de todo pensamiento. Una vez que sientas la presencia de Metatrón o sientas que tu mente se abre, puedes proceder con la plegaria de protección o la de liberación.

La protección energética es el proceso de protegerte de las energías, los pensamientos y los sentimientos indeseados. La liberación es cortar con los vínculos energéticos entre tú y ciertos eventos, recuerdos, personas u otros aspectos de tu vida. Cada vez que tengas una interacción con algo o alguien, se crea un lazo energético entre tú y esa cosa. Si esos lazos son negativos, pueden retenerte y provocar otros problemas para ti, así que cortarlos pueden hacerte libre.

Protección

Esta es la plegaria de protección:

"Le pido al arcángel Metatrón su luz de sanación y protección. Metatrón, préstame tu luz para protegerme de las energías negativas. Dame tu poder para abrir mis canales energéticos, recibir tu sabiduría y bloquear las energías, los sentimientos y los pensamientos que ya no me sirven y pueden hacerme daño. Protégeme de los pensamientos, sentimientos y energías externas que no me sirven para mi propio bien".

Liberación

Esta es la plegaria de liberación:

"Arcángel Metatrón, con tu brillante lanza, te pido que cortes los lazos energéticos que no sirven para mi propio bien. Corta los lazos que me retienen, que me impiden alcanzar mi máximo potencial y que solo traen negatividad a mi vida. Libérame de las energías que me hieren y me impiden progresar. Cuando cuente hasta tres, los lazos se liberarán. Uno... dos... tres".

Capítulo 4: Metatrón y cómo usar el poder de los sueños y el tiempo astral

Dormir es considerado uno de los remedios más beneficiosos para el cuerpo y la mente. De pequeños, cuando tenemos un resfriado, nos dicen que descansemos lo más posible para ayudar a combatir el virus. Cada vez que alguien se estresa o ha tenido un mal día, lograr una buena noche de descanso puede cambiar su actitud por completo. ¿Alguna vez has escuchado hablar de un "sueño reparador"?

Hay algo de ciencia detrás de todo esto. Algunas características del sueño, como las fases del sueño, ayudan a la mente a recuperarse. El sueño REM en particular es fundamental para la recuperación mental, pero también para las emociones, la recuperación física y el espíritu. Durante la fase REM, soñamos. Sin los sueños, la mente literalmente pierde su coherencia y resulta en alucinaciones, enfermedades, demencia y, con el tiempo, lleva a la muerte (si no se puede conciliar el sueño adecuadamente).

Mientras duermes, el cerebro entra en un patrón de ondas mentales lentas y profundas. Así es como se producen los sueños. Los sueños pueden incluir mensajes de entidades espirituales y, mientras permanecemos en la fase de sueño, tu mente puede percibir el conocimiento y la información espiritual.

Cuando entiendas esta apertura, podrás usar el tiempo en el que duermes para recibir los mensajes profundos e increíblemente vívidos del arcángel Metatrón. Tener un ciclo de sueño saludable ayudará a fortalecer tu cuerpo, tu mente y tu espíritu.

Cada vez que invoques a Metatrón durante tu estado inconsciente, él te dará mucha más vitalidad y juventud. Podrás manifestar cambios en tu vida mediante el sueño; es otra forma en la que Metatrón puede ayudarte con su gran poder de transformación.

Puedes armar una especie de pequeño altar o espacio de adoración que puedes usar para invocar o llamar a Metatrón en tus sueños. Una vez que hayas armado ese espacio, antes de irte a dormir, siéntate y haz una plegaria a Metatrón o una ofrenda para invitarlo a formar parte de tus sueños. Ofrécele cosas que sean color naranja o dorado. Pueden ser flores, velas o incluso prendas decoradas. También puedes ofrecerle cristales naranja como la calcita.

Ubica estas ofrendas en el espacio de intención para enviar la invitación a Metatrón. También puedes usar una plegaria para tener un contacto más profundo con él mientras duermes. Usa plegarias como las siguientes:

- "Metatrón, te invito a que camines conmigo en mis sueños".
- "Arcángel Metatrón, estoy listo para recibir tus visiones de juventud y vitalidad mientras duermo".

Cuando eleves tu intención para aceptar a Metatrón en tus sueños, puedes usar sus poderes para manifestar la vida que quieres tener. Mientras duermes, tu mente posee un poder increíble y permanece activa. Tu subconsciente y tu intuición son más fuertes que nunca en ese estado. Tienen el poder de manifestar lo que verdaderamente quieres en tu vida. Ese poder de manifestación se amplifica con los dones y la presencia de Metatrón en tus sueños.

Cuando invoques a Metatrón para que forme parte de tus sueños, su poder se combinará con el tuyo y se transferirá a la vida cotidiana, lo cual te permitirá manifestar la realidad que tanto deseas. Si aprendes a usar la misma visualización de los sueños para visualizar en un estado de conciencia, podrás poner en práctica la manifestación y lograr objetivos aún más grandes.

La visualización es una forma de manifestación muy poderosa en la que visualizas lo que quieres y lo transformas en lo que tienes. Metatrón, arcángel de la transformación, te ayudará sin ninguna duda a hacer realidad tus visualizaciones. Algunas veces, tienes que hacerlo mientras duermes para que tu mente y tu corazón te muestren realmente lo que necesitas manifestar.

El corazón y la mente subconscientes saben lo que quieren y lo que necesitan. Es por eso que, mientras duermes, encontrarás visiones vívidas y fuertes que te guiarán. Confía en ti mismo y en la sabiduría que recibes de esas visiones y llévalas contigo en tu vida consciente para cambiar tu realidad. Deja que Metatrón te guíe y acepta sus dones para poder manifestar lo que deseas, tanto en un estado consciente como inconsciente.

Capítulo 5: Alinea la prosperidad, la abundancia, el amor y el bienestar con la frecuencia del arcángel Metatrón

Cuando trabajas con los arcángeles, puedes invocar su poder para muchos propósitos diferentes. Algunos de los dones más grandes de la vida que las personas quieren recibir son la prosperidad, la abundancia, el amor y el bienestar. Puedes conseguir estos dones con la ayuda de Metatrón y el uso de la magia y la energía espiritual.

Si hablamos de prosperidad y abundancia, gran parte depende de nuestra actitud. Una de las habilidades más importantes que quiero que aprendas gracias a este libro es cómo cambiar tu mentalidad para transformar tu propia realidad. Puedes cambiar realmente tu manera de pensar con los poderes transformadores de Metatrón.

Un simple cambio en nuestra consciencia puede alterar verdaderamente la manera en la que vemos la vida y a nosotros mismos. Muchas veces, el concepto de prosperidad está asociado con el dinero, el éxito y la riqueza material. Si ahondas un poco más, verás que la prosperidad a veces no tiene que ver con la riqueza material o el éxito. Y lo que es más importante, encontrarás la prosperidad en lo que ya tienes.

Lo mismo ocurre con la abundancia y el amor. Existen muchas maneras diferentes de encontrar abundancia y amor a tu alrededor. Sin embargo, rezarle a Metatrón mediante plegarias, afirmaciones y mantras no siempre es suficiente. Cuando haces cambios en tu forma de pensar, te transformas en un imán de confianza, prosperidad y paz interior. Según las leyes de la espiritualidad, atraes las mismas energías que irradias al mundo.

Aunque este método puede ser un buen punto de partida para cambiar tu actitud y crear una realidad más positiva, también puedes usar técnicas como la magia con velas o puedes combinar el poder de Metatrón con el de otros arcángeles.

Magia con velas

La magia con velas es una forma de visualización y manifestación muy poderosa que combina la meditación con la manifestación. Junto con el poder angelical divino, la magia con velas puede ser una herramienta muy efectiva. Aunque suene a palabrería, el objetivo de la magia con velas es ampliar tu capacidad de concentrarte en tus metas e intenciones para darles más poder y más probabilidades de que se hagan realidad.

La magia con velas también involucra las esencias espirituales de recursos cotidianos como el poder de los colores. Diferentes colores se relacionan con diferentes deseos. Por lo tanto, debes usar un color que se corresponda con lo que deseas. Por ejemplo, el rosa es un color asociado con el amor.

Los colores básicos con los que puedes trabajar y sus significados son los siguientes:

- Rojo: pasión, seducción y amor
- Naranja: confianza y creatividad
- Amarillo: abundancia y alegría
- Verde: naturaleza, crecimiento, fortuna y dinero
- Azul: paz y protección
- Violeta: intuición y motivación
- Blanco: pureza (también es una página en blanco que puede sustituir a cualquier otro color)
- Negro: protección y liberación
- Rosa: amor y cuidado personal

La magia con velas en sí misma es una simple prueba de concentración, enfoque y poder personal. Antes de comenzar, ten en mente una meta o una aspiración. Escribirla y tenerla siempre contigo te será de ayuda. Incluye en tu meta tu invocación a Metatrón.

Elige una vela del color apropiado, una que esté asociada con tu objetivo. Puedes tallar símbolos en la vela, como un corazón para representar el amor o un símbolo de dólar para representar el dinero. Puedes elegir cualquier símbolo que resuene contigo y con tu objetivo. No tiene por qué ser un símbolo "normal" que se usa para representar una idea o concepto determinado.

Si tienes un altar o espacio de intención para Metatrón, coloca allí tu vela y siéntate frente a ella mientras realizas la magia de las velas. Esto ayudará a fortalecer la conexión con el arcángel. También puedes incluir otras ofrendas como una calcita naranja o un cristal que combine con el color de tu vela.

Cuando esté todo listo, enciende la vela y comienza a meditar pensando en la meta que has escrito en el papel y en las cualidades que Metatrón puede ofrecerte para hacerla realidad. Dicho todo esto, escoge metas en las que los poderes de Metatrón realmente puedan ayudarte, como la purificación y la transformación.

Mientras meditas, siéntete libre para leer en voz alta lo que has escrito. También es buen momento para practicar la manifestación y la visualización. Este tipo de meditación no se va a concentrar en la expresión verbal de una afirmación o de un mantra. En cambio, usarás tu mente para visualizar a tu meta por completo; cómo sería o cómo se sentiría hacer realidad esa meta.

Si tu mente comienza a divagar o la visualización desaparece, mira la llama y deja que la luz sea el punto focal para mantener tu concentración y manifestar tu deseo. Deja que la vela arda mientras meditas y luego apágala de un soplo. Para lograr una manifestación realmente poderosa con la magia de las velas, repite este ejercicio con la misma vela por tres noches seguidas. Termina cada meditación con una plegaria adicional a Metatrón.

Los arcángeles Metatrón y Haniel

En ocasiones, combinar los dones de dos arcángeles diferentes tiene sus beneficios. Son todopoderosos y tienen sus propias asociaciones, pero no tienes por qué limitarte a la compañía de un solo arcángel. Uno de los arcángeles que se asocia bien con el poder de Metatrón es Haniel.

Haniel es el arcángel que puede reparar vínculos y relaciones familiares. Junto con los poderes transformadores de Metatrón (sanación, luz purificadora y cambio definitivo), los dos arcángeles tienen el poder para llenarte de amor y de luz celestial.

No solo recibes la sanación y la luz purificadora de Metatrón, sino que Haniel te llena de amor propio y amor universal. Todo esto junto genera amor y luz celestial; amor y luz muy cálidos y sanadores. Esta práctica te abrirá y te limpiará de toda negatividad y de bloqueos espirituales. Saber que somos seres amados por una fuente divina y que nos amamos a nosotros mismos es una sensación inexplicable.

Puedes usar velas naranjas para Metatrón y azules para Haniel, y también puedes usar plegarias, afirmaciones y mantras para invocarlos a ambos. En vez de usar afirmaciones o plegarias para invocar a cada uno por separado, usa una plegaria, una afirmación o un mantra para invocarlos a los dos juntos, así será aún más específica y poderosa para lograr lo que deseas.

Otros arcángeles de bienestar que puedes invocar junto con Metatrón son los siguientes:

- Miguel, el arcángel de la defensa y la protección
- Rafael, el sanador de los dolores físicos y espirituales
- Uriel, el que ayuda con la soledad y la fortaleza personal
- Gabriel, el arcángel de la creación, las ideas, la creatividad y la fe en uno mismo

Para obtener más información acerca de trabajar con otros arcángeles, puedes consultar mis otros libros de la serie: *Arcángeles: Miguel, la protección y los códigos angelicales* y *Arcángeles: Rafael, la abundancia y los secretos de la atracción.*

Capítulo 6: Meditaciones del arcángel Metatrón

En capítulos anteriores, hemos hablado de distintas meditaciones que puedes usar para invocar al arcángel Metatrón y conectarte con él. Tienes a disposición un abanico de posibilidades, desde meditaciones simples para despejar la mente hasta meditaciones de magia con velas para la concentración. La meditación puede ser mucho más compleja y, si sigues una meditación guiada, podrás emprender maravillosos viajes espirituales.

Cada persona posee un cuerpo espiritual. Ya sea que lo consideres como un aura, campo energético, o incluso como un espíritu, esta parte de ti puede enfermarse y dañarse al igual que tu cuerpo físico. El cuerpo espiritual es energía. La energía sigue una corriente, un flujo suave y fluido como el agua de un arroyo. Así como el agua que fluye en un río encuentra obstáculos como rocas, hojas y otros desechos naturales, el flujo de energía de tu cuerpo espiritual puede hacerse más lento si está atiborrado de basura espiritual.

La basura espiritual es en esencia basura emocional y espiritual negativa que se acumula en tu cuerpo espiritual. Puede provocar enfermedades y malestares físicos. Mediante la meditación guiada y con la ayuda de las habilidades de purificación de Metatrón, podrás cuidar de tu cuerpo espiritual y limpiarlo con frecuencia. Incluso si no son específicas de purificación, las meditaciones guiadas son procesos profundos que pueden actuar como técnicas de purificación espiritual.

Sigue las meditaciones guiadas de este capítulo para lograr una conexión más fuerte con Metatrón y purificar tu cuerpo energético.

Meditación de Metatrón para concentración y claridad

La primera meditación es para lograr concentración y claridad con el arcángel Metatrón. Cuando participas de una meditación guiada, prepara un entorno de calma y relajación con luz tenue, música o sonidos relajantes, y tal vez velas e inciensos de aroma suave. Para reforzar tu meditación, siéntate cerca del altar o espacio de adoración (o frente a él) que has armado para el arcángel Metatrón.

Para comenzar, siéntate cómodamente en una silla o en el suelo. Siéntate con la espalda derecha; si estás en una silla, apoya los pies en el suelo. Si estás en el suelo, cruza las piernas y apoya las manos en tu regazo. Cierra los ojos.

Respira profundo por la nariz. Inhala hasta llenar tus pulmones de aire. Siente cómo el aire entra por tu cuerpo y te llena de vida. Exhala por la boca y siente cómo tu pecho se contrae y cómo el aire sale de tu cuerpo. Respira de nuevo por la nariz y expulsa el aire por la boca. Mantén este ritmo de respiración.

Abre tu mente y busca la conexión que tienes con el arcángel Metatrón sobre tu cabeza, flotando alrededor del chakra de la coronilla. Siente su presencia y cómo su luz y su energía fluyen por todo tu cuerpo y tu mente.

Siente cómo la luz de Metatrón despeja los caminos y conexiones en tu mente. Mientras lo hace, tus pensamientos se aclaran. Deja que esa claridad se expanda hasta el chakra del tercer ojo en el entrecejo y en tus ojos. Siente cómo la confusión de tus ojos se aclara y puedes concentrarte mejor.

Poco a poco, libera la energía y la luz de Metatrón. Mientras lo haces, respira profundo y libera las energías y los bloqueos negativos que dificultan la concentración y la claridad. Inhala el amor y la luz que Metatrón te concede y empodera tu cuerpo físico y espiritual con los medios para resolver situaciones difíciles. Exhala profundo.

Vuelve a tomar consciencia de todo lo que te rodea. Mueve tus dedos y parpadea un par de veces. Dale las gracias a Metatrón por su sabiduría y su guía durante esta meditación.

Meditación de relajación con la energía metatrónica

Para comenzar, acomódate en un lugar tranquilo y silencioso donde no te molestarán. Para esta meditación, recuéstate y cierra los ojos. Deja que tu cuerpo y tu mente se relajen con una serie de respiraciones tranquilas y profundas. Siente cómo tus músculos y tus pensamientos se relajan cada vez que tomas aire.

Busca tu conexión con Metatrón por encima de tu cabeza, en el chakra de la coronilla. Siente su presencia y abre tu chakra de la coronilla para iluminarlo y recibir la energía metatrónica.

Siente esa energía como un hormigueo que recorre tu cabeza, entra por tu mente y se expande hasta tu ceja. Luego imagina que tu chakra de la coronilla se enciende.

Esa energía hormigueante entrará por tu columna. Deja que ilumine toda tu columna vertebral, viaje hasta tu garganta e ilumine el chakra de la garganta. Todo lo que toque esa energía dentro de ti se abrirá y se librará de todos los bloqueos.

Deja que esa energía baje por tu columna, se asiente en tu pecho e ilumine el chakra de tu corazón. Siente cómo tu corazón palpita gracias a la vida y la energía metatrónica.

La energía hormigueante viaja por tu columna y llega a la base del esternón. Visualiza cómo tu chakra del plexo solar se ilumina antes de seguir su viaje hacia tu ombligo. En tu estómago, imagina cómo la energía metatrónica limpia el chakra del sacro, se abre y se ilumina.

La luz viaja hasta la base de la columna y trae energía hasta el chakra de la raíz, vigoriza todo tu ser y a la vez te conectan con la tierra y contigo mismo. Visualiza cómo la luz sale de tu cuerpo desde la base de tu columna.

Desde la distancia, visualiza los siete chakras y tu columna iluminados con la energía de la luz metatrónica. Siente esos hormigueos y esas palpitaciones en todo tu cuerpo, cómo expanden tu consciencia y abren tu mente para extender toda esa energía metatrónica a cada aspecto de tu vida.

Respira hondo y libera la energía metatrónica de tus chakras y de tu columna. Haz que esa energía viaje por todo tu cuerpo físico y espiritual.

Vuelve a la conciencia y a tu cuerpo físico. Abre los ojos y vuelve a familiarizarte con tu entorno y con tu cuerpo. Después de esta meditación, es buena idea conectarte con la tierra; bebe un vaso de agua fría o sostén una roca o un trozo de madera. Recuerda darle las gracias a Metatrón y a su energía.

Meditación de abundancia y protección divina

Acomódate en un lugar silencioso y tranquilo donde puedas estar a solas y sin interrupciones. Siéntate en una silla o en el suelo con la espalda recta. Si estás en una silla, apoya firmemente los pies en el suelo. Si estás en el suelo, cruza las piernas y apoya las manos en tu regazo. Cierra los ojos y relájate.

Comienza respirando profundo, deja ir al mundo físico y abre tu cuerpo y tu mente al arcángel Metatrón. Relájate más y más cada vez que inhalas y exhalas profundamente.

Siente la conexión con Metatrón que te libera y te rodea con su luz brillante y cristalina que te protege de las energías negativas. Con cada respiración, te sentirás más y más a salvo dentro de tu escudo de cristal.

Imagina las siluetas de tus amigos y familia a tu alrededor. Respira hondo y expande tu escudo de cristal con la energía de amor y protección de Metatrón. Exhala y extiende ese escudo alrededor de tus amigos y familiares para protegerlos de las energías negativas.

Mantén ese espacio seguro para todos ellos. Siente el amor que comparten entre ustedes y el poder de Metatrón que los conecta a nivel espiritual. Respira hondo de nuevo y visualiza a la luz cristalina que opaca a las energías negativas e innecesarias que ni tú ni tus seres queridos necesitan.

Respira por la nariz y expande la luz cristalina de Metatrón por toda tu piel y todo tu cuerpo. Deja que abra tus canales energéticos y te libere de tus viejos hábitos, aquellos que te impiden alcanzar tu máximo potencial. Suelta el aire y libera la luz y tu escudo energético.

Abre los ojos y comienza a recobrar la conciencia. Tómate tu tiempo para orientarte con tu entorno y tu cuerpo físico. Asegúrate de darle las gracias a Metatrón y a su protección. Además, da gracias por la abundancia de tus amigos y familiares.

Capítulo 7: Los chakras, el karma, los cristales y el arcángel Metatrón

Alinearse con el poder de Metatrón y usarlo para transformar tu vida puede tener un efecto mucho más amplio que solo cambiar tu mentalidad y tu propia realidad. Puedes concentrar este poder de una forma más precisa a través de la meditación y el uso de herramientas y recursos espirituales que lo amplifican y que resuenan específicamente con la energía de Metatrón.

Además, puedes apuntar a ciertos ámbitos de tu vida (e incluso tus vidas pasadas) para poder limpiar la negatividad kármica y abrir aún más tus chakras. El cuerpo espiritual se extiende más allá de tu encarnación actual; incluye a tus vidas pasadas y futuras.

Chakras

Los siete chakras más conocidos del cuerpo humano están ubicados a lo largo de la columna vertebral. Son cúmulos de energía cíclica y tridimensional que funcionan como puntos de conjunción para el cuerpo espiritual, el cuerpo emocional y el cuerpo físico. Se ubican donde todas las conexiones energéticas y físicas dentro de ti se unen y fluyen. Si un chakra está bloqueado, puede desequilibrar a todo el cuerpo y causar enfermedades o malestares que nos afectan a nivel emocional, espiritual y físico.

Los siete chakras típicamente asociados con las prácticas espirituales occidentales son los siguientes:

- Chakra de la coronilla: este chakra se sitúa encima de la cabeza y está asociado con el cosmos, el color violeta y la iluminación espiritual.
- Chakra del tercer ojo: este punto de energía se ubica en el entrecejo y está asociado con el color índigo, la intuición y la claridad de pensamiento.
- Chakra de la garganta: este chakra se ubica en la base de la garganta y está asociado con el color azul, la verdad y la comunicación con uno mismo y con los demás.
- Chakra del corazón: este chakra se sitúa en el centro del pecho, justo en el esternón, y está asociado con el color verde. Es el centro de la compasión, del amor y de la aceptación.
- Chakra del plexo solar: este punto de energía se ubica debajo del esternón y por encima del ombligo y está asociado con el color amarillo. Es el centro creativo de la pasión; es la fuente de tu poder personal.
- Chakra del sacro: este chakra se sitúa debajo del ombligo y por encima del pubis y está asociado con el color naranja. Es el centro de las emociones, las pasiones y los deseos.
- Chakra de la raíz: este chakra se ubica en la base de la columna vertebral y está asociado con el color rojo y con tus pilares, tus instintos de supervivencia y tu conexión con el mundo material.

Todos los chakras están conectados para crear una red de energía. Cuando uno de ellos está bloqueado o desalineado, la acumulación de energía y basura espiritual puede hacer que los demás también se bloqueen. Cuando ciertos chakras están bloqueados, resulta en enfermedades asociadas con la fuente de poder de ese chakra a nivel espiritual, físico y emocional. Por ejemplo, un chakra de la raíz bloqueado puede llevar a dolencias en los pies y las piernas, trastornos alimenticios y hasta paranoia.

Al localizar el origen de un síntoma o una dolencia, puedes apuntar la luz de purificación de Metatrón al chakra que está bloqueado. Algunas veces, desbloquear un chakra te conducirá a otros que también están bloqueados. Con diferentes meditaciones puedes apuntar a limpiar un chakra en particular o puedes limpiar todos ellos.

Sin embargo, los chakras deben mantener un equilibrio. Pueden bloquearse o volverse hipoactivos, pero también pueden volverse hiperactivos. El poder de transformación y limpieza de Metatrón puede mantener tus chakras alineados y equilibrados y te ayudará a mantener una salud física, emocional y espiritual óptima.

Si tienes problemas con tu estado de ánimo, con una enfermedad o una lesión física, o si sufres de estrés, puedes invocar a Metatrón para limpiar tus chakras. Intenta revitalizar tus chakras con energía vibrante y vitalidad.

Karma

El karma es la idea de que todo lo que des al universo (lo positivo y lo negativo) regresa a ti por triplicado. Pueden ser pensamientos, emociones, acciones, deseos, objetivos, juicios de valor o cualquier otra cosa. Todos estos procesos requieren de energía, son generados por energía e irradian energía. Esta es la energía a la que el karma reacciona y responde.

La energía no tiene las mismas limitaciones o barreras que el cuerpo físico o los objetos materiales. Esto significa que muchas veces trasciende el tiempo y el espacio. Como resultado, puedes acarrear tu karma de una encarnación a otra.

En ocasiones, el karma negativo adquirido en una encarnación anterior puede traerte problemas en tu vida actual. El equilibrio kármico puede alterarse tan abruptamente que puede acumularse, y terminas lidiando con las consecuencias de un karma negativo de tu vida pasada en tu vida presente. Puede ser terriblemente frustrante, ya que sin importar lo que hagas en tu vida actual, nunca es suficiente para equilibrar la balanza kármica.

Hay una explicación científica para esta transferencia de energía. La ley de conservación de energía manifiesta que la energía no se crea ni se destruye, solo se transforma. Por lo tanto, cuando la energía kármica se desequilibra en una vida, se transfiere a la próxima vida hasta que pueda ser transformada en energía menos negativa y dañina.

Cuando entras en un estado profundo de meditación con la guía de Metatrón, tienes el poder de canalizar sus poderes de transformación y limpieza para cambiar la energía de tu karma del pasado. Puedes avivar esa energía revitalizada con energía jovial y vibrante para hacerla más pura y vivaz.

Los estados profundos de meditación necesitan tiempo para practicar y lograrlos. La mejor forma de entrar en esos estados es escuchar un sonido repetitivo, como un gong, un repiqueteo o un tambor. Escuchar un tono repetitivo y concentrarse en la respiración profunda hará que tu mente entre en ese estado tan, tan profundo. Antes de comenzar una meditación como esta, debes invocar al poder de Metatrón y elevar tu intención de sanar tu karma de vidas pasadas mediante la transformación.

Algunas de las visiones y experiencias que tendrás en esta meditación profunda podrán darte un entendimiento sobre lo que ha ocurrido o quién has sido en tus vidas pasadas.

Cristales

Los cristales son una de las estructuras más estables de la naturaleza. Son increíbles catalizadores de energía; pueden refractar, absorber, transmutar y reflejar energía. Los cristales son sanadores naturales gracias a todas estas características, y cada cristal tiene una resonancia vibratoria que interactúa con otras energías.

Las entidades divinas como los ángeles son pura energía. Por lo tanto, también tienen una resonancia energética. Estas frecuencias de energía pueden coincidir para trabajar juntas y hacerse fuertes entre sí. Existen cientos de tipos de cristales, pero hay algunos que resuenan fuertemente con Metatrón.

El arcángel Metatrón está asociado con la turmalina sandía y la calcita naranja.

La calcita naranja es un cristal anaranjado asociado con la conexión entre el cuerpo espiritual y el mundo físico. También aumenta la creatividad y ayuda con los problemas emocionales. La calcita naranja también trae energía positiva a las áreas del deseo y la sexualidad. Resuena con los chakras del sacro y de la raíz.

La turmalina sandía es una piedra verde y rosa que está fuertemente vinculada al chakra del corazón. Es excelente para purificar y remover bloqueos. Es una piedra de equilibrio que ayuda a eliminar las inseguridades.

Cuando trabajamos con los cristales, hay un momento en el que deben ser limpiados. Al igual que el cuerpo espiritual de una persona puede acumular basura energética y espiritual, un cristal también puede hacerlo, en especial los que se usan para purificar y sanar. Hay muchas maneras de limpiar los cristales, como ponerlos bajo el sol, en luna llena o junto con otro cristal, o limpiarlos bajo una corriente de agua.

Como Metatrón es el arcángel de la limpieza y la purificación, puedes invocarlo para purificar los cristales de toda la energía acumulada. Puedes pedirle que limpie cualquier cristal, no es necesario que sean las piedras asociadas con él. Para que Metatrón limpie un cristal, coloca el cristal que quieres purificar en su altar o espacio de adoración. Invoca a Metatrón y di una plegaria para pedirle que limpie tus cristales con su poder de purificación, o puedes dibujar el cubo de Metatrón en los cristales para purificarlos.

Debido a la naturaleza espiritual, purificadora y equilibrante de estas rocas, entenderás por qué se las asocia con Metatrón y sus poderes. Ofrecer estas rocas a Metatrón en tu altar o espacio de adoración puede conectar su poder con el tuyo y con las rocas. Usar estos cristales en las meditaciones para el karma y equilibrar los chakras es otra forma de mejorar la frecuencia de Metatrón y usar los cristales en combinación con sus dones.

La geometría sagrada y los códigos de Metatrón

A lo largo de la historia, el estudio de los números, las formas y las matemáticas han sido un foco de atención para filósofos, científicos y matemáticos. También han sido un foco importante de los estudios espirituales y de los arcángeles. La geometría sagrada es el estudio de estas formas tal como aparecen en la naturaleza, como los espirales de una caracola o los hexágonos de un panal de abejas. Algunas de estas formas naturales pueden encontrarse hasta en un nivel molecular. A menudo se los considera la llave para desbloquear los secretos del universo.

Existen cinco formas conocidas como los sólidos platónicos, acuñados durante la época de Platón y la Antigua Grecia. Estas formas geométricas sagradas incluyen la pirámide de cuatro caras, el cubo de seis caras, el octaedro de ocho caras, el dodecaedro de doce caras y el icosaedro de veinte caras.

Estos sólidos platónicos conforman el cubo de Metatrón. Este símbolo geométrico sagrado está directamente asociado a Metatrón y a sus poderes. Junto con los sólidos platónicos, el cubo de Metatrón está compuesto por trece círculos. Estos círculos están a su vez interconectados con diferentes líneas rectas. Es una forma geométrica compleja.

El cubo de Metatrón representa el viaje que realiza la energía a través del universo y el equilibrio dentro de este. Las líneas que atraviesan los círculos representan el vínculo íntimo entre lo femenino y lo masculino. Las líneas demuestran que todo en el universo está conectado. Si sacudes o estiras una cuerda, esa reacción en cadena resuena en toda la forma.

Puedes usar el cubo de Metatrón para ayudarte durante la meditación, en especial con prácticas que incluyen a Metatrón y a su poder. Para usar el cubo de Metatrón durante la meditación, comienza por el centro y sigue el flujo de energía a través de la forma. Esto te aliviará y desbloqueará muchas energías en tu interior. Si imaginas que el cubo rota en sentido de las agujas del reloj, se convierte en energía de purificación que puede aplicarse a cualquier cosa, incluso a tus chakras y karma. Esta rotación también repele las energías negativas y favorece el flujo de energía positiva.

Además de su poder para repeler la energía negativa, el cubo de Metatrón también es un símbolo de protección muy poderoso. Puedes crear una barrera o escudo de protección personal si pintas el símbolo en tus paredes o ventanas, si lo usas como un accesorio o incluso si te lo tatúas.

Capítulo 8: Siente la presencia de Metatrón

Cuando percibas la presencia de Metatrón, debes sentirla tú mismo. Muchos expertos en ángeles y espíritus han descrito sus experiencias con el arcángel Metatrón y otras entidades divinas con lujo de detalles. En ocasiones son increíblemente vívidas. Otras veces, la visualización no es tan clara, pero la sensación es igual de fuerte.

Al principio tal vez solo sientas una ligera sensación de calidez o de luz cuando Metatrón esté a tu alrededor. Puede ser algo espontáneo o puede ocurrir cuando invoques en particular a este arcángel. Algunas personas no consideran trabajar con arcángeles o con Metatrón hasta que sienten su presencia por primera vez.

Ya hemos visto cómo se siente la presencia de Metatrón una vez que lo has contactado o cómo puede enviarte mensajes mediante números y formas geométricas. Sin embargo, existen muchas otras formas de percibir su presencia.

Mientras más trabajes con Metatrón, más fuerte será tu conexión y más vívidamente lo percibirás y sentirás. La manera en que los arcángeles eligen revelarse varía de persona a persona. Quizás existan algunas similitudes en cómo se presenta Metatrón, pero las entidades espirituales pueden cambiar según tu mentalidad y tu energía. Es posible que la aparición de Metatrón cambie con el paso del tiempo mientras avanzas en tu camino de espiritualidad.

Si recién comienzas a trabajar con los ángeles y las entidades espirituales, la presencia de Metatrón quizás no sea tan clara o evidente en un principio. A menudo, Metatrón aparece como una luz radiante. A veces la luz es blanca, pero la luz de Metatrón puede ser de otros colores como el naranja, el dorado y el magenta.

Algunos espiritistas que trabajan con Metatrón afirman que aparece en forma de ángel, tiene el cabello largo y suelto, grandes y pomposas alas, y está vestido con una armadura plateada y violeta. No existe una forma correcta o incorrecta de ver a los ángeles.

A veces no se trata tanto de ver a Metatrón sino de sentir su presencia a tu alrededor. Puedes sentir a Metatrón cuando lo invocas con plegarias, afirmaciones y mantras, cuando meditas por tu cuenta o cuando haces una meditación guiada del arcángel Metatrón.

Es importante familiarizarte con cómo sientes y percibes a Metatrón, porque así podrás sentir su presencia durante la meditación y fuera de ella. Estarás más dispuesto a recibir su guía y sabiduría, y no necesitarás concentrarte tanto para detectar cuándo está cerca de ti. De esta manera, cuando su presencia sea espontánea o cuando venga hacia ti sin que lo invoques, lo sabrás de inmediato y estarás preparado.

Para familiarizarte con cómo percibir a Metatrón y cómo se presenta frente a ti, haz un simple ejercicio de meditación basado en la respiración, como el del capítulo 2 en la sección "Meditaciones". Cuando respiras profundo, te relajas y alcanzas un estado de meditación, puedes entrar en tu mente y sentir a Metatrón.

Cuando comiences a contactar a Metatrón y a trabajar con él, ten un anotador contigo. Escribe cualquier pensamiento, sensación o sentimiento que percibas al conectarte con él. Cuando analices tus notas, podrás determinar si lo que sientes con respecto a la presencia de Metatrón es adecuado.

Trabajar con entidades divinas es increíblemente intuitivo. Cuando sientas la presencia de Metatrón, sabrás cómo se lo percibe. Escribir en un anotador puede ayudarte a soltar tus inhibiciones y confiar en tu intuición. Cuando confías en ti mismo, confiarás en lo que sientes con Metatrón.

Capítulo 9: Escribe una carta a Metatrón

Como el arcángel Metatrón es un guía y acompañante, existen algunos ejercicios que puedes hacer para acercarte a él a un nivel más personal. A pesar de que Metatrón es un ser espiritual, debes construir un vínculo con él, tanto laboral como personal.

El simple acto de escribir una carta al arcángel Metatrón es un buen ejercicio para conocer mejor a tu compañero angelical. También es una forma de sentir que tienes un amigo que te escucha. Cuando le escribas a Metatrón, es importante abordar la tarea como si estuvieras escribiéndole una carta a un amigo. Debes sentirte a gusto con la idea de tener a Metatrón como amigo, no solo como guía o ayudante. Si te gusta escribirle cartas a Metatrón, puedes reservar un cuaderno o anotador solo para él.

Para esta actividad necesitas una hoja en blanco (lisa o rayada), un sobre, un bolígrafo y lacre (opcional). Si escribes cartas extensas, ten a mano hojas de papel extra en caso de que te quedes sin espacio para escribir.

Escribe tu carta como si estuvieras escribiéndole a un amigo o ser querido. Esto no solo es una oportunidad para contactar a Metatrón como compañía; también puedes usarlo para pedir por ti, por tus amigos, tu familia, o incluso tus mascotas. Intenta lograr un equilibrio natural con tus pedidos. Este es un ejercicio de sanación que también está pensado para fortalecer tu vínculo con Metatrón, así que incluye más que solo pedidos. Escríbele otras cosas a tu compañero arcángel.

Deja volar tu imaginación y no te limites a una sola hoja. Aunque Metatrón no nos responda, al menos es una forma en la que puedes contarle más sobre ti. Mientras más sepa sobre ti, más podrán alinear sus energías y juntos podrán lograr cosas increíbles.

Una vez que hayas escrito tu carta, dóblala y métela en el sobre. Sella el sobre con la tira autoadhesiva y en el destinatario escribe el nombre del arcángel Metatrón. Para añadirle algo de brillo y un toque de magia, usa lacre y un sello en la parte posterior del sobre.

Deja el sobre en tu altar o espacio de intención durante lo que queda del día o incluso toda la noche. Cuando te sientes frente al espacio, abre la carta y léela a Metatrón en voz alta. Puedes decir una breve plegaria o hacer una meditación rápida antes de comenzar para invocarlo e invitar su presencia.

A medida que lees la carta, no solo repitas lo que has escrito. Dale vida a tus palabras; lee con tono, emoción y estilo. Exprésate como si estuvieras conversando con un amigo. Esta comunicación genuina será otro intercambio de energía entre tú y Metatrón y revelará más aspectos de tu personalidad.

Después de leer tu carta, vuélvela a doblar y guárdala o quémala. Si decides quemar la carta, hazlo en un recipiente ignífugo y asegúrate de tomar las medidas de seguridad necesarias para mantener el fuego bajo control. Además, no sostengas la carta mientras la prendes fuego.

Durante los próximos días y semanas, presta atención a los cambios sutiles relacionados con la carta y con los pedidos que has escrito en ella. Cada vez que notes uno de estos cambios, asegúrate de decirle gracias a Metatrón con una plegaria o realiza un pequeño "ritual de agradecimiento" para honrar su participación.

Escribir cartas a los arcángeles es una buena manera de mantener una comunicación con ellos. En ocasiones, los mensajes entre las personas y las entidades divinas pueden literalmente perderse en la traducción. Al escribirle cartas a Metatrón habitualmente, mantienes abierta la línea de comunicación, y seguramente notarás que él comienza a contactarte y comunicarse contigo.

Capítulo 10: Metatrón y el reiki

¿Sabías que la sanación reiki puede combinarse con el poder de los ángeles, como el de Metatrón? Si no estás familiarizado con el reiki, te sugerimos que eches un vistazo a nuestro libro *Reiki Made Easy*. Te ayudará a introducirte en el poder sanador del reiki. Si ya conoces el reiki, parte de este capítulo será como un repaso para ti, pero sigue siendo bueno aprender a combinar el reiki con Metatrón.

El reiki tiene su origen en Japón y es un tradicional método de sanación energética que emplea la imposición de manos, los símbolos de poder y la energía universal para sanar de forma intuitiva. La palabra reiki significa "energía universal". Un practicante de reiki recibe ajustes de su maestro reiki para alinearse mejor con las frecuencias energéticas en las que existe el reiki.

Existen muchos caminos y tradiciones del reiki que puedes seguir. La tradición más conocida es Usui Reiki o reiki tradicional. Esta práctica fue realizada a lo largo de miles de años en monasterios zen y se volvieron más importantes y disponibles a mitad del siglo diecinueve por el doctor Usui. El doctor Usui profundizó en los métodos de reiki ya conocidos y los puso a disposición del público. También enseñó las prácticas, y uno de sus aprendices trajo la sanación reiki a los Estados Unidos en la década del veinte.

Los practicantes de reiki canalizan la energía universal a través de su cuerpo y hacia el cuerpo de un cliente, paciente, o incluso ellos mismos. Contrario a otras modalidades de sanación energética, el reiki es intuitivo. Va hacia donde se lo necesita; el practicante de reiki no orienta la energía. Sin embargo, los practicantes pueden amplificar la energía mediante el uso de símbolos reiki de poder, cristales, o incluso los arcángeles.

Por otra parte, puedes mejorar tu trabajo con el arcángel Metatrón con la energía y los símbolos de poder del reiki. Según el nivel de reiki al que estés sintonizado o tu interés en esta práctica, tal vez nunca llegues a usar los símbolos de poder del reiki. Según la tradición que sigas, sintonizarte con los símbolos ocurre por lo general en el reiki nivel dos.

El cubo de Metatrón es una poderosa figura geométrica que también resuena con el reiki. Puedes dibujar el símbolo (o cubo de Metatrón) o recorrer las líneas de un símbolo ya dibujado tres veces mientras dices su nombre. Esto ayudará a llenarlo de energía reiki y fortalecer las poderosas cualidades del cubo.

Los cristales que resuenan con Metatrón son herramientas que pueden fortalecerse con el reiki para atraer las cualidades del arcángel.

Los cristales que se usan para invocar a Metatrón y trabajar con él también responderán favorablemente a la energía reiki. Dibuja un símbolo reiki sobre ellos o llénalos de reiki antes o durante una meditación o ritual en la que estés trabajando con Metatrón.

Para combinar el poder de Metatrón con el reiki durante la meditación y mejorar tu experiencia espiritual, invoca tanto al reiki como a Metatrón en las meditaciones y las plegarias. Si realizas sesiones de sanación reiki, invoca a Metatrón con una plegaria o un mantra para que se una a ti y te guíe. Tu sanación será más poderosa y quizás recibas mensajes divinos de Metatrón para tu cliente o a quien sea que estés aplicándole una sesión de sanación.

Cuando conoces y entiendes diferentes métodos de sanación espiritual y la aplicación de energía espiritual, descubrirás distintas maneras de combinarlos para lograr una experiencia más poderosa. Sin embargo, no siempre se trata de poder. A veces puedes combinar energías espirituales para emplear diferentes rasgos y cualidades.

Capítulo 11: Pasa tiempo con Metatrón

Cuando eliges seguir un camino espiritual que incluye la compañía de los arcángeles, tienes la opción de transformar quién eres realmente. Muchos espiritistas invocan a los arcángeles cuando los necesitan, pero para recibir los dones y los beneficios de Metatrón debes incorporarlo a tu vida cotidiana.

Aunque muchos de los ejercicios y las meditaciones que hemos mencionado en capítulos anteriores están orientados a la sanación o a otros objetivos específicos como limpiar la energía negativa, puedes invocar a Metatrón y a su luz divina en todos los aspectos de tu vida.

Hay muchas formas de incorporar la guía de Metatrón en tu vida cotidiana, como llenar tu comida de la luz positiva y divina de Metatrón, por ejemplo. Esto no solo purifica las potenciales toxinas de tu comida, sino que te ayuda a garantizar la máxima nutrición posible. También te da un estímulo positivo de energía gracias a lo que comes. Puedes llenar tu comida del poder de Metatrón mediante la meditación, las plegarias y el cubo de Metatrón.

Ten siempre presente en tu vida cotidiana las lecciones que Metatrón nos enseña sobre el karma, la positividad y la transformación. El concepto de percepción y de cómo tu percepción puede modificar tu realidad realmente te ayudará a transformar tu propio mundo.

Entonces, cuando hablamos de que Metatrón forme parte de tu vida, no pienses en cómo su sabiduría puede cambiarte; mas bien piensa cómo puedes cambiar tus acciones y pensamientos para encarnar su sabiduría. Haz un esfuerzo consciente para convertirte en alguien que vive de acuerdo con las enseñanzas de Metatrón.

Si Metatrón se convierte en un arcángel con el que tienes una conexión muy cercana, definitivamente te recomiendo que crees un altar o espacio de intención dedicado a él, así te será más fácil conectar y conversar con él habitualmente. Además, llevar una pieza de ese altar contigo, como una ofrenda de cristal o una imagen de Metatrón, te ayudará a tenerlo siempre cerca tuyo. Guarda el objeto del altar en tu bolsillo, en tu cartera o en un bolso. Siempre y cuando sepas dónde está, podrás sentir su presencia y su poder.

Las afirmaciones son una buena forma de incluir a Metatrón en todos los aspectos de tu vida, pero también debes practicar acercarte a él y sentirlo cerca en cualquier situación. Si te encuentras en una situación incómoda o confusa, busca a Metatrón para que te guíe. Ya sea un problema en tu trabajo, problemas en tu relación de pareja, o problemas con tu familia, pídele a Metatrón que ilumine el camino por ti. Él es muy bueno para ofrecer ideas transformadoras para resolver problemas y limpiar la negatividad.

Dicho todo esto, no hace falta que exista algún tipo de conflicto o problema para invocar a Metatrón. Tenerlo cerca tuyo durante tus actividades del día a día puede empoderarte y darte fortaleza y esperanza.

Como todo arcángel, Metatrón quiere ayudar a la humanidad. Su luz divina te rodea, y con un poco de práctica aprenderás a sentir su presencia en todo lo que haces. Esto es a lo que me refiero con pasar tiempo con Metatrón y llevarlo contigo en tu viaje espiritual. Él puede ayudarte con las cosas grandes y pequeñas y estará a tu lado en todo momento. Ese es el tipo de vínculo espiritual divino que te llenará de su luz por siempre y te guiará para convertirte en la mejor versión de ti mismo. Cuando lo hagas, podrás alcanzar todos tus objetivos y lograr hazañas increíbles.

Conclusión

Trabajar con los arcángeles es un gran regalo y una aventura hacia nuestra propia espiritualidad. Las entidades espirituales y los seres divinos tienen una sabiduría y un conocimiento muy profundos que nosotros apenas estamos comenzando a entender y percibir. Metatrón es un arcángel que sobresale del resto por muchos motivos. Sus poderes de limpieza de negatividad, de equilibrio y de transformación se han convertido en grandes recursos para los expertos en ángeles y espíritus.

Cuando desbloquees los dones de Metatrón, te liberarás para explorar nuevas opciones y oportunidades para cambiar la vida que llevas. Metatrón trabaja duro para transformar energías y circunstancias de tu vida actual e incluso de tus vidas pasadas. Al invitarlo como entidad divina para que te guíe y te acompañe, se convertirá en un amigo con el que recorrerás este camino espiritual.

Ahora que has terminado de leer este libro y tienes todas las herramientas que necesitas para comenzar a trabajar con el arcángel Metatrón, comienza por usar algunas de las meditaciones más fáciles y por buscar señales de presencia divina en tu vida. Incluso si ya tienes experiencia trabajando con otros arcángeles, cuando comiences a trabajar con Metatrón, hazlo lento y con intenciones claras.

Si tu mente y tu espíritu ya están alineados con otros arcángeles, puede ser difícil concentrarte en un nuevo ángel con el que aún no te has alineado. Por lo tanto comienza lento, sin importar si eres nuevo con los arcángeles o no. Mientras más te sumerjas en tu trabajo con Metatrón, serás capaz de alinearte con su energía más rápidamente.

Por solo tener interés en los arcángeles y en lo que Metatrón puede hacer por ti, vas por buen camino para transformar tu vida. Estás listo para despejar las energías negativas que te reprimen. Lleva al arcángel Metatrón contigo en tu vida personal, en el ámbito profesional, en tus objetivos, sueños y deseos.

Cambia la realidad de tus sueños y de tu vida cotidiana con las poderosas habilidades de manifestación y visualización de Metatrón. Deja que él te guíe y te acompañe en este camino hacia una nueva vida y un nuevo tú.

Si has disfrutado de este libro y el contenido te ha servido, deja una reseña positiva para que otras personas también puedan aprovechar este libro. Asegúrate de echarle un vistazo a otros libros de mi autoría que hablan sobre cristales, reiki y otros arcángeles, para que puedas seguir ampliando tus horizontes y tus aventuras espirituales.

¡Buena suerte con todo lo que te propongas y con la transformación de tu vida y de tu bienestar!

Arcángeles: Rafael

Rafael, los secretos para atraer la abundancia y el poder sanador de la llama esmeralda

(Libro 3 de la serie Arcángeles)

Angela Grace

Introducción

¿Alguna vez has sentido que has perdido el rumbo? ¿Verdaderamente perdido? Muchos de nosotros hemos tenido esa sensación de no tener una guía o un propósito en nuestras vidas. Ciertamente yo no era la excepción. La vida puede ser muy cruel, y muy a menudo terminamos rotos y lastimados de formas no físicas, que sin embargo ponen en peligro nuestra existencia.

Entonces, comenzamos a buscar. Consultamos con sanadores, con líderes espirituales, e incluso probamos distintos mejunjes de grandes compañías farmacéuticas para intentar sentirnos mejor, cuando en realidad existen ahí afuera guías reales y poderosos que quieren ayudarte y cuidarte. La mejor parte es que pueden llenar tu vida de abundancia, sanación y valor. También pueden encaminar tu vida hacia la realización personal. Esos guías son los arcángeles.

Entre todos los arcángeles, existen ángeles sanadores para cada aspecto de la vida. Este libro te presentará los poderes de amor, sanación y transformación del Arcángel Rafael.

Aunque los arcángeles son seres divinos, poseen una afinidad por los seres humanos y quieren ayudarnos; todo lo que debemos hacer es pedirles su guía y su ayuda. Rafael es conocido por su amabilidad, sus poderes de sanación y su guía para manifestar lo que verdaderamente deseas en tu vida. Tu búsqueda te ha traído hasta este punto, y tu guía ha llegado. Toma la mano de Rafael y recorre el camino de los ángeles, mientras creas la vida que siempre has deseado pero antes no habías podido tener.

En este libro, aprenderás sobre la historia de los arcángeles, en particular la historia de Rafael. Esto te ayudará a entender por qué desea ayudarte, lo cual es imprescindible para que recibas los dones que él quiere compartir contigo. Más adelante aprenderás a comunicarte con Rafael. Poder llamarlo en momentos de necesidad, agradecerle por sus bendiciones y pedir claramente lo que necesitas es esencial para formar una relación armoniosa con Rafael. Esto no es algo que se hace una sola vez; formarás una relación duradera con el arcángel Rafael y se convertirá en una parte fundamental de tu vida. Por lo tanto, puedes esperar una abundancia de bendiciones, sanación, prosperidad y amabilidad que aparecerá de maneras inesperadas en tu vida.

Quizás el don más poderoso de Rafael es su capacidad de transformar vidas mediante una gloriosa cascada de energía enormemente positiva. Puedes acceder a este canal de energía mediante técnicas como los mantras y las afirmaciones o mediante técnicas de manifestación de energía como la meditación, el reiki, el trabajo con chakras o con los sueños y el uso de cristales. Para quienes recién comienzan, al principio todo esto puede parecer abrumador. **No lo es.**

El destino hizo que eligieras este libro, y en él aprenderás las habilidades esenciales que necesitas para activar el poder de Rafael en tu vida. Este es un camino guiado para que entiendas, elijas y aproveches una vida enriquecida con Rafael. Gracias a las técnicas, estrategias y métodos de un sinnúmero de personas que han invocado a Rafael, también aprenderás a experimentar una gran paz, abundancia y sincronicidad.

En la primera parte te contaré mi historia, y tal como yo hice, tú también encontrarás el camino hacia una relación significativa y fructífera con el arcángel Rafael; y aunque también puedes crear vínculos similares con otros arcángeles, es probable que siempre atesores tu vínculo con Rafael.

En la segunda parte hablaremos de cómo comenzar a incluir al arcángel Rafael en tu vida. Esta sección está cargada de información, herramientas, técnicas, actividades y ejercicios de sanación que te ayudarán a manifestar los poderes de Rafael en tu vida diaria. Una vez que llegues a conocer a Rafael, llevarás su llama esmeralda siempre contigo e irradiarás amor y luz a donde sea que vayas. Déjame ser tu guía; ¡descubramos juntos a Rafael!

Parte 1: La historia de Angela

Hermanos y hermanas, les doy la bienvenida al maravilloso mundo de los arcángeles. Tal vez ya conoces algunos de los conceptos involucrados en la invocación de los ángeles para pedir su ayuda o puedes ser todo un principiante; no importa, esta es una cálida bienvenida a un espacio de luz, amor y aprendizaje.

Todas las personas tienen una historia, y al igual que la tuya, mi historia no siempre fue la bendición que es ahora. Estaba buscando algo más, a pesar de que en ese momento no lo sabía. Algo faltaba en mi vida, sentí que luchaba cuesta arriba sin un propósito. Para quienes no me conocían tan bien, parecía que todo funcionaba a mi favor. Tenía una pareja que me amaba y un negocio exitoso. Parecía que estaba rodeada de abundancia y adoración. ¿Qué más podría haber querido?

Algunos de ustedes pueden encontrarse en situaciones similares a esta. Al igual que yo, han creado una exitosa ilusión externa de perfección. Cuando dices (o si alguna vez has dicho) que no te sentías pleno, quizás las personas te miraban como si estuvieras loco. Después de todo, ¿qué más podrías querer cuando parece que ya lo tienes todo?

Sin embargo, como con todas las ilusiones, hice creer a los demás una mentira. No era feliz. No me sentía conforme y no estaba tan bendecida como parecía. Aunque tenía algo de dinero, no era suficiente para mi lujoso estilo de vida y me preocupaba todo el tiempo perder lo que tenía. A pesar de que tenía ahorros, no sentía la paz verdadera que trae la abundancia. Había acomodado mi vida alrededor de ciertas cosas en vez de liberar mi espíritu y aceptar las increíbles energías que me rodeaban.

Este camino hacia mi naturaleza espiritual comenzaría mucho después, cuando me topé con el poder de los cristales por primera vez y experimenté sus propiedades de sanación de primera mano. Me encantaría que leyeras sobre esta experiencia en *Crystals Made Easy*. Mi recorrido en el estudio de los arcángeles fue sinuoso, pero no me faltaron los guías en mi proceso interno. Los ángeles siempre estuvieron ahí. Al igual que un niño aprende a sentarse, a pararse, a caminar y, con el tiempo, a correr, necesitaba aprender a acceder a sus poderes, a sus dones y a su guía.

¿Alguna vez has tenido un momento de alegría o calma tan pura y absolutamente fuera de este mundo que creíste que lo habías imaginado? Así se sintió mi primera experiencia con un arcángel. No tenía la intención de invocarlo o comunicarme con él, pero ahí estaba, rodeada de una felicidad total y pacífica. En este mundo tan ajetreado en el que vivimos, donde nos dicen que debemos acostumbrarnos y seguir adelante, experimentar un momento tan delicado no es algo a lo que estemos programados para procesar o entender. Ciertamente no comprendía del todo lo que había vivido.

Mientras más investigaba la historia y el conocimiento de los arcángeles, más comencé a entender cómo su presencia en mi vida podía canalizar la energía y la positividad en mí. Con estos dones, podía comenzar a manifestar los cambios que deseaba en mi vida. Finalmente, y de forma intencional, podía rezar por la seguridad y la salud de mis seres queridos. Incluso era posible manifestar sanación y protección para mí y mis mascotas.

Lo mejor es que descubrí que los arcángeles no están asociados a una denominación religiosa específica. Para creer en los arcángeles y conectarme con ellos no hacía falta cambiar mis creencias o unirme a una religión alternativa. Podía empezar de inmediato. Incorporar los ángeles a mi vida no me llevó años de estudio o una peregrinación hacia un templo escondido. Todo lo que necesitaba estaba a mi alcance, y ahora también está a tu alcance.

Todo lo que necesitaba para comenzar era un poco de conocimiento y un empujón en la dirección correcta. Por suerte, a mi querida amiga Linda siempre le interesaron las cosas esotéricas y sabía bastante sobre eso, y cuando un día hablé de los ángeles con ella, supo de inmediato que estaba teniendo una visita. Fue un gran alivio saber que no estaba loca y que de hecho existen millones de personas en todo el mundo que también interactúan a diario con los arcángeles.

Varias tazas de té de hierbas mediante, Linda compartió conmigo todo lo que sabía aprendido sobre los ángeles, y me atrapó de inmediato. Cuando volví a casa, no podía esperar para comenzar a investigar por mi cuenta y contactar a varias comunidades en línea que practican, discuten y explican el estudio de los ángeles.

Imagen 1. Los arcángeles no siempre aparecen en la forma típica o estereotípica que vemos en la arquitectura católica. Pueden aparecer como presencias luminosas o invisibles o como personas comunes.

Una de las primeras cosas que descubrí fue que cada persona vive encuentros diferentes con los ángeles, y mientras que quienes venimos de una educación católica vemos a los ángeles como las típicas figuras angelicales, con un par de alas brillantes y una espada ardiente, muchas otras personas los ven de forma muy diferente.

Cualquiera sea la forma en la que veas a los ángeles, ellos tienen el poder y la capacidad de enriquecer tu vida, traerte la guía que tanto necesitas y facilitar cambios fortuitos en tu vida diaria. Para las personas que, al igual que yo, han estado buscando una forma de encontrarle un sentido a la vida y de seguir adelante con luz y positividad, conocer, entender y aceptar a tu ángel guía es el comienzo de un camino que cambiará tu vida.

Al igual que yo, tú también puedes experimentar la libertad de preocupaciones, el valor para dar un paso al frente con actitud, la sabiduría para tomar buenas decisiones y el amor para confiar profundamente en tu vida. Mientras que había pasado mi vida entera creyendo que no valía nada y que nunca sería feliz (y por lo tanto, tenía que aceptar lo que tenía y ser agradecida), me di cuenta de que me había dejado controlar por personas que no me conocían de verdad y que no pensaban en mi propio bien. Cuando descubrí a los arcángeles descubrí quién soy en verdad, y desde ese momento he comenzado a crear la vida que me merezco, una vida mucho mejor de la que podría haber soñado.

Esta revelación también estará a tu alcance cuando emprendas este camino con los ángeles. Ahora, es momento de aprender todo sobre Rafael y sus increíbles dones.

Parte 2: Incorpora al Arcángel Rafael en tu vida

Capítulo 1: Introducción al Arcángel Rafael

Capítulo 2: Invoca al Arcángel Rafael fácilmente

Capítulo 3: Ejercicios, mantras y afirmaciones

Capítulo 4: Sana a los animales y a tus seres queridos con el Arcángel Rafael

Capítulo 5: Alinea tu frecuencia del dinero con el Arcángel Rafael

Capítulo 6: Meditaciones del Arcángel Rafael

Capítulo 7: Manifestaciones, chakras, sueños, cristales y karma del Arcángel Rafael

Capítulo 8: Cómo saber cuando el Arcángel Rafael está cerca

Capítulo 9: Escribe una carta a Rafael

Capítulo 10: Reiki del Arcángel Rafael

Capítulo 11: Pasa tiempo con el Arcángel Rafael

Capítulo 1: Introducción al Arcángel Rafael

Como con todos los arcángeles, el nombre de Rafael tiene un gran significado. Quiere decir "Dios ha sanado" en hebreo y es un fuerte indicio de los poderes que Rafael tiene al alcance de la mano. Es un sanador magnífico, y es fácil recurrir a él para que nos ayude a sanar las enfermedades y recuperarnos de experiencias que agotan nuestra energía, como la muerte y el duelo. A lo largo de la historia, Rafael ha tenido distintas apariciones en muchas religiones diferentes, lo cual lo convierte en un arcángel accesible a personas de todas las creencias.

Imagen 2: Ya sea que ya creas en los arcángeles o aún no te convencen del todo, la verdad es que son reales y son poderosos. Ser consciente de que ellos son parte de tu vida es una forma de disfrutar las bendiciones de la divinidad en tu vida.

Rafael a lo largo de la historia

Rafael es uno de los tres arcángeles más importantes, y muchas personas que creen en los ángeles y los estudian lo invocan junto con los arcángeles Miguel y Gabriel. En la Biblia, Rafael es el ángel que mueve las aguas de sanación en la piscina de Bethesda, tal como se lo menciona en el Evangelio de Juan. Esto vincula a Rafael con la gran sanación que puedes recibir de él. Puedes imaginar la gran misericordia que debe haber sentido para mover las aguas y permitir que quienes lo necesitaban pudieran sanar y revivir de manera física. Rafael también aparece en el Islam como el ángel que toca la trompeta y anuncia la resurrección y el juicio final. En el Torá, sabemos que a Rafael se le ordenó sanar a Abraham de su circuncisión y salvar a Lot.

Imagen 3: Cuando las aguas de la piscina de Bethesda se movieron, se pensaba que un ángel estaba cerca y que las personas enfermas que se acercaran a las aguas se sanarían. Se cree que Rafael era el ángel que visitaba esta piscina y liberaba la sanación de Dios sobre quienes se reunían allí.

A lo largo de la historia, Rafael ha sido una influencia positiva, un poderoso sanador y un facilitador para un cambio de sanación. En el Libro de Tobit (Tobías), sabemos que Rafael bajó a la tierra en forma de hombre y viajó junto a Tobit. Durante su travesía, se dice que Rafael protegió y sanó a Tobit. Rafael también amarró a un demonio que había poseído a la futura nuera de Tobit (See U in History/ Mythology, 2019).

Lot también fue salvado por un ángel que le advirtió que se fuera de Sodoma, y ese ángel era Rafael. Esto hizo que muchos de los fervientes creyentes aseguraran que Rafael no es solo un sanador, sino también un salvador y un guía para alejarnos del peligro.

El sufismo alienta al creyente que aspire a ser como Rafael; amable, compasivo, valiente y empático. Estas se consideran las mejores cualidades de una persona, e incluso en la actualidad, son rasgos que muchos consideran virtuosos. Si puedes empezar a ser como Rafael en la forma en que tratas a los demás, si ayudas a quienes lo necesitan y ofreces tu amabilidad y compasión a todos por igual, verás que comenzará a aparecer en tu vida más a menudo.

Por lo tanto, Rafael es capaz de entregar gran sanación y liberación a quienes solicitan su ayuda y guía. Si tenemos en cuenta lo que ha hecho a lo largo de la historia, entonces podemos creer que él es capaz de curar las enfermedades, amarrar las adicciones para que no nos torturen más y aliviar las enfermedades mentales. También puede guiarnos hacia una vida de abundancia y libertad.

Los poderes sanadores de Rafael

A lo largo de la historia, encontramos muchas historias de sanaciones misteriosas y guía divina. Aunque muchas de ellas no involucran a una típica presencia angelical, tenemos que mirarlas bien de cerca porque, cuando se trata de manifestaciones físicas, Rafael es como un camaleón. En la Biblia, donde se dice que es quien movió las aguas sanadoras de la piscina de Bethesda, se lo suele describir como una presencia no percibible. Saber que Rafael está cerca puede depender de tus percepciones y de tu conciencia espiritual. Sin embargo, nadie puede dudar de sus poderes de sanación. Recuerda, él es la representación de la sanación de Dios en la tierra.

Para poder comenzar a manifestar la guía y la sanación de Rafael en tu vida, debes ser capaz de acceder a su sanación, solicitar su ayuda e invitar su presencia. Se considera a Rafael como el santo patrón de los viajeros, los sanadores, los enfermos y los ciegos, e incluso se le atribuyen los poderes de amarramiento, porque facilitó que Sara pudiera consumar su matrimonio al amarrar al demonio que la poseía. Rafael es la manifestación de la presencia sanadora de Dios, y tú puedes abrir los canales de esa guía y sanación increíbles en tu vida. Entonces, ¿cómo se invoca a un arcángel?

Capítulo 2: Invoca al Arcángel Rafael fácilmente

Los arcángeles tienen colores que son específicos a cada uno de ellos. En el caso del arcángel Rafael, su color es el verde esmeralda oscuro. Aunque los arcángeles siempre están a nuestro alrededor, responden mejor cuando invocamos a uno en específico. Por lo tanto, cuando comiences a invocar a un arcángel, es buena idea visualizar el color del arcángel que has elegido en el centro de tu frente, donde se ubica el tercer ojo. Esta es una forma poderosa de liberar tus propias energías y crear un llamado resonante para invocar a Rafael a entrar a tu vida y a tu mente.

Imagen 4. El verde esmeralda es el color sagrado de Rafael y a menudo está asociado con el crecimiento y la sanación. Visualizar este color puede ayudarte a conectar con Rafael de forma rápida y sencilla.

Acudir a Rafael no es un proceso complicado, y él está dispuesto a ayudarte. Al igual que un amigo del alma que te ve sufrir, él está esperando para que te acerques a hablar con él, que abras tu corazón y lo dejes entrar para que él te ayude a sanar.

Cómo comunicarte con Rafael

Puedes conectarte y comunicarte con Rafael al instante. Cuando tengas dolor de cabeza o sufras los dolorosos efectos de una enfermedad, todo lo que debes hacer para acudir a él es visualizar una luz verde esmeralda que te rodea. Algunas personas prefieren imaginar esta luz como una lluvia de chispas verde esmeralda que se depositan en su piel, se funden con su ser y liberan la sanación de Rafael. Tal vez incluso sientas una sensación de hormigueo en tu cuerpo durante este momento. Cualquiera sea la forma en la que decides imaginar la luz, estarás recibiendo los poderes de Rafael, y como confías en su bondad y su voluntad para ayudarte, tendrás una actitud receptiva a la sanación.

Esta actitud y la confianza en los poderes de Rafael será lo que manifestará la sanación en tu vida. Incluso puedes imaginarlo como un amigo que quiere ayudarte. Si **crees** que tu amigo puede ayudarte y **permites** que te ayude, entonces será **capaz de ayudarte** de forma rápida y sin esfuerzo. Sin embargo, si haces preguntas todo el tiempo o dudas de la capacidad o voluntad de tu amigo, demorarás y limitarás su capacidad de ayudarte. Para disfrutar la manifestación de la sanación de Rafael en tu vida en todo su esplendor, tienes que aceptar y confiar en que él puede y quiere ayudarte.

Algunos creyentes eligen hablar directamente con el arcángel Rafael, y aunque muchas veces las palabras no son necesarias, puedes asegurarte de que él escuchará tu llamado y lo responderá. Rafael no decidirá simplemente ayudarte por su cuenta. Él respeta tu derecho a elegir y quiere que decidas invocar su ayuda. Si al principio no sabes cómo hablar con él, puedes invocarlo usando algunas frases de ayuda (como las que están a continuación). Lo más importante es que te acerques a él (con las palabras con las que te sientas más a gusto); si no, Rafael no podrá ayudarte. Puedes decir:

"Arcángel Rafael, por favor ayúdame".

"Adorado Rafael, te invoco para que estés presente en mi vida y compartas tu presencia sanadora conmigo".

"Rafael, por favor manifesta tus bendiciones en mi vida hoy".

"Arcángel Rafael, por favor atiende mi pedido y guíame durante estos tiempos difíciles".

También puedes invocar al arcángel Rafael con sus códigos sagrados. Repetir ciertas secuencias numéricas canaliza las energías de los arcángeles. Puedes invocar a Rafael repitiendo la siguiente secuencia de números, diciendo cada número 45 veces: 157, 29, 125, 2129, 1577 (Purva Nimfa Magic, 2018).

Consejos para principiantes

Imagen 5. Comunicarse con el arcángel Rafael no es precisamente tomar tu teléfono y llamar a alguien, aunque la conexión puede ser aún más instantánea que un mensaje o una llamada telefónica.

Conectarse con el arcángel Rafael es cuestión de abrirse y recibir, no solo de elevar un pedido. Entonces, al igual que con tu teléfono si estás en modo avión, no recibirás su guía y su sanación si no estás alerta y por completo en el presente. Muy seguido se trata de si crees que mereces recibir su guía y sanación.

Cuando crees en tu propio valor y en tu capacidad de sanar, serás capaz de seguir la guía de Rafael y elevar tus vibraciones energéticas para comenzar el proceso de sanación. Conectarse con Rafael es conectarse con el amor divino. Estás a punto de hacer una amistad de por vida cuando te conectes con el arcángel Rafael. Aquí tienes tres formas de invocarlo y comunicarte con él:

1. Siéntate en silencio e imagina que una radiante luz verde esmeralda cubre todo tu cuerpo. Siente la luz en la cabeza, el entrecejo y los ojos, y siente cómo ingresa al chakra de la coronilla en la parte superior de la cabeza. A medida que se absorbe en tu mente, sentirás una sensación de calor maravillosa y placentera que poco a poco baja hacia el resto de tu cuerpo. Desde aquí podrás sentir esta energía verde vibrante latiendo, invadiendo tu cuerpo, elevando tu espíritu y llenándote de una hermosa y brillante luz esmeralda. Rafael ha sentido tu conexión a su energía y su luz y se ha unido a ti; ahora podrás comunicarte con él.

2. También puedes elegir decir una plegaria para invocar al arcángel Rafael y al Todopoderoso, con el nombre que tú lo llames. Siéntate de manera cómoda. No tienes que ponerte en ninguna

posición de rezo en particular, e incluso puedes decir esta plegaria si estás recostado. Ahora, di estas palabras (o algo similar):

"Arcángel Rafael, te invoco para que te unas a mi vida, te hagas presente en mi vida y compartas tu energía elevada conmigo en este día. Te pido que me llenes de tu energía sanadora y tu luz brillante de amor, cariño y compasión. Déjame sentir las vibraciones de tu energía mientras recorren todo mi cuerpo y llegan lentamente hasta los rincones más recónditos de mi ser físico, mental y espiritual. Hoy te pido que me guíes y me sanes en los aspectos de mi vida que me han estado agobiando. Ayúdame a liberar las energías negativas que me han impedido alcanzar mi destino divino y han limitado la plenitud de mi vida".

Luego puedes pedir específicamente las cosas que quieres, como sanar una enfermedad física, aliviar tensiones o cansancio mental, o una guía espiritual. No es importante cómo lo pidas, siempre y cuando lo hagas.

3. Cuando entablas una conversación con alguien, sabes que la comunicación tiene dos fases: hablar y escuchar. Ya le has hablado al arcángel Rafael, y ahora debes escuchar su respuesta. Mientras que algunas personas funcionan en un nivel más elevado de conciencia espiritual y pueden escuchar las palabras de los ángeles, también existen otras formas de escuchar las respuestas de los arcángeles. Tal vez comiences a ver señales, a sentir un aumento de la energía o de las vibraciones en tu interior o a sentir una presencia cerca de ti (debe ser una presencia amable que te guía en la dirección correcta para tu pedido).

    Puedes pensar en el arcángel Rafael como un amigo sabio y querido; has pedido por su guía y el don de su sanación. Ahora, tienes que escuchar, observar y recibir ese regalo. Al igual que con la mayoría de los regalos, debes abrirlo. Esto quiere decir que tienes que aceptar el regalo y decidir si vas a ubicarlo en algún lugar donde puedas verlo y usarlo todos los días o dejarlo sin abrir en algún cajón. Está en ti usar el regalo o no.

Comunicarse con el arcángel Rafael no es difícil, pero tu compromiso es necesario para escuchar, sentir y recibir las respuestas que él te ofrece. Si no estás dispuesto, no podrás escucharlo, sentirlo ni vivirlo.

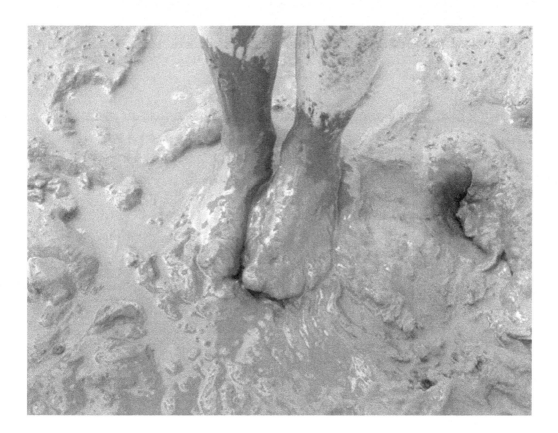

Imagen 6. Si aún tienes problemas para conectar con Rafael, tal vez estás atrapado en un pantano de negatividad, y hasta que no encuentres una forma significativa de escapar de esa baja energía, te costará comunicarte y pedir su guía.

Una de las razones más importantes por las que a los principiantes les cuesta conectar con la presencia poderosa del arcángel Rafael es porque dudan de que sea real y dudan de si tienen el derecho de invocar a un guía y sanador tan poderoso en primer lugar. Eso es energía negativa que agotará tu capacidad de escuchar y recibir.

Capítulo 3: Ejercicios, mantras y afirmaciones

Muchos de nosotros tenemos una perspectiva negativa sobre nuestras vidas. Hay cosas que nos desafían y a menudo sufrimos ataques de depresión y ansiedad por culpa de las experiencias negativas. Sin embargo, al aceptar la energía positiva de los arcángeles, podemos comenzar a transformar nuestra forma de ver la vida y nuestras percepciones y crear un manantial de energía positiva en nuestras vidas.

Al igual que cualquier otra cosa en tu vida, no sucede de la noche a la mañana; aunque seguro deseas poder chasquear los dedos y sanar mágicamente de toda negatividad. Por el contrario, es un proceso en el que descubrirás el poder de los arcángeles, te volverás más consciente de ellos a lo largo de tu vida y el día a día y aprenderás a incorporar sus bendiciones positivas en tu forma de ver la vida.

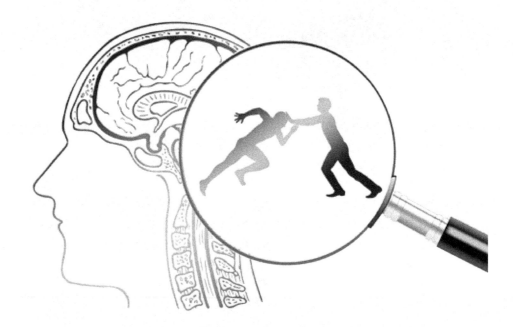

Imagen 7. Las creencias negativas pueden reprimirnos e impedir que conectemos con los arcángeles y recibamos sus dones.

Existen muchos ejercicios, mantras y afirmaciones que te ayudarán a atraer a tu vida las bendiciones positivas de los arcángeles como Rafael. A continuación veremos algunos ejemplos:

Transforma la negatividad

Cuando decides hacerte consciente de los tipos de energía que existen en tu vida, podrás comenzar a elegir cuáles energías vas a canalizar o aumentar y cuáles vas a liberar y dejar ir. Existen diferentes métodos de transformación de energía que puedes usar y todos son muy fáciles de hacer. No necesitas nada más que los poderes de tu mente y tus intenciones.

- **Ejercicios de respiración**

Siéntate en silencio y deja que tu cuerpo se relaje y calme el caos en tu interior, mientras te centras en tu ser físico. Vuelve toda tu atención a tu cuerpo. Nota si sientes tensión o rigidez en las extremidades; es una señal de que las energías negativas te han provocado tensión y ansiedad. La energía negativa es destructiva y puede envenenar tu cuerpo y tu vida.

Respira profundo por la nariz y concéntrate en la sensación de tu cuerpo que se eleva y crece alto como un gran abeto verde. Siente las plantas de tus pies, e incluso tus nalgas, gentilmente ancladas a la tierra. Estás a gusto en una conexión entre el cielo y la tierra.

Cuando vayas a soltar el aire, simplemente deja que fluya por la boca; no lo fuerces ni te concentres en él. Solo nota cómo ese aire cálido se lleva consigo todos los pensamientos, las emociones y los recuerdos negativos que has estado sintiendo.

Inhala por la nariz y permítete sentir una radiante luz verde esmeralda que acompaña la respiración. Mientras baja por la nariz y la garganta hasta los pulmones, sentirás un dejo verde y terroso en tu respiración.

Repite este proceso de inhalar vida y positividad con cada "respiración verde" y exhala la negatividad y los pensamientos intensos varias veces hasta que te sientas increíblemente en paz y dispuesto a recibir las bendiciones de Rafael. Esta es una forma en la que puedes abrir tu mente y tu corazón para recibirlo.

De aquí en más, puedes continuar con las meditaciones de transformación, en las que aprenderás las prácticas de liberación, purificación y protección.

- **Meditaciones de transformación**

Después de haber relajado tu mente y tu cuerpo con la técnica de respiración que vimos anteriormente, simplemente deja que tu mente se abra como un enorme lago que se extiende más allá de lo que el ojo puede ver. Ahora, forma el nombre del arcángel Rafael en tus pensamientos, murmúralo en tus labios cuando lo llames o lo invoques. Puedes elegir invocar su guía y su sabiduría para sanarte de una presencia en tu vida que es negativa y destructiva.

"Arcángel Rafael, ángel divino que trae la sanación y la transformación, hoy invoco tu presencia en mi vida. Te invoco para que me ayudes a sanar una energía negativa que se ha apoderado de mi vida. Ayúdame a superar este obstáculo en mi mente y mi alma. Arcángel Rafael, guíame en el camino de la transformación para librarme de esta energía negativa, de esta persona o evento destructivo en mi vida".

Cuando digas estas palabras, hazlo con convicción, e incluso deja que tu voz refleje algo de frustración si así es como te sientes. Rafael es un sanador, y él nunca te juzgará por sentirte mal; en cambio, solo busca ayudarte y sanarte.

"Rafael, límpiame de esta energía negativa. Haz que los últimos jirones de esta presencia negativa se vayan de mi mente y mi espíritu, mientras miro hacia el futuro con poder, positividad y una energía que está pensada para servir a todo lo que es bueno".

En tu mente puedes comenzar a visualizar a la persona o evento negativo que te impide rodearte de la brillante luz verde esmeralda. Tal vez hasta tengas una extraña sensación de que algo tira de ti mientras esta presencia se desvanece o es arrancada de tu vida. Es bastante normal tener una respuesta emocional fuerte cuando cortamos ataduras con energías negativas. No te preocupes; por el contrario, disfruta la presencia liberadora de la luz y el amor de Rafael mientras él crea sanación en tu interior. Ahora puedes pedirle que te libere de los últimos bloqueos que esta energía negativa había creado:

"Rafael, ayúdame en este día. Te doy las gracias por eliminar la energía negativa de mi vida y ahora te pido que limpies las creencias negativas que he creado como resultado de esta presencia. La energía negativa ha sido removida; bendito tú seas, ángel divino, por sanarme. Ahora imploro tu ayuda y tu protección de las creencias limitantes que yo he construido. Guíame para romper esas barreras".

En ese momento, quizás sientas una ola de luz que limpia tu mente y tu corazón. Incluso puedes sentirte algo aturdido, porque tu mente se está limpiando de viejas creencias que te oprimían. En este estado profundo de meditación, reconoces que eres una persona valiosa y amada, que vales lo suficiente y que eres un ser divino.

Los poderes de Rafael han canalizado la presencia divina del Creador en tu vida y ahora estás libre de barreras u obstáculos de creencias que antes te limitaban o te oprimían.

Ahora puedes pedirle a Rafael su protección y su presencia protectora para evitar volver a caer en hábitos negativos y a ser víctima de influencias negativas externas en tu vida.

"Rafael, te doy las gracias por ayudarme, sanarme y guiarme. Mi vida ahora está llena de luz, amor y potencial. Por último, te pido que me protejas con tus increíbles poderes. Construye un muro de luz a mi alrededor y aleja a quienes buscan hacerme daño o llevarme por mal camino. Gracias a tu protección soy mucho más fuerte, y tu guía me lleva por los caminos que se supone que debo seguir. Protégeme con tu amabilidad, tu amor y tu poder".

Puedes crear una imagen mental de ti mismo envuelto en un velo protector color verde esmeralda. Algunas personas que meditan lo perciben como unos brazos fuertes que nos envuelven en un abrazo reconfortante. Ahora la protección es total, y todo pensamiento o evento negativo simplemente resbala de este velo protector. Estás sanado y a salvo.

Manifiesta abundancia y sanación

Como mencionamos en el capítulo 2, es importante que creas en lo que estás pidiendo, orando o deseando. Cuando tu convicción es fuerte puedes hacer cualquier cosa. Si vives con energía positiva y confías en que eres capaz de hacer algo, entonces puedes hacerlo y lo harás. Esta creencia crea el poder de manifestar lo que necesitas o deseas en tu vida. Aunque no necesariamente tendrás un BMW cero kilómetro en un abrir y cerrar de ojos, puedes atraer y manifestar las cosas que deseas y en las que crees para tu vida.

Una vez que hayas roto ataduras con las cosas que te oprimían o te hacían mal, puedes limpiar las dudas y los comportamientos contraproducentes contra los que has estado luchando. Puedes manifestar tu propia abundancia y sanación a través de los poderes que ahora trabajan en tu vida. Hay distintas formas de manifestar las cosas que deseas:

- **Afirmaciones**

Como el arcángel Rafael te libró de las ataduras que te amarraban, ahora puedes atraer energía positiva y frases de poder para ayudarte a lograr tus objetivos. Las afirmaciones son declaraciones de poder escritas en primera persona, como si ya hubieras obtenido lo que deseas. De nuevo, tienes que leer o decir estas afirmaciones en voz alta para que te guíen y atraer el potencial a tu vida. Cuando hablas con poder y convicción, estarás listo para atraer y manifestar tus sueños.

Imagen 8. Las afirmaciones son frases positivas que refuerzan el gran concepto de "yo soy", el cual te libera de toda negatividad.

Al principio tal vez te resulte complicado crear tus propias afirmaciones. Estas frases genéricas están pensadas para tus primeras sesiones de meditación. Una vez que sientas más confianza, serás capaz de crear tus propias afirmaciones especializadas.

"Estoy libre de toda negatividad".

"Rafael me ha guiado hasta esta verdad: soy libre".

"Camino hacia la luz como una persona sanada y liberada".

- **Mantras**

Usar mantras durante la meditación es crear una vibración más elevada para tu energía. Tú influyes en la resonancia o la frecuencia de tu espíritu dentro de tu cuerpo físico. Mientras que las afirmaciones son frases positivas, los mantras son palabras poderosas que repites cada vez más rápido para ayudar a tu cuerpo a realinearse por sí mismo.

En las tradiciones budistas, cantar "om" tiene el mismo efecto; ayuda a que la mente se concentre y trae claridad a tu espíritu o intención. Mientras meditas y logras un ritmo de inhalación y exhalación, simplemente repite estos mantras, cantándolos en frecuencias cada vez más elevadas. Sentirás un cúmulo creciente de energía en tu interior, como si estuvieras a punto de estallar y decir o hacer algo. Esto indica que tus vibraciones han llegado a un plano superior y ahora puedes recibir mejor a los ángeles (Anglin, 2020).

Los mantras que aumentan la vibración incluyen los siguientes:

- El nombre de Rafael
- Verbos de acción como "guíame", "sáname" o "llévame"
- Palabras angelicales como "luz" y "amor"

Aunque también existen otras técnicas para comunicarte y sentir la presencia de los arcángeles, estas son algunas de las más poderosas y fáciles de usar. Repítelas varias veces con frecuencia y construye una base de conocimiento y experiencia para poder conectarte seguido y solicitar la ayuda del arcángel Rafael.

Capítulo 4: Sana a los animales y a tus seres queridos con el Arcángel Rafael

Ya hemos hablado en detalle sobre sanarnos a nosotros mismos, invocar la protección y la sanación de Rafael para ayudar a sanar el cuerpo, la mente y el espíritu, al igual que manifestar lo que deseamos o necesitamos; pero también somos capaces de compartir esa sanación y protección con nuestros seres queridos. Cuando incorporamos el poder de Rafael a nuestras vidas, podemos canalizar esa energía hacia quienes lo necesitan. Si de sanar a nuestras mascotas se trata, es particularmente poderoso.

Algunas personas pueden pensar que es extraño aplicar la sanación energética y las intervenciones angelicales en animales; sin embargo, los animales fueron creados por el mismo Creador divino que ha creado a los seres humanos. Tienen tanto derecho como tú a recibir sanación, paz y amor. Puedes pedir la ayuda de Rafael para aliviar el dolor de una mascota con el corazón y la mente puros. Los arcángeles aman y cuidan a todas las obras del Creador, incluyendo a las personas, las mascotas, los espíritus y los ángeles.

Aunque los animales y las personas que sufren no siempre pueden decir afirmaciones o recitar mantras, pueden recibir amor, luz y sanación cuando canalizas los poderes de los ángeles sobre ellos. En esencia, te conviertes en un conductor; pides guía y sanación en su nombre y luego transmites la energía y el poder cuando los recibes.

Imagen 9. Nuestras mascotas tienen un lugar valioso en nuestros corazones y nos ayudan a sanar gracias a su amor incondicional. Sanarlas y reconfortarlas cuando están sufriendo es algo con lo que Rafael puede ayudarte.

Visualiza la sanación y la protección

Siéntate en silencio junto a la persona o mascota que quieres ayudar a sanar o proteger. Puedes acariciarla o, si no estás junto a ella, puedes usar una foto para que te ayude a concentrarte. Respira profundo y deja que la luz pacífica del arcángel Rafael entre en tu interior cuando tomas aire. Siente cómo todas las preocupaciones se deslizan por tus hombros como una bufanda que se la lleva el viento.

Mientras exhalas, eres consciente de que la tierra te sostiene, y mientras inhalas, sientes que puedes alcanzar los cielos. Absorbe las energías positivas que te rodean cuando ellas se asienten en el área de la coronilla, penetren por tu cuerpo, bajen por el cuello, se expandan por encima de los hombros y se posen en tu corazón. Sé consciente de que tu corazón es un lugar abierto y acogedor. Allí yacen todas tus buenas intenciones, y desde allí es donde acudes e invocas al arcángel Rafael:

"Rafael, te invoco. Ven y guía mi mano y mi corazón mientras pido tu sanación sobre este ser tan querido. Deja que tu poder se mueva dentro de mí y llegue hasta esta alma bondadosa que necesita tu sanación y protección. Te pido que erradiques la enfermedad y la dolencia que la aquejan. Mi pedido es que me llenes de tu presencia poderosa y que dejes que esta energía de sanación, amor y luz se transmita de mi mano a su alma tan preciada y le brinde alivio y recuperación".

Mientras sostienes a la mascota o la persona que estás sanando, puedes visualizar un suave resplandor verde que comienza a formarse sobre tu piel. Esa es la luz y el amor de Rafael, que se mueve desde ti hacia ella y se hace más fuerte y resplandeciente mientras te comunicas y recibes la ayuda de Rafael.

De nuevo, tu convicción es lo que determinará el nivel de transformación y transferencia de energía que puedes canalizar. Puedes usar tu imaginación para ayudarte a visualizar la sanación sobre tu ser querido y que gracias a tu mano, ya sea sobre su cuerpo o sobre una foto de él, la luz verde se expande para envolverlo en una protección amorosa y cuidado divino.

Intenta mantener la calma y la concentración mientras sigues hablando con Rafael e invocas su ayuda y guía. Si sufres de ansiedad, estás dejando que las energías negativas se infiltren desde fuera y eso no ayudará al proceso de sanación. En cambio, aumenta tu frecuencia con mantras o afirmaciones.

"Rafael, Rafael, Rafael, Rafael... te invoco, Rafael. Te suplico que tu presencia sanadora se haga presente aquí mientras sanas a esta vida. Sana. Sana. Sana. Sana. Sana. Imploro tu guía y sanación. Deja que tu luz y tu amor llenen a esta criatura, a esta persona, a este animal de una sanación y una vitalidad renovadas.

Deja que tu poder rompa las ataduras de las enfermedades y las dolencias que amenazan su vida. Tienes el poder de liberar la sanación aquí y ahora.

Esta vida está libre de sufrimiento.

Esta persona, este animal está libre de daño".

Una vez que hayas completado tu meditación, puedes tomarte unos momentos para ver la luz verde de la sanación y el amor de Rafael que cubren a este ser querido que tanto valoras. Siente el poder del arcángel que se mueve hacia él y lo protege de futuros males y del regreso de las enfermedades. Has compartido las bendiciones del arcángel Rafael con él y puedes confiar que ha sanado y está protegido del peligro.

Capítulo 5: Alinea tu frecuencia del dinero con el Arcángel Rafael

Imagen 10. Desear riqueza y seguridad financieras es un instinto humano y, en un mundo manejado por el consumismo, es entendible. Rafael puede guiarte hacia toda la riqueza que necesitas y mereces.

Muchos de nosotros queremos tener una vida financieramente estable. Tenemos miedo de no tener suficiente dinero; por lo tanto a menudo nos estresamos y preocupamos y esto lleva a problemas de salud. Aunque el arcángel Rafael es conocido como el ángel de la sanación, también se lo conoce como el ángel de la abundancia. Esto quiere decir que, como resultado, él puede guiarte hacia la abundancia de salud, de vida, de recursos, de oportunidades y de dinero.

Como con cualquier otro pedido que le haces a los arcángeles, tienes que invitarlos a entrar a tu vida. Tienes que hacerles saber que estás preparado para recibir sus dones y sus energías. Este es un ejemplo poderoso de cómo funciona la ley de atracción.

Si estás pensando en algo en particular, alinearás tu vida con eso que ocupa tu tiempo y tu energía. Esta repetición es lo que hace aumentar tu frecuencia vibratoria y avecina la presencia angelical de los arcángeles.

Aunque no necesariamente te despertarás un día rodeado de bolsas llenas de dinero, pedir por la abundancia de riqueza puede llegar de diferentes maneras. Puede llegar en forma de un nuevo empleo que paga un salario mucho mejor. También puede llegar como inspiración que te guía en el camino hacia la libertad financiera. Pedir convertirse en alguien rico no es un pedido que viene desde un lugar de positividad o una vibración elevada. Ser rico está más bien asociado con la avaricia, que funciona en una frecuencia más baja. Si eso es lo que deseas, te costará conectar con los arcángeles, porque ellos responden a propósitos más elevados, no a deseos mundanos.

Pedir abundancia con el corazón abierto es dejar la solución a la libre interpretación de los arcángeles. Rafael puede guiarte a los medios para alcanzar tus metas financieras (si son sobre libertad y mejoría, no avaricia) o puede darte los recursos que te ayudarán a lograr lo que buscas en tu vida. Estar abierto a recibir las respuestas del arcángel Rafael es lo que determinará el éxito de tu camino hacia la abundancia.

Tus pensamientos sobre el dinero deben ser de tal manera que los veas como un aspecto positivo de tu vida, incluso cuando no tienes nada. Obsesionarte con lo pobre que eres solo atraerá más pobreza a tu vida. Sin embargo, creer que tienes suficiente y saber que recibirás las bendiciones divinas cuando lo necesites abrirá las puertas doradas de la abundancia en tu vida.

Una vez que dejes ir los miedos de no tener suficiente, tu frecuencia vibratoria cambiará y comenzarás a invocar energías positivas en lugar de hundirte en creencias negativas. Confía en que cuidarán de ti y así será. Ten fe en la abundancia que te corresponde por derecho natural y experimentarás todas las bendiciones y la abundancia que necesites.

Atrae la abundancia

Cuando empieces a cambiar la forma en la que ves el dinero, comenzarás el proceso de atraer riqueza y abundancia. En lugar de mirar el estado de tu cuenta en el banco y ver solo ceros, mira todas las cosas que sí tienes e imagina que tienes más de lo que necesitas. Esto no quiere decir que te vayas de compra compulsiva con tu tarjeta de crédito y confiar en que el arcángel Rafael se haga cargo del reembolso. En cambio, se trata de abrir tu corazón y confiar en que recibirás todas las oportunidades y todos los recursos que necesitas para que las cosas sucedan en tu vida.

La abundancia no es un símbolo de dólar. Es una alineación de factores, personas y lugares que te ayudarán a lograr lo que deseas. Pedirle al arcángel Rafael que traiga abundancia a tu vida tal vez no resulte en comprar el billete ganador de la lotería, pero puede ser una oportunidad de conocer a alguien que está interesado en una idea que tienes, y que esa serie de eventos te lleven a ser dueño de una compañía que está en la lista *Fortune 500* o a conseguir el empleo de tus sueños.

Por lo tanto, cuando visualices las oportunidades que necesitas y los caminos hacia la abundancia que debes tomar, atraerás a tu vida las poderosas energías transformadoras y el caudal de energía del arcángel Rafael. Cualquier cosa que necesites, la recibirás.

Hacer meditaciones y plegarias diarias en las que invoques al arcángel Rafael es uno de los pasos clave para lograr la vida de tus sueños. Veremos algunos tipos de meditaciones en el próximo capítulo.

Capítulo 6: Meditaciones del Arcángel Rafael

Las meditaciones con fines específicos en donde pides la guía de Rafael ahora están a tu alcance. En este capítulo podrás seguir guías de meditación específicas para alcanzar tus metas, lograr una conexión más profunda con Rafael y recibir sus bendiciones.

Imagen 11. Meditación es otra forma de decir "conversación". Acallas tu mente, tu voz y tu atención y te devotas por completo a la otra persona o el otro ser y escuchas sus respuestas a tus pedidos. Dentro de la meditación hay un gran poder.

Atracción de la abundancia con el Arcángel Rafael

Siéntate en un lugar cómodo, cierra los ojos y respira profundo durante cinco segundos. Mantén el aire unos momentos y luego exhala lentamente; deja que el aire pase por tus labios durante cinco segundos. Vuelve a hacer una pausa un momento antes de tomar aire durante cinco segundos y luego exhalar durante cinco segundos. Repite este patrón de respiración tres veces más.

Una vez que hayas terminado, simplemente respira de forma normal y relaja tus ojos; deja que se cierren y abran suavemente. No pienses en nada en particular que pueda distraerte. En cambio, vuelve tu concentración al área que rodea tu corazón (el chakra del corazón) y siente una presencia cálida.

Apoya las manos en tus piernas o en tu regazo, y asegúrate de que estén relajadas y en una posición receptiva. Toma aire y visualiza una lluvia de luz verde esmeralda brillante que desciende sobre ti. La luz se posa sobre tu cuerpo y se adhiere como brillantina a tu piel, tu cabello y tus extremidades. Sientes una presencia angelical que te rodea de luz, amor y una abundante riqueza espiritual.

Visualiza eso que deseas. Si quieres pedir algo en particular, puedes hacerlo. Si quieres pedir abundancia en general, también puedes hacerlo. Tal vez prefieres pedir por una oportunidad o las bendiciones y la presencia de Rafael en una reunión importante que tienes hoy. Deja que tu mente se relaje, disuelva poco a poco las tensiones de tu cuerpo y ábrete para recibir la abundancia que fluye desde el cielo y de Rafael hacia tu interior.

Recibe este don tan preciado con el corazón abierto y agradécele a Rafael por su guía, su cariño, su amor y su luz. Permítete sentir una energía y una vibración más elevadas como si supieras que aquello que has pedido está a punto de suceder.

"Arcángel Rafael, te doy las gracias por tu presencia el día de hoy. Gracias por tu cariño y tu amor, tu compasión y tu guía abundante mientras avanzo hacia mi destino bajo la protección de tus alas".

Durante el día, presta atención a las señales de la presencia de Rafael, porque te guiará para que logres la abundancia que has pedido. Tal vez veas un cartel color verde neón en un local al que vas a menudo o te sorprenda la corbata verde esmeralda que está usando tu nuevo jefe. Todas esas señales están allí para hacerte saber que vas por buen camino.

Meditación de sanación con el Arcángel Rafael

Recuéstate en tu cama en una posición cómoda, cierra los ojos y deja que tu cuerpo se hunda en las sábanas, se relaje y se hunda cada vez más. Hazte consciente de la tierra que está debajo de ti y los cielos arriba de ti. Respira profundo por la nariz, deja que los aromas de la tierra te bendigan y te llenen. Absorbe el precioso oxígeno en tus pulmones y, cuando exhales, imagina que el aire que acabas de expulsar se eleva hacia los cielos.

Notarás una pequeña libélula que pasa por encima de tu cabeza, vuela suavemente cada vez más bajo, y luego se posa en tu mano. Esa pequeña criatura emite una brillante luz verde esmeralda. Pronto, otras libélulas verde esmeralda se unen a ella y todas se posan en tu cuerpo como una deslumbrante lluvia de luz.

Las libélulas emiten con sus cuerpos una suave vibración y la comparten contigo. Esta energía te llena, se mete en cada poro de tu cuerpo y te llena de pura calma y paz. Eres consciente de una presencia angelical a tu alrededor y dices su nombre: Rafael. La luz verde esmeralda brillante cubre, protege y nutre todo tu cuerpo, tu mente y tu espíritu.

¿Puedes sentir la presencia de Rafael a tu lado, a tu alrededor y dentro de ti? Al igual que un niño, cuidadosamente envuelto en los brazos de su padre, las alas de Rafael te abrazan. La placentera calidez de su cercanía viaja por todo tu cuerpo, y puedes sentir una suave vibración cada vez que encuentra un malestar. Si tienes dolor de cabeza, siente que ese calor invade tu cabeza y te libera de la tensión y del dolor. Si tienes alguna preocupación en tu mente, te volverás consciente de su presencia sanadora, aliviará tus pensamientos problemáticos y te dará paz y claridad. Cuando su presencia y su paz te envuelvan como a un niño, sentirás la sanación.

Cierra los ojos y dale las gracias al arcángel Rafael por su cuidado, su compasión y su sanación. Una cálida sensación de hormigueo en tu cuerpo te invade y reconoce la sanación que Rafael ha compartido contigo este día. Respira normalmente y quizás te descubras inmerso en un estado de sueño profundo y pacífico. Simplemente relájate, sabes que Rafael está cuidándote desde arriba, te protege y te guía.

Meditación para amar tu cuerpo

Esta es una hermosa meditación para hacer en la ducha o la bañera. Coloca tus manos y brazos alrededor de tu cuerpo, formando un cálido abrazo. Siente la sensación de piel con piel. Cierra los ojos y deja que el agua de la ducha o bañera cubra tu piel, que recorra las curvas de tu cuerpo y temple tu existencia física.

Respira profundo; siente cómo las costillas se mueven y empujan hacia afuera contra tu abrazo. Suelta el aire y vuelve a sentir la misma sensación de protección con tus brazos. El arcángel Rafael te sostiene y protege, alivia tus preocupaciones y tu ansiedad y te conecta con tu cuerpo. Respira con normalidad, y permítete disfrutar este intercambio de amor tan profundo y enriquecedor, mientras la energía de Rafael recorre toda tu piel en forma de olas de luz verde.

Imagen 12. Deja que el agua corra por tu cuerpo como olas verdes de luz relajante y enriquecedora.

En voz alta o en tu corazón, dale las gracias a Rafael por su presencia, por enriquecer tu cuerpo y por su amor a tu presencia física. Expresa el amor que tienes por tu cuerpo, dite a ti mismo que tienes un alma hermosa y radiante. Tu cuerpo es un templo; el hogar de tu espíritu aquí en la tierra. El arcángel Rafael te ha mostrado la virtud de lo maravilloso que es estar vivo, y puedes sentir la paz interior que rebosa en tu mente. Dale las gracias a Rafael por venir a visitarte y promete que de ahora en más amarás a tu cuerpo y lo tratarás con dignidad, respeto y compasión.

Meditación para encaminar tu vida

Entra en un estado de meditación; cierra los ojos y respira profundo, y deja salir el aire por completo antes de volver a inhalar. Deja que la paz y el fulgor del arcángel Rafael te invadan y te nutran. Siente una luz verde esmeralda que brilla en tu mente que aquieta, relaja y alivia cualquier tensión mental y preocupación que tengas.

Siente cómo tu mente se expande mientras dejas que la guía y la sabiduría del arcángel Rafael llene tu mente. Dale una cálida bienvenida a su presencia en tu mente, tu cuerpo, tu espíritu y tu vida.

Háblale a Rafael en los volúmenes de tu mente y espíritu cuando le pidas que te guíe, que dirija tu camino y te lleve hacia el destino que has estado buscando. Puedes pedirle que tome tu mano y te muestre hacia dónde va tu vida para que te ayude a entender el camino que tienes por delante.

No te olvides de escuchar las respuestas y contestaciones que Rafael tiene para ti. Esta es una conversación y él te responderá de las formas más inesperadas. Debes estar dispuesto a recibir su guía y sabiduría. Recuerda darle las gracias por cualquier guía que te dé, incluso si no es lo que esperabas o imaginabas. Simplemente ábrete a aceptar que el arcángel sabe cuál es tu destino, y mientras que tal vez no te revele todo en una sola meditación, siempre podrás volver a este espacio espiritual seguro y comunicarte con Rafael de nuevo; así obtendrás un mejor entendimiento cuando te revele hacia dónde va tu vida.

Capítulo 7: Manifestaciones, chakras, sueños, cristales y karma del Arcángel Rafael

Existen un gran número de teorías y métodos que sirven de apoyo para comunicarte con el arcángel Rafael y pueden ayudarte a conectarte mejor con él, recibir sus bendiciones y entender sus consejos. Durante tus meditaciones, ser consciente de tus chakras te ayudará a procesar la presencia de energía divina en tu cuerpo y a abrir tus percepciones usando el tercer ojo o el chakra de la mente para percibir y entender los mensajes y la presencia de Rafael.

Cuando no estás del todo abierto a recibir la guía y sabiduría del arcángel Rafael, tal vez descubras que se acerca a ti en tus sueños, y eso requiere de análisis e interpretación. Sin embargo, él siempre encontrará una manera de conectarse contigo cada vez que lo invoques. En ocasiones, ese llamado no tiene que ser expresado con palabras o incluso de forma consciente. Existen muchas personas que han sentido su presencia y recibido sus bendiciones en forma de sueños porque su espíritu o subconsciente invocó a Rafael.

Imagen 13. Los cristales vienen en una variedad de colores y sus cualidades únicas permiten que las ondas de luz se refracten en diferentes puntos del espectro electromagnético. Esta luz es energía y vibración. Sostener una piedra esmeralda quiere decir que sostienes la energía vibratoria de esa parte del espectro. También es la frecuencia en la que se mueve Rafael.

Los cristales son elementos verdaderamente increíbles que pueden ayudarte a conectar con los ángeles y, como también tienen propiedades sanadoras, te ofrecen un beneficio doble. Usar los cristales puede ayudarte a elevar tu energía vibratoria y te da acceso a la guía superior de los arcángeles. La malaquita y la esmeralda son los cristales más fuertemente asociados con el arcángel Rafael. Ambos cristales son de un maravilloso color verde (la malaquita tiene espirales en tonos verde oscuro) y se dice que promueven la sanación y pueden revitalizar tu cuerpo. Sostener una malaquita o un cristal de esmeralda en tus manos mientras meditas mejorará tu experiencia y te acercará al arcángel Rafael. Los cristales, los aceites esenciales y los cristales de iris son grandes aliados para fortalecer tu llamado (Acone, 2010).

Manifiesta abundancia

Para sentir por completo la abundancia en nuestras vidas, podemos invocar al arcángel Rafael para ayudarnos a sanar traumas del pasado, y usar los cristales pueden ayudar a facilitar este proceso. Sabemos que la esmeralda se alinea con el chakra del corazón y promueve la sanación física. La malaquita también se alinea con el chakra del corazón y promueve la sanación espiritual (Hibiscus Moon, 2017).

Para poder canalizar la energía y la presencia vibratoria de Rafael, coloca el cristal sobre tu cuerpo, donde sientas que debes sanar, o en el chakra del tercer ojo. Usar los cristales te ayuda a aumentar y concentrar tu energía para la manifestación. Mientras más fuerte sea tu convicción, más poderosos serán los resultados.

Manifiesta valor

Tener valor en el mundo de hoy es ser lo suficientemente fuerte para poder perseverar frente a los desafíos y las adversidades. En la Biblia, Dios nos dice que nos armemos de valor porque él ha "vencido el mundo", y esto nos indica que nosotros también debemos manifestar valor en nuestras vidas. Pedirle al arcángel Rafael que te ayude a manifestar valor es una forma de hacerlo.

Imagen 14. Los chakras son centros de energía del cuerpo. Cuando liberas los bloqueos o canalizas la energía en diferentes secciones, puedes abrir tu cuerpo y tu espíritu para recibir energía y convertirte en un conductor de los poderes divinos. Desde el chakra de la raíz hasta el chakra de la coronilla, eres una conexión entre el cielo y la tierra.

El chakra del plexo solar está asociado con el valor. Si colocas allí una esmeralda o una malaquita mientras meditas e invocas a Rafael, podrás canalizar la guía y las energías poderosas que él entrega al lugar de donde proviene tu fortaleza.

Tal vez veas en tus sueños una luz dorada y verde esmeralda que emana de esta parte de tu cuerpo. Esa luz indica que Rafael está ocupado armándote de valor, despejando las dudas y sanando tu centro de fortaleza.

Manifiesta riqueza

Nadie quiere ser pobre. Nos aferramos a lo que tenemos y buscamos desesperadamente tener más. Sin embargo, el arcángel Rafael le dijo a Tobías que "quienes dan limosna disfrutarán de una vida plena"; es decir, cuando damos, recibimos. Esas son la ley del karma y la ley de la atracción en acción. La generosidad de espíritu te guiará hacia una manifestación de riqueza en todos los aspectos de tu vida. Puede ser riqueza espiritual, física o financiera.

Quizás al hablar con Rafael notes que le pides dinero, pero esto limita lo que él puede hacer por ti. En cambio, pídele sinceridad y una manifestación de riqueza. Recuerda que Rafael es el poder sanador de

Dios en la tierra y puede hacer maravillas y milagros que ni siquiera alcanzamos a comprender. Cuando medites con esto en mente y permitas que tus manos y tu corazón estén abiertos, motivarás un flujo de energía, y cosas buenas vendrán a ti. Una riqueza inconmensurable se manifestará en tu vida.

Manifiesta un cambio positivo

Muchos de nosotros usamos el término karma de forma general para decir que creemos que lo que uno da, recibe. Si hacemos el bien a alguien, creemos que alguien nos hará el bien a nosotros. Del mismo modo, si menospreciamos a alguien, podemos esperar que nos ocurra lo mismo. Para corregir nuestro karma debemos involucrarnos en un cambio positivo, y Rafael puede ayudarnos con esto. Su presencia sanadora puede ayudarte a aliviar tensiones, no solo en ti sino también en los vínculos con quienes te rodean. Si le pides que te ayude a sanar una relación particularmente complicada, puedes absorber su energía sanadora y comprensiva para ese aspecto de tu vida.

Mientras meditas sobre la persona o relación que te preocupa, puedes invocar a Rafael para que te guíe para encontrar una solución pacífica a ese conflicto. Puedes volver a vivir la situación o los eventos pasados en tu mente y dejar que una gloriosa ola de luz verde esmeralda bañe esos recuerdos y tiña a las personas, los lugares, los eventos y las palabras de ese recuerdo. Pronto, cualquier asociación negativa que tengas con esa persona o ese evento desaparecerá y se desvanecerá en el fondo de tu mente. Tal vez descubras que la próxima vez que te encuentres con esa persona se comporta de una manera diferente, y tú también actuarás con una energía diferente hacia ella, porque Rafael te está guiando en paz.

Invocar al arcángel Rafael para manifestar riqueza, sanación y guía en tu vida puede parecer una ilusión para quienes recién comienzan. Tal vez piensas que es solo producto de tu imaginación cada vez que ves una luz verde o sientes su presencia. Sin embargo, la imaginación es la liberación de tu mente, y solo cuando abras tu imaginación podrás comenzar a comunicarte con el arcángel Rafael. Usa tu imaginación; no te reprimas.

Tal vez veas que los cristales que usas brillan o irradian una luz verde brillante sobre tu cuerpo y tal vez te preguntes si estás imaginando su calidez o sus vibraciones. Acéptalo; no dejes que las dudas drenen la energía de esos momentos. Usa todas las herramientas que puedas para manifestar la presencia y los dones del arcángel Rafael.

Capítulo 8: Cómo saber cuando el Arcángel Rafael está cerca

Aunque Rafael apareció en forma humana en el libro de Tobit, él no necesita aparecer de forma física para guiarnos e influir en nosotros. Existen muchas señales que nos ayudan a experimentar la compasión amorosa de Rafael. Cuando vemos estas señales, podemos estar seguros de que el arcángel Rafael está cerca y que sus dones fluyen en tu vida.

Las señales

Las señales varían, desde pensamientos, sentimientos, colores, imágenes y experiencias hasta palabras que se meten de pronto en tu mente. Busca estas señales durante el día mientras haces tu vida (Virtue, 2010).

- **Destellos de luz verde esmeralda**

Algunas personas han afirmado haber visto una luz verde esmeralda brillante, la cual anuncia la presencia de Rafael. Esta luz puede estar en tu mente, como una visión, o pueden ser señales repentinas o lugares que tienen este tipo de iluminación.

Imagen 15. Ver una increíble luz verde es una señal definitiva de que Rafael está cerca, usando sus increíbles poderes para tu sanación, compasión y protección.

Quizás estás descansando en un jardín lleno de vegetación o estás viajando a un lugar donde estarás rodeado de verde. Rafael está haciéndote saber que está presente.

- **Mensajes**

Rafael puede dejarte mensajes en cualquier lugar, desde los titulares de los periódicos hasta en las placas de autos. Mantente alerta a cualquier mensaje de Rafael que indique que está cerca, que te ha sanado o que está ayudándote. Una vez que veas este mensaje, no te olvides de darle las gracias por su intervención y su propósito para contigo.

- **Su nombre**

Cuando necesitamos un poco de consuelo, Rafael aparece rápidamente y nos hace saber que está cerca y que sus alas guías y protectoras están sobre nosotros. Muchas personas han afirmado que vieron su nombre o palabras de consuelo en el momento que más lo necesitaban. Puede aparecer en señales, nombres de lugares, o incluso en los periódicos.

- **Tu imaginación**

Muchas personas que han sufrido enfermedades han afirmado haber visto a Rafael en su imaginación. Mientras que los doctores asegurarían que es un delirio, estas personas pueden describir al arcángel Rafael con lujo de detalles. La presencia de Rafael en nuestra mente no es producto de una imaginación hiperactiva; él es real. Verlo en tu imaginación puede ser increíblemente relajante, y las personas hablan de su mítica presencia que las llena de sanación y paz.

- **Cosquilleos y vibraciones**

Muchos de nosotros hemos sentido de repente una vibración o sensación de cosquilleo antes de invocar al arcángel Rafael. También podemos sentir una sensación de calidez repentina, como si alguien nos estuviera abrazando. Otras personas afirman sentir que se les ponen los pelos de punta cuando perciben su poder. También puede ser una señal de su poder de sanación en tu cuerpo, porque su energía penetra en tus células, órganos y extremidades.

- **Recursos inesperados**

Rafael quiere que aprendamos y sanemos, y aunque está dispuesto a darnos su energía, también quiere que la usemos en nuestras vidas. En ocasiones, él nos guiará hacia la sanación que necesitamos. Puede ser que de pronto encuentres al doctor que estabas buscando o descubras un libro sobre sanación espiritual que ha resonado contigo. De cualquier forma, Rafael te está guiando hacia la sanación.

- **Canciones y música**

El cielo se llena de música. Conocemos muy bien el hecho de que los ángeles cantan, así que no es descabellado pensar que los ángeles también se comunican con nosotros a través de las canciones y la música. Cuando necesites un mensaje especial, Rafael puede hablarte de repente a través de una canción en la radio, o descubrirás un álbum que te relaja en el momento que más lo necesitas. Incluso el canto de las aves puede ayudarte a aliviar la tensión y dejar ir tus cargas emocionales y físicas.

Imagen 16. El sonido del canto, la música y las letras de las canciones pueden ser la forma en la que Rafael se comunica contigo. Presta atención a estos mensajes que te hacen sentir bien, te demuestran compasión y te ayudan a sanar.

- **Una corazonada**

Muchas personas han logrado cosas milagrosas con solo seguir una corazonada. Han salvado a otras y han evitado desastres, y han hallado la prosperidad con solo escuchar a sus instintos. Cuando vuelven a pensar en estos eventos, incluso tal vez digan que algo les dijo que corrieran, que invirtieran, que fueran a esa reunión, que concreten esa cita o que cambien sus hábitos. Ese "algo" es Rafael. Él nos susurra indicios y sugerencias al oído y nos guía hacia donde estamos destinados a estar. Nunca nos obligará a elegir una cosa u otra, y debemos escuchar de verdad a esa voz interior para poder beneficiarnos de su guía por completo. Tenemos libre albedrío y debemos elegir lo que funcionará mejor para nosotros.

Capítulo 9: Escribe una carta a Rafael

Imagen 17. Escribir cartas ha sido la forma tradicional de comunicarnos con amigos, ponernos en contacto, conocernos y compartir cosas. Rafael es tu amigo, y tienes que demostrarle el mismo cuidado y amistad que tendrías con un viejo amigo que te ayuda sin pedir nada a cambio. Escribirle una carta es solo una forma de hacerlo.

Tu amigo íntimo

Comienza escribiendo una carta a mano a Rafael. Tómate el tiempo de elegir un papel de calidad; si quieres, también puedes usar una pluma especial. Así demostrarás tu cariño y tu amor a tu querido amigo Rafael. En tu carta, comparte con él tus deseos, anhelos, esperanzas y sueños. Expresa tu gratitud por lo que ya ha hecho por ti.

Esta carta es una gran forma de comunicarte con él por quienes deseas sanar o ayudar. Puedes escribir algo como esto:

"Querido Rafael, gracias por ser mi amigo y mi guía. Valoro la sanación y la prosperidad que has traído a mi vida. Hoy quiero contarte sobre mi querida amiga Lisa, quien tiene problemas para llegar a fin de mes. Ella es una persona muy querida y amable y le deseo salud y abundancia. ¿Podrías hacer que las energías de abundancia trabajen en su vida y puedes ayudarme a ayudarla?

Gracias por tu presencia y tu apoyo.

Con amor,

Rachel".

Esta carta no tiene que ser kilométrica y no tiene que estar colmada de lenguaje formal o poesía. Simplemente escríbele a tu amigo Rafael. Háblale, cuéntale sobre tus deseos, comparte con él tus desafíos. Cuando abres tu comunicación con él, Rafael mantendrá una presencia más constante en tu vida.

Lee tu carta en voz alta

Imagen 18. Encender velas es traer luz y amor a tu vida y al espacio en donde meditas. Las llamas elementales iluminan más que solo la vela; también iluminan tu espíritu.

Deja tu carta apoyada en un rincón especial de tu casa por un día o dos y luego haz una ceremonia con velas, en donde leerás la carta a Rafael en voz alta. Puedes combinar esta ceremonia con una sesión de meditación o *mindfulness*; puedes tener cerca tus cristales de esmeralda o malaquita, quemar algo de incienso o encender velas de aromaterapia.

Lee tu carta en voz alta y deja que se convierta en una conversación entre tú y tu querido amigo Rafael. Léela como una plegaria, en la que le cuentas sobre tus deseos y anhelos. No tiene por qué ser formal, pero sí debes hacerlo con respeto. Durante los días y las semanas siguientes, presta atención a las señales de su presencia en tu vida, porque él comenzará a responder a tus pedidos y te guiará hacia la abundancia y la sanación que has pedido.

Puede que también tengas visiones o sueños en los que ves las soluciones o la sanación que has solicitado. Escríbelas tan pronto como aparezcan. Más tarde puedes volver a leerlas, y si hay algo que no quedó claro, siempre puedes meditar y comunicarte con Rafael. Él es paciente y amable y siempre aclarará tus dudas y te guiará hacia un mejor entendimiento de su energía y cómo se manifestará en tu vida.

Lo más importante es que, cuando recibas la respuesta de Rafael, debes agradecerle por atender tus necesidades y deseos. Un corazón agradecido es un corazón abierto, y eso es lo que necesitas para recibir la guía de los ángeles.

Capítulo 10: Reiki del Arcángel Rafael

Reiki es una sanación energética en la que el practicante canaliza la energía al imponer las palmas de sus manos. La presencia de cristales puede intensificar esta técnica y canalizar las energías hacia partes específicas del cuerpo que necesitan sanar. Quienes trabajan con luces o energías usan este método para comunicarse con el arcángel Rafael y canalizar sus poderes de sanación para ayudar a quienes lo necesitan. Aunque este método sea desconocido para ti, puedes usarlo exitosamente cuando te comuniques con Rafael y recibas o transmitas sus energías. Ya sea que quieras sanarte a ti mismo, a un ser querido o a una mascota, este método es bastante adaptable y efectivo.

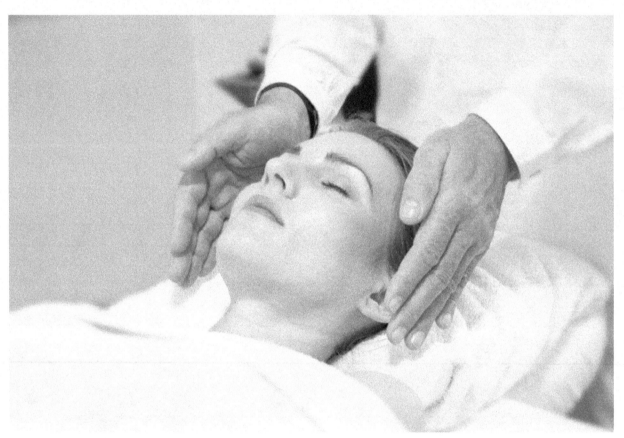

Imagen 19. El reiki se trata de transmitir energía, incitar el flujo de energía y eliminar los bloqueos que afectan a tu salud, a tus chakras y a tu bienestar espiritual.

Meditación de reiki del Arcángel Rafael

Siéntate en un lugar cómodo y deja que tu cuerpo se relaje y encuentre la posición más natural para ti. Inhala la energía vibrante del arcángel Rafael y exhala las energías negativas de un día duro de trabajo. Siente cómo la luz verde esmeralda de Rafael entra a tu cuerpo y trae energía y transformación a cada célula de tu ser.

Eleva las palmas de tus manos y apúntalas a la persona o mascota amada que quieres ayudar y sanar. Puedes invocar la ayuda de Rafael en tu mente, pero es importante que te estés en silencio, que te permitas liberarte a medida que te abres, y que dejes que las energías sanadoras de Rafael pasen a través de ti al sujeto de tu sanación.

Hazte consciente del mundo a tu alrededor. Absorbe esos poderes y esa energía verde y deja que fluyan por tus palmas, como el agua de un río que cae como cascada sobre los seres que amas.

Deja que tu mente se aquiete mientras canalizas el amor, la sanación y la felicidad interior que sientes hacia quienes lo necesitan. Ahora eres un punto fijo que comparte energía positiva y compasión con quienes más lo necesitan. Deja que absorban de tus manos la energía, la misericordia divina y la presencia guía del arcángel Rafael.

Tal como regar un jardín, riegas bendiciones a la mascota o ser querido que te preocupa. Deja que tu energía se mueva hacia fuera como ondas en un cuerpo de agua. Eres parte de una onda de energía en constante expansión que sana y protege a quienes tienes a tu alrededor.

Si en algún momento te distraes, simplemente centra tu atención en la superficie de tus palmas. Deja que la energía cosquilleante y las frecuencias vibratorias se asienten en tu cuerpo, se muevan hacia tus células y circulen a través de ti. Luego deja que los canales se abran desde tus palmas y comparte las bendiciones divinas del arcángel Rafael con los demás.

Capítulo 11: Pasa tiempo con el Arcángel Rafael

Se dice que el arcángel Rafael es un sanador compasivo. Esto quiere decir que conoce nuestras debilidades y nuestros defectos, pero nos ama de todas formas. Como él es un amigo maravilloso y una presencia poderosa, muchos de nosotros elegimos hacerlo parte de nuestra vida cotidiana. Rafael no es una presencia a la que acudimos cuando no tenemos a quién más acudir. Por el contrario, su guía puede y debe convertirse en un intercambio diario de energía y sabiduría.

Imagen 20. Tener a Rafael en tu vida es una corriente constante de energía positiva y sanadora. Él se convertirá en una parte integral de tu vida y de tus hábitos. Tenerlo cerca te permitirá canalizar la energía divina todos los días y nunca sentiremos que estamos pidiendo demasiado o recibiendo más de lo que damos. Siempre y cuando seamos agradecidos, expresemos nuestra gratitud y compartamos nuestra energía con el mundo que nos rodea, somos más que bienvenidos a tomar la mano de Rafael.

Lleva la llama esmeralda contigo en tu vida cotidiana

El arcángel Rafael no solo se ocupa de las cosas importantes. Él quiere ayudarte con todos los aspectos de tu vida, desde ese leve dolor de cabeza que tienes hasta las dudas que te surgen antes de una cita. Si se lo permites, él incluso puede guiarte hasta tu alma gemela, como hizo con Sara y el hijo de Tobías.

Puedes hablar con él a diario y jamás te dirá "ahora no, estoy ocupado". Por el contrario, él quiere ayudarte y siempre está a tu alrededor, esperando para compartir su guía, su amor y su compasión contigo. ¡Qué maravilla!

Algunos creyentes llevan consigo un pendiente de esmeralda o malaquita en el cuello como recordatorio de que Rafael está cerca, y así mantienen un canal abierto constante para él. Experimentar realmente salud, bienestar y compasión por los demás no es algo con lo que solo puedes soñar. Es algo que vivirás a diario cuando incluyas a Rafael en tu vida cotidiana. Dale las gracias todo el tiempo y lleva contigo su llama de luz esmeralda a donde quiera que vayas y te convertirás en un ser de luz que comparte su amor, sus bendiciones y su compasión con quienes te rodean.

Con la guía diaria de Rafael podrás transformar tu vida y guiar a los demás hacia esta maravillosa amistad y este manantial de energía sanadora. Rafael quiere compartir, y cuando demuestras tu gratitud hacia él y compartes sus dones, te convertirás en una bendición para los demás.

Conclusión

El camino se hace más largo frente a ti, pero ya no lo recorres en soledad. Jamás lo hiciste. Ahora ya conoces esta verdad irrefutable. El Creador ha enviado a sus arcángeles para que te sostengan, te cuiden, te sanen, te guíen y sean tus amigos. El arcángel Rafael está aquí y ahora, a tu lado en esta vida. Está en tu poder conectarte con él, invocar su guía, su sanación y sus consejos cuando enfrentes adversidades e incluso en cada paso que des en la vida cada día.

Una vez que hayas aprendido a invocar al arcángel Rafael y a meditar bajo su guía, su presencia y su amor, ahora podrás acudir a él sin temores cada vez que lo necesites. Su presencia en tu vida seguirá ayudándote a ser una persona más agradecida, energizada y espontánea, llena de luz y amor, que atrae abundancia, amistad y amor.

Te aliento a que compartas tu camino y la protección de Rafael con tus seres queridos, que hagas sentir su presencia y que sigas siendo un ser de luz, ya sea que practiques esto como una profesión o simplemente aportes tu parte a la humanidad.

Por último, me gustaría dejarte con esta plegaria:

Que la luz y el amor viajen contigo en este día.
Ruego que la protección del arcángel Rafael te guíe,
te lleve entre sus alas y te brinde consuelo
por cualquier daño que te hayan hecho.
Le pido que te guíe hacia la abundancia que tu vida merece
y que sostenga tu mano como símbolo de amistad
y amor, mientras que con su otra mano sostiene la mía.
Pido que la luz y que la paz te reconforten
en la oscuridad y en la incertidumbre
mientras llego a ti, mi hermano, y a ti, mi hermana.

Arcángeles: Miguel

Miguel, la protección y los códigos angelicales secretos
(Libro 4 de la serie Arcángeles)

Angela Grace

Este libro es para esas personas que a menudo se sienten solas, deprimidas, vulnerables, ansiosas y desprotegidas. Si eres una de ellas, no pierdas las esperanzas. San Miguel está lleno de luz y amor y quiere disipar esas energías bajas de tu vida.

No es casualidad que hayas encontrado este libro o estés leyendo esta descripción ahora mismo. Este momento fue orquestado por los ángeles para hacer que disfrutes una vida feliz y plena en esta tierra.

Quienes ya creen en los arcángeles y seres divinos en general lograrán una iluminación más elevada y una apreciación más profunda por el poder y la belleza de Miguel. Si no eres creyente, entonces tienes la dicha de haber encontrado esta guía. La energía de Miguel es antigua, sagrada, confiable y poderosa. Él puede protegerte en momentos de crisis y armarte de valor para enfrentarte a cualquier desafío.

No hace falta mucho para invitar a esa energía suprema y benevolente a tu vida. Sin embargo, muchos han fracasado repetidas veces. Tal vez estés leyendo este tipo de libros (de temas espirituales) por primera vez. Esta guía te revelará la forma simple y efectiva de construir una relación para toda la vida con el arcángel.

Cada página de este libro ha sido bendecida para acercarte cada vez más a la sanación total. Desde el primer capítulo, podrás sentir la presencia cálida de Miguel. Como luego aprenderás, esto es una señal de que el arcángel está contigo. Está de tu lado.

Si deseas la sabiduría, la protección y la guía del Arcángel Miguel, sigue leyendo y deja que la luz te envuelva.

Este libro incluye:

- Ejercicios de mantras y afirmaciones que puedes usar para transformar la negatividad que se aferra a nosotros.
- Meditaciones y visualizaciones del Arcángel Miguel.
- Cómo sanar a tu familia, a tus amigos y a tus mascotas con la ayuda del Arcángel Miguel.
- y mucho, mucho más...

Les deseo, queridos lectores, mucho amor y mucha luz...

Introducción

Mi vida, antes de estar absorta en lo que uno podría denominar espiritualidad esotérica, era bastante buena. No había nada en particular que fuera llamativo o satisfactorio. Una casa con una vista panorámica al océano, un trabajo relativamente gratificante que me permitía costear dichos lujos y una pareja que me complementaba a nivel físico, mental y financiero; seguramente estarás de acuerdo que muchas personas me tendrían envidia y desearían tener una vida así. ¿Qué más podría pedir, no?

Para ser franca, yo sí *estaba* agradecida por las cosas que tenía y las personas a mi lado. Sin embargo, ni las posesiones materiales ni una lista de contactos llena de amigos falsos son suficientes para darle a alguien un verdadero sentido de plenitud y éxito. Es probable que no sea la primera vez que escuchas una corriente de pensamiento como esta y seguro pones los ojos en blanco mientras la lees. Aún así, sigue siendo una verdad que muchas personas solo descubren después de haber desperdiciado años de su vida persiguiendo una idea falsa de éxito. Me sentí dividida entre intentar ser productiva en el trabajo y ser esa persona divertida, amorosa e íntegra que mis amigos y mi pareja esperan que sea. Esto significó que me quedaba muy poco tiempo (por no decir nada) para ocuparme de temas personales.

Basta decir que vivía en un constante estado de ansiedad y no me ayudaba el hecho de que nadie en mi vida podía identificarse conmigo. Recurría a mi pareja, a mis parientes, a mis amigos, pero mi nueva y dolorosa realidad era algo abstracto para ellos. Como tal vez supones, esto me hizo creer que había algo mal conmigo. Necesitaba una vía de escape. Cada vez que las personas no están satisfechas con algo que desearon durante tanto tiempo, comienzan a adoptar malos hábitos. En mi caso, fue consumir cantidades alarmantes de alcohol y buscar pelea por todos los medios necesarios. Como no muchas personas pueden existir en un entorno tóxico como el que construí a mi alrededor, comencé a perder a mis seres queridos. Mi pareja me dejó y algunos de mis amigos dejaron de serlo después de haberlos apartado.

Mi salud mental era un desastre y estaba cada vez más deprimida. La combinación del descontrol de mi bienestar mental y emocional nunca es una buena receta para el éxito en el trabajo. Y, como era de esperarse, mi productividad tocó fondo. Como no cuidaba bien de mi cuerpo, estaba enferma todo el tiempo, y rápidamente llegué a la conclusión de que terminar con mi existencia sería la única solución a esta vida miserable. Ya no tenía una pareja que me extrañaría. Mis padres no se preocupaban mucho por mí, y me hacían saber lo inútil que pensaban que era. Mis amigos, hasta donde sabía, no solo eran personas superficiales, sino que tampoco tenían una conexión emocional conmigo. En ese momento, quitarme la vida parecía ser un pensamiento más interesante que seguir viviendo.

Como descubrirás más adelante en tu aventura con el hermoso arcángel Miguel, nada en esta vida sucede por casualidad. Encontré la luz que tanto necesitaba en el lugar menos pensado: de compras. Me topé, literalmente, con los cristales en un centro comercial. Estaba saliendo del lugar, con la mirada en el piso, y me choqué con una anciana. Volví rápidamente a la realidad, me disculpé al instante y me agaché para recoger las cosas de su bolsa. Cuando me levanté, contemplé en una vidriera una hipnotizante maravilla azul brillante: una geoda. En mi libro *Crystals Made Easy*, cuento cómo ese momento en mi vida me convirtió en una ferviente coleccionista de cristales. Aunque no sería capaz de explicar por qué esos objetos son tan fascinantes, su belleza y sus efectos tranquilizantes son irresistibles.

Nuevamente, el destino guiaría mi camino hacia una paz e iluminación más profundas. Esta vez, fue gracias a mi amiga Linda. Todos los libros que he escrito, las personas a las que he podido ayudar, y la alegría y el placer que ahora disfruto en mi vida no podrían haber sido posibles sin la dulce ayuda de mi amiga, que no era como todos los demás. Ella venía a visitarme y entablábamos una larga charla sobre mi sanación personal, los cristales, el reiki, la aceptación personal, y más. Me incitaba a continuar mi búsqueda, que incorporaba conceptos como los chakras y los arcángeles a mi perspectiva. Comencé a dejar ir el dolor y a aceptar una paz superior a todo el trauma mental y emocional que había sufrido.

Los arcángeles son superiores a todos los otros ángeles y a la mayoría de las criaturas supernaturales. Miguel es aún más especial porque los arcángeles son sus subordinados. Él es un espectáculo bello, pero terrorífico. En pinturas, se suele representar al arcángel Miguel como un humano con alas y túnicas de colores, que irradia luz desde su cara, sus alas y otras partes de su cuerpo y empuña una brillante espada. Él es el guerrero de Dios y el protector de todo lo que es bueno y puro. El primer aspecto de Miguel que descubrí es su capacidad de sanar. Como dije anteriormente, estaba rota y no tenía ninguna razón para seguir viviendo. Los cristales y el reiki iniciaron la sanación que necesitaba, pero fue Miguel quien me dio la determinación para seguir por ese camino. Miguel tiene el poder de sanar el cuerpo, la mente y el espíritu. Gracias al amor, puede llenarte del valor que necesitas para abrirte paso ante el dolor y llegar hasta lo más profundo de tu alma, donde yacen tu verdadera belleza y una fuerza inconmensurable.

A estas alturas, solo pienso que no puedes esperar a saber más sobre este arcángel tan poderoso y amoroso. Es cierto que las grandes fuerzas de la vida son las que no podemos ver. Nadie puede ver la depresión, pero aún así sentimos cómo nos agarra del cuello y hace presión en el pecho. Vivir sin la protección y la guía de Miguel es dejarte ganar por los miedos y el sufrimiento. El nivel de valentía y confianza que necesitas para enfrentar un diagnóstico aterrador, la pérdida de un ser querido o la soledad extrema es inhumano. Si enfrentamos situaciones límite sin confianza o tranquilidad, es probable que tomemos las decisiones equivocadas. Necesitas a Miguel en tu vida para luchar por ti y mantener la cabeza en alto. Miguel no discrimina. Está dispuesto a ayudarte hasta a defender a tus mascotas del sufrimiento, si así lo necesitas. La misión de este libro es ayudarte a ver la belleza y el menester de Miguel y enseñarte las formas más efectivas de invocarlo. Te animo a que abras tu corazón a la amistad de este extraordinario arcángel y toda la bondad que tiene preparada para tu vida.

Capítulo 1: Miguel, el protector

Hasta Dios debe haber quedado asombrado por su creación cuando le puso el nombre Miguel al líder de los ángeles. La traducción de su nombre es "quién como Dios", y su gran poderío y coraje es ejemplo de ello. En la Biblia podemos apreciar la lealtad y la valentía de Miguel en juego cuando se alzó contra la rebelión que comenzó Lucifer. Sin la ayuda directa del Todopoderoso, Miguel lucha contra el ángel primogénito y lo vence. La Torá lo describe como un ángel que fue asignado para ser el protector de Israel, el pueblo de Yahvé. La Cabalá, una facción de la fe judía, presenta al arcángel como el que guía las almas de los honestos hacia los cielos. Los musulmanes también reconocen la existencia y el poder de Miguel. El Corán narra que Miguel bendice a los honestos por sus buenas acciones. Miguel puede compartir su fortaleza de carácter con quienes evitan al mal y los bendice con su protección en las situaciones difíciles.

Aunque la creencia en Miguel se extiende a lo largo de distintas religiones, a menudo sus responsabilidades son las mismas o similares. Los luteranos creen que él es el ángel guardián de quienes tienen trabajos naturalmente peligrosos. Entre estos se incluyen los soldados, los oficiales de policía y los socorristas. Los testigos de Jehová insisten que él y Jesucristo son la misma persona. Sin embargo, existe un consenso de que Miguel es el protector amoroso y magnífico de todo lo bueno. Las curanderas, las tradicionales sanadoras latinas, invocan a Miguel para proteger a todo el mundo, desde marineros, artesanos, muertos, moribundos y panaderos hasta banqueros. Ellas piden la fortaleza para imponer una resistencia digna en momentos de tentación. Las curanderas crean muchos amuletos protectores llamados amparos. Uno de ellos es el amparo de San Miguel. Este particular amuleto protector es considerado uno de los más poderosos porque está dedicado al arcángel guerrero. El amparo de San Miguel puede protegerte de las energías bajas y malintencionadas.

Es sorprendente que, a pesar de que Miguel es tan asombroso y devoto, se lo menciona menos de cinco veces en la Biblia. ¿Acaso es intencional? En esas pocas veces en las que aparece en las escrituras cristianas, las personas quisieron adorarlo. En una revelación, Juan cayó de rodillas frente al arcángel. Este apóstol, según se dice, tenía total devoción a Yahvé y Jesucristo, por lo que nunca podría haberse arrodillado frente a otros dioses. Sin embargo, ante la aparición de Miguel, él asumió que estaba en presencia de Dios. Miguel irradiaba una luz tan radiante que era imposible mirarlo durante mucho tiempo y su voz podía detener los corazones de hasta los hombres más valientes. Debido a esto, él tal vez intente limitar sus visitas a las personas para evitar que se lo adore como a Dios. Sin embargo, como aprenderás más adelante en este libro, *sí podemos* rezarle.

Miguel como persona

Nótese que la palabra "persona" no siempre hace referencia a seres humanos. En este contexto se la usa para describir a Miguel como un individuo consciente que muestra emociones, un sentido de razón, inteligencia y una psiquis compleja.

Miguel es un guerrero y lo encontraremos a menudo en este rol en distintas historias. En su legendaria y heroica batalla contra el mal, Miguel se enfrenta en soledad a Lucifer, tanto en su forma angelical como la de dragón. Aunque hay mucho para aprender de esta historia, seríamos negligentes si ignoramos el conflicto con el que el arcángel Miguel debe luchar en su existencia. Tal vez ya sabías algo sobre el arcángel y tenías aprecio por él antes de leer este libro, pero probablemente solo lo veías como un ícono. Si quieres construir un vínculo real, amoroso y duradero con Miguel, él debe tener una forma más allá del arte y de la tradición. Debe estar vivo, respirar, sentir; debes poder tocarlo. Intentemos entender al arcángel Miguel también como persona.

Miguel es un guerrero y un sanador. Tal vez piensas que, como Miguel es el defensor de lo bueno, para él es fácil ser un sanador también. Aunque apreciamos la complejidad de su personalidad divina, el guerrero y el sanador siguen siendo dos arquetipos distintos. Esto se hace aún más evidente por el hecho de que fue creado para sobresalir en ambas capacidades.

El arquetipo de guerrero pone a Miguel en una posición en la que siempre está cercado por la necesidad de conquistar. A pesar de que quiere intentar alternativas más pacíficas y apelar a su deseo de sanar, el arcángel no se puede permitir ser visto como vulnerable. Su valentía y las ganas de seguir luchando no solo hacen dudar al enemigo (en este caso, Satanás), sino que también envalentona a los ángeles que están a su cargo. Si todos los aspectos del arquetipo del guerrero siguen siendo válidos para el arcángel, seguramente también lucha contra su deseo de ser alabado y adulado. Esto puede ser todo un desafío cuando los hombres están más que dispuestos a arrodillarse a sus pies, porque Miguel también es el leal arcángel devoto de Dios.

Sin embargo, las historias que hemos escuchado de Miguel y las experiencias de quienes lo han aceptado en sus vidas nos sugieren que el arcángel sabe manejar estos arquetipos conflictivos. De hecho, parece favorecer más al sanador que al guerrero que hay en él. Y cuando debe defender, vemos su valor y su lealtad, en lugar de arrogancia o soberbia. Como seres humanos, seamos hombres o mujeres, tenemos también el potencial de ser guerreros y sanadores. Y muchos de nosotros luchamos con estas elecciones día a día. La televisión y los medios de comunicación nos hicieron creer que los guerreros son violentos y que los sanadores a menudo se llevan la peor parte; es por este motivo que solemos reaccionar de forma agresiva, cuando un estado de ánimo más calmo sería una mejor solución. Cuando rezas y le pides a Miguel que te proteja y te guía, tú no sientes ira o venganza. Por el contrario, la presencia de Miguel es tan energética como pacífica y reconfortante. Tenemos mucho que aprender del líder de los arcángeles y él está más que dispuesto a enseñarnos.

Los arcángeles y sus energías elementales

Fuego

Si alguna vez has visto una pintura de Miguel, tal vez recuerdes que estaba envuelto en una túnica azul o usaba una armadura azul. Como mínimo, llevaba algo de color azul. Este color es símbolo del poderío, la devoción divina y el valor que Miguel personifica. En otras ocasiones, verás al arcángel con vestimenta de color rojo, lo cual puede ser un resultado de su conexión con el elemento del fuego. En muchas religiones, el fuego es símbolo de despertar, verdad y pureza. Miguel puede ayudarte a conocer la verdad sobre tu entorno y también la verdad sobre ti mismo. Él sostendrá tu mano mientras resuelves vivir una vida más honesta y disciplinada.

Aire

Rafael (que significa "Dios sana") es un arcángel asociado con el aire. Mientras que Miguel es guerrero y sanador, el rol principal de Rafael es la sanación. Él puede arreglar cada aspecto de la vida humana y ayudar a las personas a vivir vidas más gratificantes. Se suele representar a Rafael en el arte con el color verde, una energía asociada con la sanación y la prosperidad. Este color también ilustra su conexión con la tierra. Él es muy habilidoso para crear medicinas y puede utilizar cualquier cosa, desde peces hasta hojas, para tratar heridas y diferentes dolencias. Rafael también puede ayudarte a lidiar con la confusión mental, emocional y espiritual. Puedes acudir a él para que te dé fuerza, guía o una solución si tienes problemas de depresión y adicciones. Este arcángel no solo trae un nuevo entendimiento sobre la salud, sino que también tiene un encantador sentido del humor. Si vas a una librería y encuentras un libro sobre sanación en tu camino, debe ser Rafael que se hace presente frente a ti.

Tierra

De acuerdo con la ciencia, la tierra tiene alrededor de 4500 millones de años y la vida ha existido durante tres mil millones de esos años (Redd, 2019). Esto quiere decir que la tierra es confiable, una virtud asociada con el arcángel de nombre Uriel. Otro fenómeno confiable es la sabiduría. Uriel devota gran parte de su existencia a aprender y ser más sabio, y en ocasiones comparte su sabiduría con la humanidad. Si también sientes que hay partes de tu vida que están fuera de tu control, el arcángel Uriel puede brindarte estabilidad. Su nombre se traduce como "Dios es mi luz" y puede ayudarte a lidiar con la confusión y la duda. Es por eso que se les aconseja a los estudiantes que acudan a Uriel cuando estén preparando un examen y necesiten algo de apoyo (Patel, 2018).

Agua

Cuando de pronto se nos pide decir el nombre de un arcángel, seguramente Gabriel es la primera opción que se nos viene en mente. Su nombre se traduce como "Dios es mi fortaleza" y puedes pensar que, al igual que Miguel, está presente constantemente en las batallas. Pero este no es el caso, porque Dios a menudo confía en Gabriel para que revele información importante a las personas. El agua es sinónimo de claridad y reflexión, y las revelaciones de Gabriel suelen lograr ambas cosas. Por lo general, sus mensajes son bien claros. Tal como el agua, Gabriel ayuda a las personas a perseguir la pureza del alma, la mente y el cuerpo. Sin embargo, él es más que un simple mensajero. Parte de la información que Gabriel expresa puede ser dura, dolorosa o incluso alarmante para quien la recibe. Esto quiere decir que el individuo debe tener una fortaleza y un valor sobrehumanos para recibir la noticia y actuar en consecuencia. Gabriel puede y logra empoderar a las personas con la valentía para cumplir con la voluntad de Dios y tomar las mejores decisiones para su propio bien.

Capítulo 2: Invoca al Arcángel Miguel fácilmente

Como seres humanos, sentimos la necesidad de conectarnos y de sentirnos amados, protegidos y seguros. ¡Es por eso que nos casamos, tenemos amigos y socializamos! Sin embargo, más allá de la socialización humana, hay una parte de nosotros que anhela una conexión con un poder superior. Uno que nos lleva a buscar distintos tipos de religiones para encontrar respuestas a muchas de nuestras preguntas. En nuestra búsqueda de respuestas, usamos diferentes medios. Uno que ha funcionado bien para mí es invocar al arcángel Miguel. Hemos vivido vidas largas e interesantes de una forma u otra, pero también hemos tenido momentos difíciles. Momentos en los que nos encontramos en una encrucijada o no nos sentimos a gusto con el rumbo que ha tomado nuestra vida. En este punto recurres al arcángel, quien nunca te abandonará.

Tal vez te preguntes "¿y por qué no acudimos a Dios?". La respuesta es simple: los ángeles están a nuestro alrededor cada día de nuestras vidas y sirven como mensajeros y sirvientes de lo divino. Sin embargo, no son dioses y están limitados en sus capacidades y funciones. La llegada de Miguel es rápida y sentirás su presencia como una cálida luz que te envuelve con su protección.

Invocar a Miguel es tan fácil como parece. Todo lo que debes hacer es decirlo o pensarlo. De hecho, la simple intención de tenerlo contigo invoca su presencia. Cuando haces esto, invocas la parte divina de tu persona; es decir, tu fortaleza divina, tu fuerza de voluntad, tu conciencia elevada y la capacidad de darte espacio. Como dije anteriormente, Miguel es una parte de lo divino. Esto quiere decir que te estás conectando a la misma fuente de la que proviene para acercarlo más a ti. Lo que lo atrae a ti es tu voluntad y disposición a sentir su presencia.

Por lo tanto, una plegaria simple y sentida, como "necesito tu ayuda", puede invocar al arcángel. Piensa que estás llamando a un amigo. Cuando levantes tu teléfono y llames a un amigo para que te dé una mano, la respuesta que te dé dependerá de qué tan urgente necesitas esa ayuda. Si no es de urgencia, ese amigo o amiga tal vez no aparezca tan rápido como cuando sí es una emergencia. Sin embargo, Miguel vence a cualquier amigo humano, porque él aparecerá sin importar la situación. No necesitas tener una urgencia para invocar a Miguel. Una plegaria alegre que expresa tu deseo para sentir su presencia es suficiente para invocarlo.

La intención y la fuerza de voluntad son partes clave de la invocación al arcángel Miguel porque él funciona en la luz de la voluntad divina. Nos conectamos con su conciencia divina cuando abrimos nuestro corazón y nuestra mente para invocarlo. Sin embargo, cuando invoques al arcángel, evita revelarte. Es mejor no comprometerte a nada que no sea parte de ti, ángel o no. Por ejemplo, no es aconsejable llamarlo cada vez que sientes miedo, porque en esos momentos solemos emitir el tipo de energía incorrecto. Estamos diseñados para ser autosuficientes y capaces de cuidar de nosotros mismos. Entonces, entregar todos tus miedos al arcángel distorsiona esa idea. También significa que sigues invitando a que algo exterior venga y te rescate todo el tiempo. Si eso no es posesión, una súplica, un pedido, ¿entonces qué es?

Recuerda que Miguel es solo un ángel, un guardián de luz dado a la servidumbre, que no tiene la fuerza de voluntad para ayudarte sin tu permiso. Sin embargo, cuando eleves tus pedidos, entiende que, a pesar de que él es parte de lo divino, también eres parte de una totalidad divina y eres el mejor protector de tu persona.

Pasos para invocar al Arcángel Miguel

1. **Prepárate.** Existe un motivo por el cual las apariciones de muchos seres divinos ocurren en entornos silenciosos. Primero, hay menos distracciones y eso permite que surjan instrucciones e intervenciones divinas sin ningún tipo de intrusiones. Por lo tanto, para comenzar tu proceso de contactar al arcángel, busca un lugar tranquilo. Primero, concéntrate en tu respiración e intenta relajarte. Después, imagina que te rodea una luz dorada brillante mientras visualizas la presencia de Miguel. Deja que la energía de tu interior te eleve hacia el plano divino mientras sientes la presencia del arcángel. Con el corazón abierto y una mente dispuesta, acércate a tu yo divino y siente la presencia de Miguel a tu alrededor. En este punto, esfuérzate por ser consciente de todo lo que te rodea mientras disfrutas de la energía viva y alegre que él resuena.

2. **Hazlo con intención.** No podemos sobreestimar la necesidad de la intención, así que prepárate para que tus necesidades se cumplan. La frase "estoy listo" es una afirmación poderosa, capaz de comprometer al arcángel para que cumpla tus deseos. Esta afirmación es provechosa, sobre todo cuando intentas hacer cambios positivos en tu vida. Por ejemplo, si estás atravesando un duelo y buscas algo de consuelo, puedes invocar al arcángel Miguel diciendo "Arcángel Miguel, estoy triste, dame consuelo. Estoy listo para estar en paz. Guíame en el camino divino hacia la paz que estoy buscando. Gracias". Asegúrate de que tus necesidades sean positivas y no exageradas. Recuerda que el arcángel todavía está limitado en lo que puede hacer por ti. Además, no pierdas tu tiempo preguntándote cómo Miguel cumplirá lo que le pides. Ese no es tu trabajo. Eleva tu pedido y deja que el arcángel se ocupe de cómo resolverá tus necesidades. Siéntete libre de repetir tus necesidades o intenciones, pero evita ser agobiante. Invocar a Miguel todo el tiempo por la misma necesidad es señal de una falta de fe, y eso es mala energía. El plano divino opera con la fe, y la falta de fe no ayuda. Después de elevar tu pedido, escucha su guía o presta atención a las ideas u oportunidades que puedan aparecer en tu camino. Ese puede ser Miguel que te ofrece una guía intuitiva para ayudarte a cumplir tus pedidos.

Como seres humanos, a menudo necesitamos ayuda de los demás para alcanzar nuestras metas, en particular cuando esas metas están relacionadas con nuestro propósito de vida o nuestros asuntos. El arcángel Miguel es un aliado valioso para estos esfuerzos. Después de todo, ¿Miguel no está aquí para ofrecer apoyo y guía divinos? En ocasiones, pedir ayuda directamente puede ayudarnos a obtener una respuesta más rápida. Recuerda, estás a un intento de invocar a Miguel y solicitar su ayuda. Entonces, no lo pienses demasiado; solo hazlo. ¿Estás atrapado en una situación en la que tienes que pensar con rapidez pero no tienes idea?

Di la frase. Haz un pedido directo. Miguel está a tu entera disposición y te responderá en un santiamén. ¿Necesitas los recursos y las personas adecuadas para seguir adelante con algo? Él puede guiarte hacia ellos. Después de todo, él es un guía, ¿verdad? Él susurrará tu nombre a aquellas personas que importan y ellas te contactarán.

3. **Visualiza la ayuda en camino.** Imagina que el arcángel Miguel atiende tus necesidades y reúne a los otros ángeles para ayudarte. Visualiza una luz dorada que te cubre desde arriba cuando recibes esa idea, esa oportunidad o ese contacto que pediste. No te preocupes. No te apresures. No dudes. Solo abre tu mente a la posibilidad de que tu pedido sea respondido. Siente cómo crece la energía cuando absorbes la intervención divina de Miguel. Confía en que la situación está bajo control y que el arcángel está trabajando tal como le has ordenado para hacer que las cosas funcionen. Si sientes que tu pedido está tardando demasiado o la ayuda no llega tan rápido como deseas, ¡no te desanimes! Tal vez sea una prueba de fe para validar tu confianza en el poder divino. Perder la fe significaría que nunca creíste de verdad en la habilidad del arcángel para hacer realidad tus deseos. Aférrate a tu fe y espera las respuestas; ellas vendrán en el momento correcto.

Capítulo 3: Ejercicios, mantras y afirmaciones

Los hindúes creen en los chakras, en el caso de los chinos, el *qi*; pero ambos tienen algo en común a pesar de las creencias: estamos hechos de energía. El universo es un amplio abanico de energía expandida en varios niveles, y todas las personas somos parte de esa energía. En esos momentos en los que nos sentimos mal, tristes o apáticos, atravesamos un periodo de baja energía. Por el contrario, cuando nos sentimos felices y estamos en nuestro mejor momento, irradiamos energía positiva y vibrante. Estas energías es lo que nos ayuda a mantener los pies en la tierra y conectarnos con el universo y con quienes nos rodean. Sin ellas, seríamos incapaces de conectarnos con lo divino. Piensa que lo divino es un canal sagrado de energía, como un tomacorriente al que te enchufas para una carga de lo supernatural. Cuando conectas tu teléfono al cargador, la batería recibe una carga de energía que la hace funcionar. Del mismo modo funciona nuestra conexión con lo divino.

De acuerdo con Buda, vivir es sufrir, y no podría haber estado más en lo cierto. Vivimos la vida intentando sobrevivir y hacer las cosas mejor que el día anterior. En simples palabras, giramos en círculos intentando evitar el sufrimiento. Esto quiere decir que estamos rodeados todo el tiempo de energías negativas que pueden alterar el fulgor de nuestra energía intrínseca. Esto explica por qué tenemos que unirnos al arcángel Miguel para poder alejar cualquier tipo de negatividad que pueda aferrarse a nuestro ser. Sin embargo, una hazaña como esta no puede lograrse pensando en deseos o diciendo una palabra mágica. Por ejemplo, para subir el porcentaje de la batería, tienes que conectar tu teléfono. Entonces, para deshacerte de la energía negativa, tienes que conectarte al canal de energía. Pensemos otro ejemplo: cuando ocurre una tragedia, solemos enviar nuestras condolencias y plegarias de amor y luz a quienes están sufriendo. No parece mucho, pero cuando lo hacemos, accedemos a su energía y nos ponemos en sus zapatos. Luego les transmitimos algo de energía positiva para ayudarlos a pasar por esa situación deprimente. Hacerse cargo del dolor de los demás no nos trae ningún beneficio, así que debes entender cómo esas energías te afectan.

No existe un canal físico para conectarse a lo divino; por lo tanto surge esta pregunta: ¿cómo accedemos a él? Existen distintos ejercicios, mantras y afirmaciones que pueden interesarte, pero todos se reducen a la técnica de abrir tu cuerpo y tu mente y alinear tu energía. Una mente abierta es una mente que percibe, y un cuerpo abierto es un cuerpo que recibe. Cuando abres tu mente, creas un medio de conexión con el arcángel, y un cuerpo abierto dispone un camino por el que podemos recibir energía positiva.

Abre el cuerpo y la mente

Ejercicios para abrir el cuerpo

1. Busca un lugar tranquilo para sentarte. Asegúrate de que el lugar sea cómodo, así no te distraes luego por la incomodidad.
2. Siéntate derecho con la columna alineada y el pecho ligeramente hacia afuera, en posición de recepción. Esta postura abre el cuerpo para recibir la energía. Alinear la columna permite que los canales de energía en tu interior se conecten por todo tu cuerpo, desde la coronilla hasta la base de la columna.
3. Puedes colocar tus manos en una posición de rezo, pero esto es opcional.
4. Cierra los ojos para no dejar entrar las distracciones de tu entorno. Hacer esto te permitirá ser más consciente de lo que sucede en tu interior.
5. Sintonízate con tu cuerpo y bloquea tu percepción del entorno exterior.
6. Presta atención a tu respiración y céntrate en ella hasta que sientas que, con cada respiración, estás cada vez más en calma.

Ejercicios para abrir la mente

1. El primer paso es estar mentalmente preparado para el proceso. Ten la intención de querer recibir energía positiva y disipar la energía negativa.
2. Limpia tu mente. En este momento intenta no pensar en nada. Puede ser todo un desafío, dado que la mente puede distraerse fácilmente. Solo concéntrate en nada más que tu meta: conectarte con Miguel.
3. Respira profundo por la nariz mientras visualizas al arcángel. Visualiza el aire que respiras como energía viva y positiva.
4. Mantén la respiración durante siete segundos antes de soltar el aire por la boca. Visualiza el aire expulsado como energía negativa que deja tu cuerpo.
5. Repite el ejercicio de respiración todas las veces que lo necesites.
6. Cuando exhales por última vez, imagina que la energía positiva que has absorbido cubre de luz tu cuerpo. Imagina que te revitaliza y carga tu mente y tu cuerpo.

Meditación

La técnica de abrir el cuerpo y la mente nos lleva a la técnica final, que combina mantras y afirmaciones para deshacerte de esas molestas energías negativas. Mientras meditas con el arcángel, él te protegerá y te defenderá de las energías negativas ¡y te ayudará a alcanzar la versión más fuerte de ti mismo!

Mientras imaginas que tu cuerpo se recarga del poder sanador de la energía positiva que has inhalado, puedes usar este mantra (u otras afirmaciones) para invocar al arcángel Miguel:

"Ahora invoco a todos mis guías para que estén presentes conmigo, incluso a quienes están en el plano más elevado de amor y luz: el Arcángel Miguel, los guardianes, guías espirituales, maestros ascendidos y mis seres queridos. Les pido que me rodeen con su luz de sanación y me libren de mis ataduras a las energías negativas como la ansiedad, el estrés y otras energías bajas. Ayúdenme a librarme de mi apego al miedo. Ayúdenme a dejar ir al ego y ascender al plano más elevado de mi ser, que solo ve y conoce el amor.

Les pido que se lleven toda la energía vieja que aún está dentro de mí y retracten toda forma de pensamiento que tenga la apariencia del miedo o del ego. Ayúdenme a volver a conectarme con los fragmentos de mi alma y vivir la plenitud de mi derecho natural divino. Que el poder divino intrínseco se haga en mí y pueda sentirlo mientras dejo ir toda forma de estrés y de temor. Que me llene del valor y la fortaleza para conocer mi identidad y trabajar con la luz divina. A medida que inhalo y exhalo, me lleno y adapto mi mente y mi cuerpo a la energía divina que rebasa de amor, paz y alegría. Te pido, Arcángel Miguel, que me protejas y confirmes estas vibraciones positivas y plenas en mi cuerpo físico y emocional.

Te pido que te quedes conmigo y me ayudes a continuar en la luz divina de Dios. Amén".

Capítulo 4: Protege a tus mascotas y a tus seres queridos

Nuestros seres queridos son más que un grupo de personas con las que compartes el mismo apellido. Ellos son las personas que disfrutan, sufren y están contigo a lo largo del resto de tu vida. Son las personas a las que llamas familia, sin las cuales no tendrías recuerdos o momentos para atesorar o recordar. Son familiares que te apoyan y amigos que te animan. Esas personas que están ahí cuando tienes un problema. A las que llamas cuando necesitas algo. Son lo que hace que la vida tenga sentido, y por lo tanto, debes protegerlos. Puedes invocar a Miguel para proteger a tus seres queridos y mantenerlos a salvo. Puedes pedir por su protección y su felicidad del mismo modo en el que pides por las tuyas.

Al igual que nuestra familia, las mascotas son el equilibrio perfecto entre la felicidad y el enojo. Nos encanta cuando se acurrucan a nuestro lado cuando dormimos, pero nos espantamos cuando hacen pipí en el asiento del auto. Básicamente, son familia. Debido a que pasamos mucho tiempo con nuestras mascotas, desarrollamos un vínculo muy estrecho con ellas. Teniendo esto en cuenta, tiene sentido no dejar a nuestras mascotas fuera de nuestras plegarias. Estos animales son una fuente de alegría, amor, compasión y paz para nosotros, sobre todo cuando estamos en nuestros peores momentos.

Encomendar tus mascotas a la protección del arcángel Miguel las mantendrá sanas y salvas, incluso cuando no estés. Aunque pueda parecer tonto invocar al arcángel por tu mascota, no es una tradición inusual. En la cristianidad, los animales tuvieron un papel fundamental en la liberación de los israelitas. Más aún, fueron una de las primeras creaciones de Dios y nuestra relación con ellos se remonta a las épocas de Adán y Noé. Las mascotas tienen una expectativa de vida más limitada que la de los seres humanos, y esto significa que es muy probable que en algún momento seamos testigos de su partida. Este puede ser un mal momento en nuestras vidas, por lo que tenemos que aprovechar al máximo el tiempo que pasamos con ellas. Para asegurarte que vivan una vida plena, tienes que encomendarlas al cuidado del arcángel Miguel.

¿Recuerdas la historia de la Pascua Judía? ¿Cuando los israelitas untaban las puertas de sus hogares con la sangre de un animal para que el ángel de la muerte los perdonara? El arcángel no pasará por alto a nuestras mascotas y nuestros seres queridos si le pedimos que los proteja. Él es un guardián y un servidor de luz, así que está obligado a ayudarte. Como ellos son familia, también está obligado a protegerlos. Invoca al arcángel como lo harías en cualquier otro momento; acércate a tu conexión interna con lo divino. Pídele que venga a ti con su hueste de ángeles guardianes y pídele que rodee a tus mascotas y a tus seres queridos. Pídele que los proteja de los males del día y la peste de la noche.

Aquí tienes una plegaria que puedes usar:

"Querido Arcángel Miguel, te pido que vengas a mí con tu hueste de ángeles". Mientras dices esta frase, visualízalo descendiendo de los cielos en una radiante luz azul, junto con su tropa de ángeles, para reunirse contigo. "Te pido que rodees a mis mascotas y a mis seres queridos (familia y amigos) y los protejas de las energías negativas y de los resultados de sus errores. Concédeles tu guía para que caminen en la luz divina y que sus caminos se iluminen con el fulgor de tu luz divina. Quédate junto a ellos todo el día, todos los días. Sé su guía y su defensor. Amén".

Luego imagina que el Arcángel Miguel está enviando a sus arcángeles para rodear a tus seres queridos y tus mascotas. Ahora están a salvo, ¡gracias a ti!

Capítulo 5: Protege tu aura y tu hogar

En nuestra vida cotidiana, sentimos vibras negativas a nuestro alrededor, en forma de colegas, familia, amigos, redes sociales e incluso los medios de comunicación (a quienes les encanta informar malas noticias). Hasta las personas que encuentras en la calle, en el mercado y en cualquier otro lugar público suelen emitir bajas energías. Los lugares públicos no suelen ser aseados o protegidos, y con tanta gente merodeando por ahí con bajas energías, es fácil para ti absorberlas. Mientras más te expongas a esas energías, más altas serán tus posibilidades de percibir el efecto de esas vibras negativas. Es por esto que purificar tu cuerpo y tu entorno es tan importante, porque trabajan codo a codo para definir tu aura y tus niveles de energía.

Además de sentir las energías bajas del mundo físico a nuestro alrededor, también hay que tener cuidado con las vibras negativas que puedes adquirir del plano espiritual. Sin embargo, no te castigues por esto, porque tienes la protección del arcángel Miguel y él estará allí para protegerte y advertirte todo el tiempo. Todo lo que debes hacer es pedir. Pero ten en cuenta que, sin quererlo, puedes dejar entrar energías que no trabajarán para tu propio bien. Por ejemplo, querer saber más sobre una situación deprimente solo por curiosidad puede introducir energías negativas a tu aura. Sin embargo, la adecuada protección del arcángel Miguel y la intención y la voluntad de conectar con tus guías espirituales te ayudarán a evitar cruzarte en el camino con las energías incorrectas.

Pero ¿cómo podrías darte cuenta de que no has absorbido ninguna vibra negativa o baja energía si no puedes verla? Es fácil saber si tienes baja energía o vibras negativas porque estarás exhausto y de mal humor. Por lo tanto, incluso después de una buena noche de descanso, igual te levantas sin energía. Quizá te sientes cansado sobre todo al mediodía, cuando tratas de evitar dormirte todo el tiempo. Esto continúa y tu concentración se desvía, y hacer tus tareas cotidianas es toda una labor. Sin embargo, también puede ser que estés enfermo; un mal estado de salud puede ser el responsable del agotamiento y la baja energía. Por lo tanto, sería bueno que consultes primero con un doctor para confirmar que gozas de buena salud. Después de haber intentado todo y no encontrar ningún problema subyacente de salud, es momento de que te concentres en la parte espiritual, es decir, en purificar tu energía para deshacerte de la energía baja o negativa.

De manera alternativa, para asegurarte de que lo hagas bien y elimines cada forma de baja energía de forma segura y completa, puedes ver a un terapeuta, pero no cualquier profesional puede ocuparse de esta tarea. Necesitas ver a un experto en remoción de energías bajas o negativas y limpieza de auras. Asegúrate de tomarte el tiempo para seleccionar con cuidado el terapeuta adecuado para el trabajo. Tiene que ser capaz de realizar este procedimiento de forma segura para no dañar aún más tu aura y no dejar entrar más energía negativa. Si no puedes encontrar a un terapeuta para que te ayude, puedes hacerlo por tu cuenta. Solo necesitas al arcángel Miguel para deshacerte de esas energías bajas en tu interior y a tu alrededor. Encontrarás los pasos para realizar este procedimiento tú mismo más adelante.

¿Cómo usar al Arcángel Miguel para proteger y purificar tu energía y tu aura?

Todos hemos estado en una posición en la que alguien necesita ayuda. En ese momento, tienes la opción de dejar que la energía de los demás te afecte. Por ejemplo, alguien te pidió que atendieras sus necesidades y dejaras de hacer lo que estuvieras haciendo en ese momento. Al final dijiste que sí, a pesar de que en verdad querías decir que no. ¿Tal vez ayudaste a alguien solo para sentirte exhausto durante días y no entendías por qué? Luego la persona a la que ayudaste te envía un mensaje, te agradece por tu ayuda y que ahora se siente genial. Esto sucede porque intercambiaste tu energía positiva por su energía negativa. Entonces, te llevas sus problemas a casa y le dejas tu plenitud. Esta es una guía paso a paso para deshacerte de la energía negativa en tu aura y tu entorno:

1. Visita tu sitio de paz cada mañana. Comienza a conectarte con la tierra a través de ejercicios de respiración para relajar el cuerpo y la mente y reducir las distracciones. Cierra los ojos y concéntrate en tu respiración hasta que bloquees todos los sonidos de tu entorno físico.

2. Luego invoca al arcángel Miguel con un mantra de tu elección. Puedes usar este: "Arcángel Miguel, te invito a venir a este espacio ahora mismo. Déjame sentir tu presencia". Ahora, visualiza que viene hacia ti y pídele su protección. "Te pido que me protejas mientras tú y yo nos hacemos uno. Guía mi corazón y mi mente y protégeme de las distracciones". Practica este mantra a menudo hasta que te lo sepas de memoria. Saberlo te ayudará a invocar a Miguel más rápido.

3. Mientras meditas, prepara tu mente y tu corazón para acercar al arcángel a tu ser. Respira profundo y siente la radiación de su energía angelical que te rodea. Tal vez puedas percibir la energía azul que irradia o sentirla a tu alrededor.

4. Visualízate como una aeronave envuelta en la luz azul divina de Miguel. Imagina otras aeronaves disparándote con diferentes armas. Estas armas son las energías negativas que van en tu dirección. Visualiza cómo los ataques rebotan en la luz de Miguel, porque él te mantiene a salvo con la protección de su presencia. Practica esto cada vez que te encuentres con alguien que irradia energía negativa o cuando escuches noticias pesimistas en la televisión. Imagina que Miguel te protege y la energía negativa no tiene ningún efecto sobre ti. Al hacer esto, estarás reforzando tu intención de estar bajo la protección de Miguel. Luego murmura en voz baja o piensa en el arcángel Miguel sentado a tu lado junto con su hueste de ángeles. Imagina que luchan contra las energías negativas y preservan tu energía positiva. Hacer esto no significa que te interesa poco ayudar a los demás. En absoluto; puedes ayudar a los demás tanto como quieras. Solo asegúrate de hacerlo de una manera segura dentro de los confines de la protección de Miguel, para evitar el intercambio de energías. De hecho, cuando cuides de ti y protejas tu energía, estarás en una mejor posición para ayudar a otros.

5. Después de hacerte fuerte frente a las energías negativas, el próximo paso es extender esa protección a tu entorno. A tu auto, tu espacio de trabajo, a tu hogar y a cualquier otro lugar en el que pases tu tiempo. Para fortalecer esos lugares bajo la protección del arcángel Miguel, todo lo que tienes que hacer es visualizar su luz que se expande desde ti hacia tu entorno en todo momento. Imagina ese lugar bañado en esa luz azul brillante que te rodea.

6. Recuerda que puedes acudir a Miguel en cualquier momento. La construcción del día y la noche no aplica para él, así que está listo para protegerte y defenderte en todo momento. Todo

lo que debes hacer es decirlo y él estará obligado a ayudarte. Además, puedes extender su protección a los espacios de tus seres queridos.

Capítulo 6: Meditaciones del Arcángel Miguel

La meditación es un proceso que combina diversas técnicas como la concentración y la conciencia plena o *mindfulness* para lograr un determinado objetivo. Cuando meditas, te concentras en una actividad, pensamiento u objeto en particular y centras tu atención y tu conciencia en ello hasta que alcanzas un estado mental y emocional claro, calmo y estable. En este capítulo, el objetivo de esta meditación es invocar al arcángel Miguel y disfrutar de la comodidad de su protección.

Aquí tienes una guía paso a paso para invocar la protección del arcángel Miguel:

1. Cierra los ojos y relaja tu cuerpo. Suéltate y deja ir las tensiones.

2. Concéntrate en tu respiración: inhalar y exhalar. Respira profundo y deja ir todo lo que no te sirve en el aquí y ahora. Suéltalo mientras dejas salir el aire.

3. Practica mantenerte en el presente y presta atención a tu respiración.

4. Prepara tu mente con la intención de sentirte protegido, apoyado y seguro.

5. A medida que respiras profundo y te anclas en el espacio de tu alma, siente cómo tu conciencia se hace más profunda en tu interior.

6. Desde este lugar, invoca al arcángel Miguel para que venga a ayudarte. Invítalo desde el plano divino a estar presente contigo ahora.

7. Tal vez lo percibas en su forma humana o angelical o como la energía azul que irradia.

8. Cuando se haga presente frente a ti, sentirás que toda la ansiedad, el estrés y las preocupaciones se disipan.

9. En la presencia del arcángel Miguel solo puedes sentir protección, seguridad y amor.

10. Como ya hemos mencionado en este libro, has sido creado con libre albedrío. Por lo tanto, la única forma en la que el arcángel puede aparecer para ayudarte es si se lo pides. Entonces, pídeselo. "Por favor, Arcángel Miguel, mantenme a salvo. Pido que tu seguridad y protección siempre estén conmigo. Por favor, protégeme donde quiera que vaya".

11. Visualiza al arcángel cuando recibe tu pedido e invoca una bola de energía azul a tu alrededor, como una esfera de protección, para evitar que cualquier fuerza externa agote o irrumpa tu energía. Así, tu energía estará protegida de quienes quieren agotarte o quienes quieren arrebatarte lo que no estás dispuesto a ceder.

12. Respira profundo en este espacio lleno de amor, protección y seguridad. Disfruta la sensación de saber que, en los confines de ese espacio, no puede tocarte nada que te pueda afectar de manera negativa.

13. Ten presente que el arcángel Miguel está a tu lado todo el tiempo, dispuesto y listo para aparecer y ayudarte a encontrar el camino hacia este espacio cada vez que necesites volver a conectarte. Todo lo que debes hacer es pedir.

14. Dale las gracias al arcángel por su presencia y las bendiciones divinas con las que te ha cubierto.

15. Comprométete a llevar contigo esta sensación de protección, seguridad y amor, a medida que vuelves tu conciencia a tu cuerpo físico.

16. Respira profundo, conéctate y ánclate a esta sensación maravillosa.

17. Poco a poco, haz movimientos delicados, como estirarte y abrir los ojos, cuando sientas que es momento de volver a tu rutina. Recuerda volver a conectarte con tu esfera de protección cada vez que percibas energía o emociones negativas.

Los beneficios de esta rutina de meditación no pueden ser sobreestimados. No solo nos permite ocuparnos de nuestro día, sino que también nos ayuda a comenzarlo y terminarlo de la mejor manera. ¡Esto se traduce en un mejor estado de ánimo que te permitirá dar lo mejor de ti a lo largo del día! Además, con tanta energía positiva, serás capaz de ayudar a los demás e irradiar buenas vibras.

Capítulo 7: Manifestaciones, chakras, sueños y karma del Arcángel Miguel

Chakras

Los chakras son centros de energía o luces en nuestro interior que se encienden cada vez que meditamos. En las religiones de Occidente se las suele representar como ruedas giratorias. Un giro delicado y veloz tiene muchas más posibilidades de conectar con lo divino. La idea detrás de esto es que podemos invocar a los ángeles a través de la meditación y a sus respectivas conexiones con los chakras en el cuerpo. Cuando los chakras giran, producen vibraciones divinas únicas que se conectan con el plano divino. Los ángeles responden a sus chakras y nos conceden lo que les pedimos. En ocasiones, los chakras también pueden ser una fuente de conexión para los ángeles que quieren comunicarse con nosotros. Esto aplica en particular a los chakras del plexo solar, del corazón y de la coronilla, de los cuales recibimos una guía intuitiva.

El arcángel Miguel es el responsable del chakra de la garganta. Entonces, cada vez que te conectes con él, accederás al chakra de la garganta y lo activarás. Este chakra se asocia con el color azul, el aura distintiva de Miguel. Las gemas azules como los zafiros pueden ayudarte a conectar mejor con el chakra de la garganta y con el arcángel Miguel. Sin embargo, a veces los chakras pueden bloquearse y cortar tu conexión con lo divino. Para prevenirlo, aquí tienes una plegaria para ayudarte a purificar tu sistema de chakras:

"Arcángel Miguel, por favor, ven a mí. Te pido que limpies y purifiques todo mi sistema de chakras. Pido que tu luz pura y concentrada fluya a través de mí y limpie, purifique y fortalezca mis chakras. Deja que la energía en mi interior crezca bajo tu guía y llene mis chakras con tu amor y tus bendiciones. Que las energías malas en mi interior que bloquean mis chakras se disipen por completo de una vez y para siempre. Amén".

Karma

El karma es un término relativamente común al que muchas personas le temen. A pesar de que no deberíamos tenerle miedo al karma, ¡definitivamente debemos respetarlo! El karma por lo general surge de nuestras acciones. Así como tienes libre albedrío para hacer lo que quieras, también debes hacerte responsable de tus acciones. Se cree que acumulamos el karma a lo largo de nuestras vidas pasadas. Según la creencia, tú decides qué está faltando en tu vida y qué haces al respecto. La próxima vez que reencarnes en otra vida, la decisión de elegir lo que tienes que aprender está en ti. Es en ese momento donde aparece el karma. Por ejemplo, si le has hecho daño a alguien en una vida pasada, pagarás por ese daño si no te desprendes de ese comportamiento tóxico.

Sueños

El arcángel Miguel trabaja con nosotros cuando soñamos para ayudarnos a deshacernos de nuestros miedos y guiarnos hacia nuevos horizontes de paz y felicidad. Nos enseña cuando dormimos y nos da respuestas a nuestras preguntas. Nos ayuda a construir las bases de nuestro propósito en la vida mientras nos sumergimos en un sueño profundo. Aunque muchas veces no recordamos lo que soñamos, la información que contienen nuestros sueños no se pierde para tu subconsciente y te ayuda de diferentes maneras. Para acceder a los consejos que Miguel nos deja mientras dormimos, puedes tener un diario de sueños para registrar lo que sueñas. Cualquier cuaderno está bien. Asegúrate de tener ese libro a tu alcance cuando vayas a la cama para poder registrar tus sueños fácilmente. Con el tiempo comenzarás a ver patrones en simbolismos y temáticas que te guiarán cuando despiertes.

Si tienes sueños recurrentes, es probable que el arcángel Miguel esté haciendo énfasis en un tema en particular, así que presta atención. Busca un libro sobre sueños o consulta con un experto en el tema si estás confundido o necesitas una guía. Asegúrate también de tener una buena noche de descanso. Evita irte a dormir si has bebido alcohol, porque los químicos tienden a interrumpir la fase de sueño (fase REM). Esta es una plegaria que puedes usar para invocar al arcángel Miguel antes de dormir:

"Arcángel Miguel, te doy las gracias por ponerme en la cama y ayudarme a disfrutar de un buen descanso. Te pido que aparezcas en mis sueños para enseñarme, sanarme y guiarme. Te ruego que me enseñes (menciona tu pedido sobre una situación) a un nivel espiritual. Guíame hacia tu sabiduría. Amén".

Manifestación

El mundo en el que vivimos prospera con experiencias y variedad. Cada uno de nosotros tiene la capacidad inherente de darle vida a lo que más deseamos.

La manifestación es una ocurrencia natural que sucede a menudo en nuestras vidas y es independiente de si somos conscientes de ello o no. Podrás comenzar a vivir en poderío, sentirte una persona empoderada y satisfacer tus necesidades cuando te adueñes de tu capacidad de manifestar lo que tú desees. Hemos sido bendecidos con la capacidad de fusionarnos con lo divino en una cocreación consciente. Puedes aprovechar esta habilidad de diferentes maneras, en particular a través del arcángel Miguel. En este capítulo, veremos algunos de los métodos más poderosos y consistentes para alcanzar y concentrarnos en el poder de la manifestación que está en lo más profundo de nuestro ser. Para acceder a esta habilidad, la intención es un elemento clave. No somos conscientes de que pasamos nuestros días planteando intenciones en el momento, en conversaciones, en nuestra mente e incluso en listas. Estos tres ejemplos son algunas de las formas básicas de las intenciones que nos planteamos.

Sin embargo, la magia no ocurre cuando planteamos nuestras intenciones de manera inconsciente, sino cuando somos conscientes del proceso y lo alineamos con nuestra energía y perspectiva. Se trata de plantarte y ser prudente con lo que das y recibes. Una de las formas más potentes de crear intenciones es con un ritual determinado, como la meditación que cubrimos en el capítulo anterior. Dicho esto, las intenciones requieren de ciertos elementos para funcionar, entre los cuales se incluyen:

- ser una persona consciente y deliberada;
- mantener la integridad y la sinceridad en tus pedidos;
- confiar en tus intenciones;
- mantener una mente clara y flexible;
- prepararse emocionalmente.

Cómo invocar al arcángel Miguel para la manifestación, cambios positivos y el poder de la imaginación.

1. **Ten claro tus metas.** Para manifestar tus deseos (riqueza, poder, dominio, etc.) debes saber lo que quieres. Si no, no podrás hacer nada para que funcione, ¡e invocar al arcángel será en vano!

2. **Pídele al arcángel Miguel.** Una vez que sepas lo que quieres y alinees tus intenciones, es el momento adecuado para acceder a lo más profundo de tu ser, conectarte con lo divino e invocar al arcángel. Dile al arcángel lo que quieres manifestar para que él pueda comenzar con el proceso.

3. **Trabaja para lograr resultados.** Recuerda que la manifestación es el proceso de cocrear lo divino. Por lo tanto, trabajar para alcanzar tus deseos aumenta las probabilidades de obtener lo que quieres. Por ejemplo, si deseas manifestar riqueza, no te quedes quieto. ¡Ponte en marcha!

4. **Confía en el proceso.** A medida que te comprometas a trabajar para lograr tus deseos, tal vez tiendas a dudar de la viabilidad de la manifestación. La frustración y el desánimo son algo natural. No te quedes con los problemas, pensando en lo que salió mal o si las cosas funcionarán o no. Hacer eso significa que no confías lo suficiente en Miguel como para que actúe. Si tienes tanto miedo a volar porque temes que ocurra un accidente, nunca sabrás lo que se siente estar por encima de las nubes.

5. **Debes estar abierto a recibir y reconocer lo que recibes.** El arcángel Miguel está presente para ayudarte a lo largo del camino, siempre y cuando se lo pidas. Sin embargo, es fácil no ver sus señales, sobre todo si no llegan de la forma en la que la esperas. Desde el

momento en que comiences a reconocer y recibir las señales que te da el arcángel Miguel, tendrás éxito en todo lo que hagas.

6. **Mantén el buen ánimo.** Según la ley de atracción universal, recibes lo que das. Un caso típico de que lo que va, vuelve. Si quieres recibir más de lo que quieres, comprométete a caminar junto con el arcángel Miguel y acatar su guía.

7. **Revisa tu resistencia.** En muchas ocasiones, no es que el arcángel Miguel no te ha concedido tus deseos, tal vez te estás resistiendo. La resistencia viene en forma de frustración, miedos, dudas, procrastinación, entre otras emociones negativas. Mantén una mente clara y pídele su guía para remover estas resistencias.

Capítulo 8: Cómo saber cuando el Arcángel Miguel está cerca

Lamentablemente, la vida no siempre es un viaje feliz y apacible hasta el momento de nuestra muerte. En distintos momentos de nuestra vida, nos enfrentaremos a decisiones difíciles, a la incertidumbre, al miedo, al sufrimiento y a otras situaciones desafiantes. A veces, la mano de un ser querido es suficiente para evitar que caigamos. Sin embargo, más seguido de lo que pensamos, necesitamos un guía espiritual. En muchas situaciones límite, nada nos servirá excepto, literalmente, la ayuda de un ángel. Por fortuna, los ángeles saben cuando estamos en problemas y la ayuda justa que deben ofrecer. Están por todas partes, e incluso pueden estar a tu lado mientras lees este libro. Sin embargo, ellos evitarán entrometerse en las decisiones de los humanos y sus consecuencias sin su permiso. Pueden involucrarse para detener sucesos malignos en ocasiones en que las personas no tienen la oportunidad de decir una plegaria e invocar la ayuda de los arcángeles, como en el caso de un accidente de auto y tragedias similares. En la mayoría de los casos, están parados junto a ti y hacen visible su presencia de distintas maneras.

El arcángel Miguel puede ser particularmente persistente cuando intenta comunicar su presencia. Quienes desconocen cómo trabajan las entidades espirituales pueden pensar que es solo una corazonada. Sin embargo, quienes se toman el tiempo para saber más sobre el tema encuentran consuelo en las señales a continuación:

1. **Te sientes en paz.** A pesar de que esta señal es común para todos los ángeles, la paz de Miguel es más reconfortante que la de la mayoría. Él suele aparecer en situaciones de crisis en las que se imparte el juicio humano. De hecho, es en esos casos donde más percibimos su calma inconfundible. También puedes sentir la paz del arcángel en momentos de ansiedad o ira. Él nos envuelve en sus alas y se queda con nosotros todo el tiempo que lo necesitemos.

2. **Puedes ver su aura.** En el capítulo 1, vimos que los arcángeles están asociados con ciertos colores. Esos colores son sus auras, y cada ángel tiene uno en especial. Las auras brillan con intensidad y muchas veces los humanos pueden percibirlas. El aura de Miguel es azul. Si de repente ves un fulgor o un rayo azul, puede ser el arcángel que se está dando a conocer.

3. **Encuentras una pluma.** Como mencionamos más arriba, Miguel es un ángel muy insistente. Él entiende que los seres humanos son criaturas dubitativas que no se dejan convencer con una sola señal. Por lo tanto, te dejará muchas señales para que puedas reconocer su presencia. Una de ellas son las plumas. Si sigues siendo escéptico después de haber visto la luz del aura de San Miguel y sentir la calma angelical, comenzarás a ver evidencias físicas del hecho de que está cerca de ti. Este es un llamado para que te despiertes y te asegures del amor de Dios. No debería alarmarte ni asustarte de ninguna manera.

4. **Escuchas su voz.** ¿Alguna vez te has sentido ansioso o molesto por algo y luego, al parecer de la nada, escuchas la voz de alguien? Puede ser como un susurro o en un tono más audible. Si la

voz parece no venir de ningún lado en particular, tal vez es un ángel que intenta comunicarse contigo. Miguel puede susurrarte al oído o hablarte en su distintiva voz clara y profunda. Aunque escuchar su voz puede ser algo inquietante, sus palabras y mensajes son de amor y paz. Muchas veces están infundidos de humor. Él no será contundente o imponente. Recuerda que San Miguel también es sanador y es gentil con los seres humanos.

5. **Ves su nombre en todas partes.** ¿Qué tan seguido escuchas o ves el nombre Miguel durante el día? Incluso si tienes un amigo, una mascota o un hermano de nombre Miguel, o vives en la calle Miguel, es muy probable que no te topes con el nombre en cada esquina o lo escuches en el trabajo, en el auto y en otros lugares que no son tu calle. Entonces, si esto ocurre, no desestimes la señal de inmediato. Esto es aún más real cuando encuentras su nombre tres veces. Tal vez recibas la ayuda de alguien llamado Miguel (o sus variantes Micaela, Michael, Michelle) o escuches el nombre en la radio. Es más gratificante para ti reconocer la presencia del arcángel, aceptar su calma celestial y pedir su ayuda donde la necesites.

6. **Sabes que es la verdad.** Tal vez te preguntes "¿acaso solo estoy escuchando lo que quiero escuchar?". Sin embargo, las señales y los mensajes de Miguel no pueden desestimarse así de fácil como si fueran producto de una imaginación hiperactiva. Ya sean sencillos o prácticos, será evidente que no estás escuchando una mentira ni es una ilusión. Aunque el ego es poderoso y astuto, es incapaz de imitar las señales y los mensajes angelicales.

7. **Sientes calor.** Quizás sientas una sensación de calor cuando Miguel esté cerca. Antes de ajustar el aire acondicionado o pensar que tienes fiebre, considera la posibilidad de que un arcángel te haya honrado con su presencia. Esta cálida sensación es notable incluso en temperaturas generalmente bajas. Como vimos en otro capítulo, Miguel está asociado con el fuego. Esto no es solo un elemento que los artistas y narradores asocian con el arcángel. Es una verdad. Algunas personas consideran a Miguel una deidad solar debido a la gran cantidad de calor que transmite. Por fortuna, Miguel no te hará daño en absoluto con este calor. En general, no es más fuerte que los rayos de sol en una tarde cálida.

8. **Ves números repetidos.** De nuevo, ¿qué tan seguido ves el número 777? Hasta los contadores y matemáticos raramente se encuentran con un orden específico de números varias veces en el día. Debido a que siempre esperamos algo aleatorio en muchos aspectos de nuestra existencia diaria, Miguel puede intentar llamar tu atención con algo de orden y repetición. Seguramente has oído mucho sobre el 11.11 y ahora desestimas este fenómeno. Sin embargo, el hecho de que ahora estés leyendo este libro significa que quieres tener una mente más abierta a esta idea. Al hacer esto, tienes todo para ganar. La próxima vez que encuentres números repetidos a lo largo del día, debes saber que San Miguel está acercándose a ti.

9. **Ves símbolos de protección.** Esto suele ocurrir después de que alguien le reza a San Miguel. Piensa en eso que te asusta, te da ansiedad o te inquieta. Cuando invocas a los arcángeles en esos momentos, él quiere ayudarte de inmediato. Para hacerlo, puede dirigir tu atención a objetos que simbolizan su protección sobre ti. También te dará claridad para entender el significado de estos símbolos. Tal vez veas una cruz cuando estás esperando ser llamado para una entrevista. Si sufres de ansiedad cuando sales en público, tal vez veas una

espada en un mural o en un cartel. Miguel incluso puede mostrarte paraguas, porque te brindan un lugar para protegerte de la lluvia.

10. **Escuchas sus consejos en tus pensamientos.** En las profundidades de la depresión es casi imposible tener pensamientos alegres u optimistas. Si alguna vez has llegado a este punto en tu vida, comprendes perfectamente esa sensación de pesar que le sigue a la depresión. Aún peor es el hecho de que quieras seguir hundiéndote en la negatividad y la oscuridad que oculta tu mente. Cuando le pidas ayuda a Miguel, la imagen mental de tu situación se hará cada vez menos oscura. Primero, te sentirás calmado y relajado. Puedes pensar en algo divertido y soltar una risita. Luego obtendrás una perspectiva de tu vida cual astronauta, y todos tus problemas serán menos abrumadores de lo que eran. Este es el arcángel Miguel hablándote por medio de tus pensamientos.

Capítulo 9: Escribe una carta a Miguel

Cuando amas a alguien y confías en esa persona, la extrañas cuando no está cerca. En el caso de tu relación con el arcángel, sería cuando *sientes* que no está cerca. Te gusta comunicarte con él tanto como sea posible y empleas varios medios para hacerlo. Por suerte Miguel siempre está listo para escuchar, responder y ayudar. Puedes comunicarte con él de manera meditativa mediante las plegarias y las cartas. No todas las personas tienen experiencia con la meditación y la quietud. Además, puedes tener dudas de si tus plegarias llegan a Miguel o no (aunque no deberías) y prefieres un medio físico para fortalecer tus convicciones.

Antes de escribir la carta, ¡es importante que *sepas* que eres digno de recibir la atención de los ángeles! Estos poderosos seres espirituales te han amado de forma incondicional desde el momento que tu alma fue creada por Dios. Ellos no quieren perderte de vista y están dispuestos a ayudarte. La incertidumbre y la baja autoestima pueden afectar tus expectativas y esto puede impedir que escuches a tu ángel. El cinismo y la deshonestidad también pueden entorpecer tu comunicación con Miguel. Cuando le escribas, ¡hazlo con total honestidad!

Mientras escribes la carta, no te sorprendas si sientes la presencia del ángel con el que estás intentando comunicarte. En el caso de Miguel, como ya hemos visto en el capítulo anterior, es la calidez, la sensación reconfortante y el aura azul radiante. La presencia del arcángel puede volverse más palpable a medida que abres tu corazón en la carta. Ese es Miguel pidiéndote que no te reprimas. Expresa todo tu abanico de emociones, desde tus sentimientos de dolor hasta la gratitud, y da a conocer todos tus pedidos. Puedes pedirle a Miguel que te conceda sanación física o emocional. Si necesitas la ayuda de un terapeuta, pídele que te guíe hacia el profesional adecuado. Pídele valor y protección si estás a punto de embarcarte en algo positivo y peligroso a la vez. Miguel puede asegurarse de que se haga justicia cuando lo merezcas. Sin embargo, no todos tus pedidos tienen que ser serios. Puedes pedir la ayuda de San Miguel para reparar un electrodoméstico defectuoso. Al final de este ejercicio, puedes elegir quemar la carta o guardarla, pero confía en tu convicción de que has sido escuchado.

Organiza la carta como si fueras a escribirle a un amigo cercano. Escribe el nombre del arcángel en la parte superior; abajo escribe tu nombre y la fecha. Ahora, escribe *Querido Arcángel Miguel:* y comienza a expresar tus pensamientos más sinceros. Puedes firmar la carta con *gracias, atentamente, te amo* o la frase que te parezca más adecuada. Eso es todo. Tu carta ha sido enviada y recibida por Miguel.

El arcángel puede responderte a través de los sueños. Debido a esto, es importante que no te vayas a dormir muy tarde ni esperes hasta estar exhausto antes de ir a la cama ese día. Debes ser capaz de recordar las instrucciones y revelaciones que se te mostrarán. Cuando despiertes, recuerda lo que viste en tus sueños. Puedes anotar lo que recuerdes o registrar un video o nota de voz.

Capítulo 10: Reiki de Miguel, el protector

La práctica del reiki de hoy en día se le atribuye a Mikao Usui, un monje japonés del siglo veinte. Él le enseñó a sus estudiantes sobre las distintas energías que viajan por el cuerpo humano, tal como él creía, y cómo podían guiarlas para ayudar a las personas a alcanzar un estado del ser más relajado y feliz. Mikao Usui apoyaba sus manos a pocos centímetros de la piel de sus pacientes y se concentraba en la fuerza de energía vital en distintas partes del cuerpo de la persona: la cabeza, los pies, el estómago, etcétera. Aunque Usui no era un científico, quienes hacían un tratamiento reiki pueden dar fe de sus habilidades para sanar y aliviar el estrés. La práctica se volvió muy popular y ganó practicantes en todo el mundo. Solo en 2006, 1,2 millones de estadounidenses fueron a una sesión de reiki para poder lidiar con problemas de salud como la depresión, la ansiedad y el dolor crónico (Barnes et al., 2007).

Aunque las propiedades de sanación de energía del reiki tienen increíbles beneficios, esta técnica no debe usarse en reemplazo de tratamientos convencionales. Sin embargo, complementa y mejora los resultados de la medicina tradicional.

Los practicantes de reiki no son sanadores de fe y nunca profesarían ser la causa de la sanación que ocurre después de una sesión exitosa. Piensa en ellos como conductores de energía positiva. Tras años de entrenamiento, estas personas dominan la habilidad de canalizar esa energía a través de ellas y hacia el cuerpo de sus pacientes. Eso incrementa el flujo positivo de energía en el cuerpo de quien la recibe. La sanación de energía puede usarse para mejorar la calidad del sueño, reducir la ansiedad y darle al paciente más control sobre sus emociones.

Si has decidido asistir a una sesión de sanación de energía, la pregunta ahora es a qué maestro reiki recurrir. Debido a que una de las capacidades del arcángel Miguel es la sanación, él puede guiarte hacia el practicante más adecuado para ti. San Miguel te ha cuidado y amado desde el día que llegaste a este mundo y, por más difícil de creer que sea, te conoce mejor de lo que alguna vez te conocerás a ti mismo. Cuando te guíe hacia el practicante de reiki que necesitas, tendrá en cuenta cosas como tu historia de vida, tu personalidad, tus finanzas, tus fobias y tus valores. También te protegerá, porque se asegurará de que vayas con individuos confiables y de buen juicio. Si todavía no le has escrito una carta a Miguel o estás planeando escribir otra, puedes pedirle su guía como parte de tu pedido.

Debido a que el reiki se trata de canalizar energía positiva, desbloquear tu *ki* y vivir una vida más gratificante, suele incluir mucha meditación. No, no tienes que ser un experto para meditar de forma efectiva. Tampoco es necesario que siempre permanezcas en el mismo lugar. Lo importante es el ambiente adecuado y la singularidad de pensamiento. Por este motivo, considera incorporar toda la música reiki que puedas encontrar. Hay canciones en todos lados y muchas veces puedes descargarlas gratis. Es tan sencillo como abrir la aplicación de YouTube y buscar "canciones de reiki". Si vas a una sesión, tu maestro reiki pondrá estas canciones para asegurarse de que te relajes mientras la buena energía recorre todo tu cuerpo. El mejor momento para recibir a San Miguel es en medio de estas canciones relajantes y purificadoras. Por lo general las canciones no tienen letra; solo contienen instrumentales de sanación. Déjalos que suenen mientras te sientas, te acuestas o realizas tus tareas del hogar. Sin embargo, tienes que desear la energía de sanación y purificación activada por el reiki. No te resistas ni la olvides. Debes estar dispuesto a recibirla en tu cuerpo y tu alma. Ya sea que estés limpiando o escribiendo un libro, asegúrate de no hablar. Esto se debe a que, como las canciones reiki son poderosas, prestarles atención garantiza aún más su efectividad. Además, beber agua después de una sesión reiki ayuda a la sanación energética. Al hacer todo esto, fortalecerás tu conexión con Miguel y él bendecirá todos tus deseos benévolos.

Capítulo 11: El Arcángel Miguel en la vida cotidiana

Aunque San Miguel es indiscutiblemente superior a los seres humanos, no se comporta como un jefe, un profesor, un dictador o un padre estricto. Las relaciones que formamos con Miguel o con cualquier otro arcángel son en general las más gratificantes y felices. De hecho, somos incapaces de formar un vínculo así con cualquier ser humano o animal. El arcángel Miguel es amable y humilde y busca enseñarnos cómo vivir la vida de la misma manera. Cuando interactúas con otras personas en tu vida, pídele a Miguel que te enseñe la mejor forma de tratarlas. Tal vez eres padre o madre, gerente, empleado o empresario. Miguel puede enseñarte cómo llegar siempre a una situación donde ambas partes se beneficien y la forma adecuada para hacer que los demás hagan ciertas cosas sin ser manipulador.

Tu vida romántica no debe estar exenta de los consejos de Miguel. Si descubres que tú y tu pareja pelean constantemente, pídele que te guíe. Tienes que saber qué batallas debes luchar con tu pareja y la forma exacta de afrontarlas. Ninguna relación dura muchos años sin pelearse en algún momento, pero Miguel puede enseñarte a enfrentarlo con amor, respeto y amabilidad. El arcángel también está gentilmente dispuesto a enseñarte sobre el perdón. Hay relaciones por las que vale la pena luchar. Sin embargo, puede ser imposible si no puedes superar el resquemor y la traición. Pídele ayuda a San Miguel; él te bendecirá con el coraje para perdonar los errores de tus seres queridos y también sanará las relaciones rotas.

También necesitarás la sabiduría angelical para saber si ya no es saludable continuar con una relación romántica. Permanecer en ese ambiente tóxico es invitar a las energías bajas de la ira, la depresión, la fatiga y la ansiedad a tu vida. Sin embargo, en estos casos no se puede confiar en el discernimiento humano. Tu decisión puede estropearse por tu falta de previsión, tu interés sexual incipiente por la otra persona y otros sesgos. Para asegurarte de que estás tomando las decisiones correctas, tienes que depender del juicio del arcángel Miguel.

¿Estabas limpiando el fregadero, se tapó y ahora no tienes idea de cómo solucionar el problema? Antes de buscar tu teléfono y preguntarle a Google, primero invoca a Miguel. Aunque parezca algo tonto, Miguel quiere involucrarse y ser incluido en cada momento de tu vida. Deja que él te instruya sobre cómo reparar el fregadero tapado o guiarte a la información adecuada en línea. Tienes que entender que nunca serás una molestia para San Miguel. Si la batería de tu auto muere camino al trabajo y estás a punto de caer en un espiral de autoodio y ansiedad, pon algo de música reiki y eleva una plegaria breve al arcángel. Acepta su sabiduría, paz y humor divinos en tu alma. Pronto te sentirás más relajado y feliz y comprenderás mejor cómo lidiar con ese asunto.

Es bueno que respetes y veneres al arcángel Miguel. Sin embargo, él quiere ser tu amigo, y los amigos comparten todo entre ellos, ¿no es cierto? Él quiere envolverte en sus alas cuando estás triste, reír contigo en los momentos divertidos de la vida y celebrar con tu alegría. Es un arcángel que quiere estar contigo en tus momentos más humanos. Tienes todo para ganar una vez que lo aceptes.

Conclusión

Cada viaje comienza con un deseo, pero es necesario tener determinación y valor para completarlo: dos virtudes que has demostrado tener al haber llegado al final de este libro. Pero no te detengas aquí. Permite que tu camino con el arcángel siga creciendo después de haber leído. Te aseguro que el amor, la luz y la fortaleza de Miguel siempre estarán contigo.

Con suerte, habrás resuelto cómo dejar entrar al arcángel a cada aspecto de tu vida. Ya sea que necesites ayuda para entrenar o tratar a tu mascota, reparar electrodomésticos, solicitar un empleo o tratar las emociones de tu pareja, Miguel estará a tu lado para ayudarte. Escríbele una carta y concentra tu energía para manifestar tus deseos, como has aprendido en este libro. Además, sintoniza las diferentes formas en las que él puede responderte. Bebe agua después de una sesión de reiki e intenta irte a dormir temprano. Cuida de ti mismo. Puedes volver a leer este libro las veces que quieras, cada vez que lo necesites. Te deseo lo mejor en este camino con Miguel.

Arcángeles: Jofiel

Jofiel: Explota de creatividad, aprende del pasado y aumenta tu belleza
(Libro 5 de la serie Arcángeles)

Angela Grace

Introducción

En medio de mi día ajetreado, me di cuenta de que tenía que solucionar algunos de mis problemas. Esto no solo mejoraría mi estado de ánimo, sino que me ayudaría a quitarme de encima el peso del muchas veces frenético mundo moderno.

Con la mente en calma y un incienso encendido, me encomendé. En mi mente, estaba en un campo rodeada de flores rosas y amarillas y el aire se impregnaba de un aroma de rosas y lavandas. Estoy sola, pero solo un instante, porque aparece una presencia divina con radiantes alas luminosas y una mirada pura, bañada de un rayo de luz dorada.

Estoy parada frente a la belleza de Dios, y debo admitir que estoy impresionada con este ser divino tan elegante y tan poderoso. Es una presencia bella y serena, pero la verdad es que la conozco, siento su poder dentro de mí y en la misma belleza que me rodea, y todo es como debería ser.

Es un ángel, es un viejo amigo, es un compañero, es un confidente.

Sus ojos tienen un brillo especial, firme y puro. Brillan como canicas del cristal más fino y resuenan con fortaleza y con un amor que ilumina mi alma y mi energía.

Es quien trae los mensajes que pueden sanar nuestra confianza y grandeza, que pueden guiar y empoderar, que pueden sanar y ayudarnos a redescubrir nuestra verdad.

Mientras yo estaba allí, disfrutando del magnífico jardín de flores rosas y amarillas, ella está bañada por la luz gloriosa. Con solo su presencia me siento renovada, revitalizada, como si me hubiera vuelto a descubrir después de una larga ausencia, como si todos los problemas y heridas del mundo se hubieran limpiado en un tranquilo arroyo.

Es el espectáculo más hermoso que he presenciado. Su gracia me abruma, pero me deja en claro que soy digna de compartir este momento con ella.

¿Pero quién es esta bella y gloriosa presencia? ¿Quién es esta musa alada cuya simple presencia me inspira la confianza para escribir una gran obra?

Su nombre es Jofiel, y ha llenado mi vida y mi alma con energía que me ha revitalizado y reencaminado y me permitió crecer más allá de los límites que me impuse en el pasado. Me ha enseñado a confiar, a amar, a mostrar compasión y a entender que, hasta en las situaciones negativas, existe una oportunidad positiva para aprender y crecer.

Y aquí es donde comenzamos: compartiendo la maravilla de su luz y las enseñanzas de su energía, cómo nos ayuda y guía hacia lugares mejores en nuestras vidas y cómo nos enseña a amarnos mejor a nosotros mismos y sanar las heridas de nuestra alma.

Jofiel es un arcángel, y al comunicarnos con él podemos crecer. Cuando nos conectamos con Jofiel aprendemos a amarnos a nosotros mismos, y cuando nos envolvemos en su sabiduría podemos comenzar a ver quiénes somos realmente.

¿Cómo es posible todo esto? ¿Cómo podemos valernos de sus enseñanzas y su poder divino? Por eso estoy aquí para ayudarte. Vamos a descubrirlo y aprender juntos.

Con la misma certeza con la que me habla, recibo sus mensajes en el mundo cotidiano y el mundo de los sueños, y es seguro que él también se comunica contigo.

Veremos que Jofiel ya está contigo, enviándote mensajes cada día, y todas las pequeñas cosas que puedes hacer, cambiar y adoptar para lograr una conexión divina mejor con el más hermoso de los arcángeles.

Cuando lleguemos al final de nuestro recorrido, vamos a revelar una verdad aún más grande, la respuesta a esta pregunta: ¿los arcángeles nos acercan a lo divino?

Capítulo 1: Jofiel, arcángel de la belleza

Su nombre es Jofiel. El arcángel de la belleza, la sabiduría, el entendimiento y el juicio.

Literalmente, su nombre significa "belleza de Dios", y en su presencia es fácil saber por qué. Al igual que la mayoría de los ángeles, puede manifestarse de diferentes formas. Él siempre es bello, radiante, amable y encantador.

Jofiel no solo es bello. Es, de hecho, el paraíso en forma física; un ser bello y radiante. Es un ángel al que le han dedicado poemas, y cuando soñamos con la belleza vemos apenas un destello de su gracia.

Sí, es imponente e impresionante, pero es más que solo su belleza. Es la belleza interna y la claridad interna en cada uno de nosotros. Es el momento en que vemos la belleza a nuestro alrededor y la entendemos a nivel espiritual.

Es la tranquilidad y la confianza silenciosa que cada uno tiene el potencial de descubrir, y él siempre está allí, motivándonos dulcemente a perseguir nuestra mejor versión.

Sin embargo, a diferencia de muchos de los arcángeles, no tiene que ser exigente. Es ese suave susurro, su toque de certeza que nos ayuda en nuestro camino, de donde proviene su fortaleza.

Jofiel y la sabiduría

Jofiel es un arcángel sabio y creativo, un aliado que nos ayuda a concentrarnos, nos muestra el camino más apropiado para nuestras almas, nos permite crecer y nos enseña a interpretar el mundo y sus energías como no podríamos hacerlo por nuestra cuenta.

Jofiel también usa su sabiduría tranquilizadora para enseñarnos a entendernos mejor a nosotros mismos, a nuestros amigos, parejas y relaciones, porque es un ser compasivo y amoroso. Él puede ayudarnos con nuestra propia compasión, no solo hacia los demás, sino también hacia nosotros mismos y nuestro entorno.

La amabilidad engendra más amabilidad, incluso cuando la acción en sí misma parece cruel, como terminar una relación de pareja. Sabemos muy bien que una relación puede volverse tóxica y, con su sabiduría, Jofiel nos enviará señales de que esa relación no nos sirve y puede estar dañando nuestra alma, y a estas alturas, lo mejor que podemos hacer es marcharnos.

Debemos recordar que, si alguien no busca nuestra compasión, puede resistirse a ella, y que aunque debemos tener compasión y estar disponibles el mayor tiempo posible, está bien alejarse, porque siempre podremos encontrarnos más adelante.

Se dice que Jofiel estuvo en el comienzo de la creación. Estuvo allí para bendecirnos con amor e integridad, pero también nos dio otro regalo.

Verás, Jofiel estuvo junto a las primeras personas y nos dio el don del lenguaje. Como el lenguaje es una parte tan importante de nuestro conocimiento e identidad, es un regalo que debemos apreciar siempre.

De esta manera, es evidente por qué Jofiel le dio tanta importancia a esta tarea. Con el lenguaje aprendemos a hablar, luego a escribir, a cantar, a crear y a jugar, y también a amar, a respetar, a cuidar y a comunicar.

Es un regalo poderoso que hemos recibido, un nivel de energía increíble que el arcángel impacta. Jofiel está en las canciones que cantamos, en la belleza propia de las palabras.

Debido a esto, no podemos negar su sabiduría y el conocimiento de nuestro reino. Él es quien le da un significado a las canciones y las historias, a través de las cuales se conecta con todos los aspectos de nuestro ser.

También por eso la música es considerada un lenguaje universal. Jofiel tiene influencia sobre los aspectos creativos de nuestro mundo, nos da inspiración y hace que la música resuene en todos nosotros. Incluso si la música es diferente o si está en otro idioma, aún así resuena.

La creatividad de Jofiel

Jofiel es el ángel patrón de los artistas, y nuestro lado creativo puede acercarnos a él y comenzar a sentirlo en todo lo que hacemos. Desde álbumes de recortes hasta cuadros, libros y canciones, Jofiel es esa musa compasiva y creativa en nuestras almas.

Cuando creamos y aceptamos nuestro lado artístico, podemos comenzar a construir esta relación. Intenta hacer algo de tiempo en tu vida para dibujar, escribir, tomar fotografías hermosas y acoger esos pequeños momentos de creatividad que pueden ayudarte a ver el mundo tan bello como él quiere que lo veas.

A medida que crece nuestro entendimiento de su amor por nosotros, lograremos ver lo importante que son el arte y la creatividad para Jofiel y para nuestra relación con él.

También podemos comenzar a usar la creatividad como una forma de acercarnos a él, de pedirle inspiración divina y su bendición en las cosas que creamos.

Cuando creamos algo con amor y belleza, estamos aceptando a Jofiel y permitimos a los demás que se beneficien de su amor.

Pequeños proyectos

Quizás piensas que no tienes ni una pizca de creatividad dentro de ti, así que es fortuito que la creatividad venga del alma. Todos somos capaces de crear; simplemente no nos damos cuenta hacia dónde nos lleva nuestra inspiración.

Los álbumes de recortes son un pequeño proyecto genial para comenzar en la búsqueda de tu creatividad. Los álbumes son un muy buen regalo para un amigo o un ser querido, sobre todo porque pueden desencadenar y desarrollar una conexión emocional.

Si los álbumes de recortes no son para ti, existen muchos otros buenos proyectos con los que puedes comenzar a sacarle el máximo provecho a la energía creativa de tu alma. Te daré un par de sugerencias que cualquiera puede probar para motivar su creatividad.

Un proyecto sencillo puede ser comenzar un diario. Es una idea genial por todo tipo de razones, pero sobre todo porque es muy flexible. Ya sea un álbum de recortes, un libro de recetas o un diario de tus memorias, puede llevarte a encontrar la forma más real de tu creatividad.

Otro favorito entre las personas creativas es cocinar. Las recetas simples son buenas y cumplen su cometido, pero probar comidas nuevas es un esfuerzo creativo que va mejor con quienes tienen almas más analíticas. Vemos sabores que nos gustan y que no y eso nos lleva a crear nuevos platillos.

Intenta dibujar, más específicamente, hacer garabatos. Deja que el bolígrafo se deslice y forme una figura, haz otra más, agrégale más detalles, y ahora usa otro bolígrafo. Esto no solo termina siendo artístico, sino también muy relajante.

Yo escribo, por supuesto. Es una forma de canalizar mi energía y, por consecuencia, la energía del divino Jofiel, la musa inspiradora, en las palabras que escribo.

Gracias a su inspiración se han escrito muchas grandes historias, y la narración se ha convertido en una de las partes más importantes de cómo las personas interpretan y lidian con el mundo a su alrededor.

Cada película, serie de televisión, libro o leyenda comenzó con palabras escritas, y las palabras tienen un poder inmenso. Esto es cierto sobre todo cuando escribimos sobre nuestra verdad emocional y espiritual. Nos ayuda a purificar nuestra alma de las malas energías, y como todos los esfuerzos creativos, nos permite canalizar ese poder en una buena vibración.

Capítulo 2: Un destello de color

A medida que sabemos más sobre Jofiel y sus influencias en nuestro mundo cotidiano, querremos saber cómo leer las señales que nos envía, las vibraciones y las energías que envía a través de nuestra chispa divina, la energía que nos une.

Todos los ángeles resuenan con los colores, los aromas y los sonidos, los cuales, a su vez, resuenan con nosotros en el plano espiritual.

Jofiel vibra con el color magenta y con los vibrantes y preciosos tonos rosas y durazno, pero su fuego es amarillo. Esta combinación de colores preciosos y brillantes es la razón por la que se representa a Jofiel en nuestro mundo con el aroma de las flores.

Esto, junto con su naturaleza apacible, lo convierte en la fuerza más tranquila entre los ángeles, pero sigue siendo una influencia fuerte y poderosa. Sus señales están a nuestro alrededor, y una vez que comencemos a entender cuáles son, podremos comenzar a ver lo que nos están tratando de decir.

A continuación, veremos algunos de los elementos que indican su presencia y algunas de las cosas que obtenemos de su presencia sin darnos cuenta.

Colores y aromas

Jofiel es la belleza de las flores; por lo tanto, ver una rosa puede ser una señal de que él nos está enviando un mensaje. Entender los mensajes que recibimos es una parte muy importante de nuestro recorrido.

Jofiel es el dulce aroma de las flores en el aire, de jazmín, de lavanda, de azahar. Estos aromas nos indican que él está cerca. Estos aromas, junto con los colores que combinan con ellos, significan que Jofiel te está enviando su amor y su energía.

Involucrarnos en estas cosas es una gran forma de dejarle mensajes e invitarlo a formar parte de tu vida más seguido.

Los colores rosa y amarillo también nos muestran que estamos recibiendo mensajes de Jofiel. Los atardeceres o los amaneceres radiantes y los colores que provocan reacciones como los de las flores pueden ser una señal para que estemos atentos a una oportunidad o un cambio.

Jofiel se comunica con nosotros a través de estas y muchas otras sensaciones hermosas y amorosas, como una intensa serenidad interior y momentos de calma profunda.

Confianza

Jofiel quiere que seas feliz y que persigas las cosas que te hacen feliz. Él puede hacerte sentir una persona más segura, más empoderada contigo misma y con tus habilidades.

Él puede ayudarte a ver el potencial dentro de ti que no sabías que tenías; un potencial de creatividad y compasión, de tranquilidad y asertividad. Jofiel te envía las señales para que veas dónde se encuentran estas energías y habilidades.

Un aroma seductor, una canción conocida, un amanecer en suaves tonos rosados o una fresca brisa en un día de estrés. Son señales de que estás haciendo lo correcto, que vas por el camino correcto.

Una sensación repentina de calma y confianza es señal de que Jofiel sostiene tu mano y te guía para superar eso a lo que le temías. Como en todo lo demás, la práctica ayuda muchísimo, pero esas primeras sensaciones de confianza repentina es energía que Jofiel te está enviando.

Inspiración

La confianza es solo una parte del proceso creativo. La inspiración es otra parte de lo que Jofiel nos envía. A veces, cuando soñamos dormidos o despiertos, nuestras mejores ideas surgen de la nada. Esa es la mano gentil de Jofiel, que corre la cortina de lo que tanto anhelamos ver o decir.

Cuando revela algo que nuestras almas desean expresar, algo que estaba oculto, Jofiel nos muestra que es el momento indicado para comenzar ese proyecto o ese cambio en nuestro estilo de vida.

La inspiración también puede ser algo físico, como ponerse en forma o salir a trotar. La inspiración es un mensaje de "lo desconocido" para perseguir algo que nos dimos cuenta que queremos. No hay ningún misterio, por supuesto; "lo desconocido" es Jofiel.

Esa fuerte convicción dulce y segura que sientes cuando te das cuenta de que sí puedes lograrlo es Jofiel hablándole a tu alma.

Fortaleza silenciosa

Habrá momentos en la vida en los que sentiremos la presión de lidiar con cantidades caóticas de información y de ruido. En esos momentos comenzaremos a ver realmente lo mucho que Jofiel nos apoya.

Jofiel es amor y sabiduría; es la esperanza que sentimos cuando estamos abrumados. Es la fortaleza que nos dice en silencio que todo va a estar bien.

Cada vez que tengamos dificultades, algo nos susurrará que somos capaces de lidiar con cualquier cosa que el mundo nos arroje. Esa voz apacible, reconfortante y casi paternal es la de Jofiel.

Su fortaleza es sutil y controlada. Es un dulce consuelo, y a diferencia de muchos de los arcángeles más vehementes, Jofiel está más dispuesto a ayudarte a sanar y a beneficiar tu esencia mientras aceptas y das amor a los demás.

Adopta esta fortaleza

Podemos aprender de Jofiel cómo adoptar una fortaleza más apacible y sosegada. Creer en tus convicciones debe estar en el centro de tus prioridades y ser valiente también es importante. Sin embargo, ser apacible es la prioridad máxima.

Habla abiertamente, con suavidad, tranquilidad y amor. Date tiempo para respirar, para disipar las reacciones emocionales, para sopesar todas las partes del mensaje que tienes que expresar y para decidir cómo quieres que sea escuchado.

Así es como Jofiel nos habla; nace desde su amor. Emplear esta técnica con quienes nos rodean es una habilidad importante que podemos aprender de él.

Capítulo 3: Gracia serena

Jofiel está siempre a nuestro alrededor y siempre estamos conectados con él. Podemos ver sus mensajes hasta en momentos en los que nuestra situación no parece ser dichosa. Él está ahí, sosteniendo nuestra mano o nuestro hombro, guiándonos dulcemente.

Podemos mirar con más detenimiento nuestras situaciones y comenzar a comprender en verdad el amor casi paternal que Jofiel nos envía y nos dice que todo está bien. Todo lo que debemos hacer es comenzar a observar sus enseñanzas. También podemos cambiar cosas en nuestro día a día y comenzar a aceptar las ideas de belleza que Jofiel canaliza en nosotros.

Esta es la gracia de Jofiel, el verdadero centro de su poder, eso que lo diferencia de los demás arcángeles. Las personas compasivas pueden ganar muchas discusiones usando la lógica y la sabiduría para contraargumentar la agresión y la ira.

La fortaleza silenciosa de la que te hablé se hace evidente una y otra vez en la forma en la que Jofiel se comunica con nosotros y en su influencia sobre nosotros.

Calma

Así como podemos encontrar la confianza en momentos de incertidumbre, podemos encontrar una calma repentina en momentos turbulentos. Todo esto es una señal de que Jofiel nos apoya cuando necesitamos su gracia.

Jofiel es apacible, amable, atento y compasivo. Es la voz interna que nos dice que debes hablar de lo que sientes que está mal. Él te mostrará cómo hacerlo con su semblante de calma y compasión.

Lo sentirás como una brisa ligera; en un susurro te dirá que puedes hablar con tu colega, tu amigo o tu pareja sobre eso que te molesta. Cuando aceptamos su manera calma y compasiva, podemos aprender a lidiar con cualquier problema con su fortaleza apacible que nos guía.

Jofiel es la calma repentina e innegable que nos invade en momentos en los que el ruido es demasiado fuerte. Sentimos el aire que entra por los pulmones y lo soltamos poco a poco. Esa es su influencia apacible que hace su trabajo sobre nuestro estrés físico.

Ahora, lo que debemos hacer es considerar cómo crear esa influencia apacible haciendo cosas para alimentar la calma en nuestras vidas.

Quiero compartir contigo una vieja frase que me parece importante en este momento: "una casa ordenada es una mente ordenada". No solo creo que esto es cierto, sino que sé que es uno de los mensajes que recibimos.

El desorden puede hacernos sentir abrumados. Tal vez Jofiel está diciéndonos que es momento de acomodar, de deshacernos de ese desorden y reorganizar nuestras vidas; no solo el desorden físico, también el desorden mental.

Podemos recibir ese mensaje a través de aromas y colores a nuestro alrededor, a través de indicios en nuestras vidas que hemos logrado comprender. Jofiel es un arcángel más apacible que la mayoría y sus formas no son tan audaces como otras. Es gracias a esa manera tan sutil que él puede enseñarnos su gracia.

Y en esta gracia podemos darnos cuenta de que esa pila de cartas viejas o esa biblioteca necesitan estar organizadas, ordenadas, para ayudarnos a limpiar nuestro espacio físico, y que podemos ordenar las cargas de las emociones negativas de la misma forma para ayudarnos a despejar nuestra mente.

Reorganizar una colección de libros o DVD, desempolvar los estantes, abrir las ventanas y tirar lo que sobra es un gran ejercicio que muchas personas ya hacen una vez al año y que a menudo se denomina limpieza general de primavera.

Deshacernos del desorden es algo que necesitábamos hacer como personas desde hace un tiempo. Este es un mensaje de Jofiel.

Honestidad

Jofiel no solo representa la belleza, también la honestidad. La integridad lo define casi tanto como el amor y la compasión que nos demuestra. Es una de las lecciones clave que podemos aprender de él, uno de los mensajes principales que quiere que conozcamos.

Si vamos a librar nuestra mente de las cargas de la negatividad, tenemos que saber que está bien dejar ir, porque esa energía no nos sirve, no es importante para nosotros. Esta honestidad es una de nuestras herramientas primordiales. Con ella decidimos lo que es importante para nosotros, lo que podemos aceptar y de lo que debemos desprendernos.

Esto puede lograrse con compasión y amor. Y junto con la honestidad, nos acercaremos más a Jofiel.

Aceptar esta honestidad le permitirá a Jofiel mostrarte las cosas que tanto anhelas y que tal vez ni siquiera has percibido. Ya sea algo físico o espiritual, él puede mostrarnos a través de su amor lo que nos falta en nuestras almas.

Gracia

La gracia es mucho más que la forma en la que nos movemos. La gracia es una idea de cómo caminamos, hablamos y pensamos sobre nosotros mismos, pero también de cómo tratamos a los demás.

Es la calma y la compostura, la amabilidad incluso a pesar de las dificultades. Es aplomo y honestidad. Es una parte importante de construir la mejor conexión con Jofiel que podamos tener.

Puede ser la gracia de saber cuándo intentarlo o cuándo decir adiós. Una de las formas más importantes de ser mejores personas y conectar con Jofiel es tener la gracia de ser amables con quienes no son amables con nosotros.

Disipa la ignorancia

En gran parte de sus mensajes de amor y consuelo se evidencia que Jofiel sabe que todas las personas son iguales y que nuestros cuerpos y almas son amados por igual por él y por Dios. Ignorar los sentimientos y las creencias de otra persona no es lo que Jofiel nos envía en su mensaje divino.

Él nos dice que amemos a quienes nos rodean, incluso cuando parece que esa persona no merece nuestra compasión. La simple verdad es que no somos quienes para juzgar a los demás. No es nuestro trabajo. Nuestro rol en esta vida es ayudar a tender un puente entre lo divino y lo humano.

Incluso quienes no quieren conocer la verdad de los arcángeles necesitan nuestro amor y apoyo; posiblemente son quienes más lo necesitan.

Capítulo 4: Bendiciones y sanación

Jofiel es bello, honesto y un ejemplo de integridad. También es un ser de sanación, y eso es una parte importante del proceso.

Tal vez tuviste problemas de baja autoestima, pero de repente te encontraste bañado de energía y pensamientos positivos. Esa es la palabra de Jofiel; él quiere que veas todas las bendiciones en tu vida cotidiana.

Jofiel quiere que te maravilles con una pintura o un libro, que te involucres en las cosas que te hacen feliz. Es el momento de calma repentina, de paz mental. En esos momentos Jofiel te envía mensajes de que está bien que te relajes y dejes ir la energía.

Este estado de sanación es una de las muchas bendiciones que Jofiel tiene para ti. Está bien enfrentar adversidades y sufrir estrés, todos pasamos por ello, pero Jofiel te daba la fortaleza para perseverar, para aguantar todo este tiempo. Él es quien te ayuda a sanar y descansar cuando lo necesitas.

Y no solo en el sentido físico, también en el sentido emocional. Cuando has atravesado un momento de tristeza remarcado por un momento de alegría y claridad profunda, es Jofiel quien te habla, te susurra que todo está bien y que vas a estar mejor.

Sus bendiciones son la tranquilidad y la gracia con la que encaramos un desacuerdo con una pareja o dejamos ir una vieja amistad que se ha estropeado. Es expulsar toda esa energía negativa de la tristeza y el sufrimiento y reemplazarla con una esperanza, amor y calma renovados.

Su sanación puede ayudarnos a relajar la mente y el cuerpo, a remover nuestro desorden espiritual de la misma forma en la que nos deshacemos de la basura física y aceptamos un nuevo comienzo, un nuevo capítulo.

Una gran forma de comprender las bendiciones que recibimos es escribir un diario, confiar nuestros pensamientos positivos en un lugar positivo para que nos queden como referencia. Una vez que hayamos aceptado nuestra energía creativa de Jofiel, podremos comenzar a hacer esto de una forma poderosa.

Confiar estos pensamientos positivos en un escape físico y creativo nos permitirá sanar y ayudarnos a entender mejor cómo Jofiel se comunica con y a través de nosotros.

De esta manera, podremos darnos cuenta de que somos, y siempre hemos sido, dignos del amor y la felicidad que buscamos en otros y en nosotros mismos.

Jofiel nos mostrará que cuando veamos nuestra belleza interior y despertemos la belleza exterior, esto tendrá un efecto en la energía positiva de quienes nos rodean. Esa es su bendición más grande.

Haz lugar para el amor

El amor propio y el amor de quienes nos rodean es una gran lección que Jofiel quiere enseñarnos y es crucial para nuestra capacidad de sanar. Jofiel quiere que sanemos y amemos. Para lograrlo, tenemos que hacer lugar para esas cosas en nuestras vidas.

Tenemos que entender que la gente tóxica en nuestra vida ocupa más lugar que nuestros seres queridos. Cuando decides ponerte primero a ti mismo y desterrar a estas personas, puedes hacer más lugar para las influencias buenas y amorosas con menos negatividad y drama.

Esto no solo es lo que necesitamos, sino que también puede ser el desencadenante para que esas personas negativas cambien. Cuando comencemos a ver a Jofiel como el sabio que es, nos usará para llevarle mensajes a quienes no están dispuestos a aceptarlos.

Mascotas

Aunque no sea obligatorio, pienso que las mascotas son una gran fuente de energía de calma y sanación porque son capaces de amar incondicionalmente. Cuando creamos un vínculo con ellas, comenzamos a entender realmente lo que es una conexión verdadera.

Pienso que las mascotas adoptadas son particularmente buenas para el alma si tienes en cuenta que estás ayudando a esa mascota a sanar un inconmensurable dolor emocional. Ese vínculo y compañerismo te ayudará a entender el mundo y ver la belleza de todas las cosas, incluso cuando tengas que enfrentarte a adversidades para llegar hasta allí.

Si conoces un refugio de animales local, participar como voluntario puede ser una labor increíblemente satisfactoria. Vale la pena tenerlo en cuenta, porque la compasión es una parte muy importante de nuestra conexión con Jofiel.

De nuevo, esto no es obligatorio, pero cuando aprendemos a amar y a sanar a los demás, tanto humanos como animales, aprendemos a amarnos mejor a nosotros mismos.

Sanación

Cuando nos hacemos daño, las heridas necesitan tiempo para sanar. Aunque esto es algo que podemos ver en un sentido físico, cuando sanamos a nivel emocional y espiritual no lo podemos ver, sino sentir.

Jofiel es un sanador. Está a nuestro lado y nos ayuda en el momento de relajar nuestra alma, ya sea mediante la meditación o la limpieza del espacio y las energías.

No me cansaré de repetir que también debemos hacer una introspección y permitirnos ser amados, perdonarnos por los errores que cometemos, dejar atrás la negatividad y comenzar a reconstruirnos bajo una luz puramente positiva.

Parte de sanar es soltar el pasado, y al principio puede resultar abrumador. Jofiel te ayudará y llenará tu vida de confianza y esperanza a medida que comiences a dejar ir las viejas heridas y el bagaje emocional.

Las desgracias no vienen solas

Una de las mayores dificultades de ser un ser espiritual es que las personas que nos rodean afectan nuestra energía. Quiero hablar ahora del dicho "las desgracias no vienen solas" y explicar cómo debemos lidiar con ello.

Cuando decimos que las desgracias no vienen solas, en realidad queremos decir que las personas tristes o enojadas se sienten mejor cuando perjudican el estado de ánimo y la energía de quienes las rodean. Les hace felices hacer sentir a otros tan mal como ellas se sienten.

Es algo que vemos todo el tiempo como sociedad, y como seres espirituales, es delicado lograr ese equilibrio entre ayudar a los demás y no dejar que perjudiquen nuestro estado de ánimo.

Te sugeriría que siempre intentes ayudar a la persona en primera instancia, pero con amor y compasión. Si la rechaza, da un paso atrás, recarga tu energía y luego regresa con esa persona. Deja una puerta abierta en caso que alguna vez necesite tu ayuda.

En este momento te recomendaría que siempre te pongas a ti y tu energía primero. No puedes ayudar a quienes no están dispuestos a aceptar tu ayuda. Cuando dejas en claro que estarás listo cuando ellos lo estén, puedes conservar tu energía y mantener una sana distancia.

Las situaciones tóxicas existirán siempre, pero eso no quiere decir que debemos dejar que nos afecten. Es cierto que podemos estar expuestos a la negatividad, pero aprender a sanar es aprender a manejar situaciones como esta.

Piénsalo de este modo: tienes que sacar una comida del horno y te quemas el dedo por accidente. La próxima vez que saques algo del horno, te asegurarás de estar protegido. Debemos hacer casi lo mismo para ayudar a quienes tal vez no desean nuestra ayuda.

Capítulo 5: Embellecimiento

Nuestro hogar es la representación física de nuestra verdadera esencia, y en ocasiones, el desorden se interpone. Esto no es lo único en nuestras vidas que tenemos que cambiar para sentirnos más en calma y rodeados del amor de Jofiel.

El embellecimiento es la acción de hacer algo más bello, más original, o de simplemente remover el desorden. Podemos comprometernos a embellecer algo para acercarnos más a Jofiel.

Puede ser algo sencillo, como mover los muebles, para permitir que el aire y la energía fluyan con más facilidad en nuestro hogar. Podemos redecorar, reorganizar e incluso restaurar objetos.

Tomar algo viejo y amado y darle una nueva vida es lo mismo que sanar. Cuando haces algo así, atraes más a Jofiel a tu vida y logras un mayor entendimiento de la belleza que él ve en nosotros.

Puede incluso significar vestirse de una manera más acorde a nuestra verdadera esencia, aceptar la confianza que Jofiel ha impuesto sobre nosotros y la gracia que recibimos de su energía.

Pequeñas cosas que puedes intentar

Uno de los actos más reconfortantes es la restauración, la sanación de un objeto. Sé que a Jofiel le gusta sanar e inspirar la creatividad, así que puedes probar comprar un viejo escritorio, lijarlo un poco y volverlo a pintar, o comprar una silla vieja y recuperarla.

Cuando incorporas colores radiantes y preciosos y vibrantes tonos rosados, atraerás la energía de Jofiel al objeto y a la habitación que la contiene. La restauración te permitirá bendecir ese objeto o lugar con su amor y su energía.

Recicla algunos libros antiguos o dale un nuevo uso a objetos viejos, como transformar una vieja regadera de jardín en una maceta. Todas estas pequeñas salidas creativas que embellecen tu hogar y tus espacios te ayudarán a contactar la energía positiva de Jofiel.

En la práctica china del *feng shui*, el dueño de casa organiza el hogar de manera tal que la energía puede fluir a través de él con más facilidad. Esto se hace a través de fórmulas, ángulos y un compás especial.

Organizar tus muebles de manera cómoda es algo que puedes hacer para que tu hogar se vea hermoso y acogedor. Por lo tanto, investigar sobre el *feng shui* puede ser una forma divertida de ampliar tu conocimiento.

Embellécete

Eres una persona hermosa, tal como deberías ser, y la mayoría del mundo te contempla como la hermosa persona que eres. Aunque sé que tal vez no siempre te sientes así, la verdad es que no has aprendido a aceptar tu belleza.

Quizás los confines de un vestido normal te resultan incómodos. Jofiel te guía hacia un estilo que te da vergüenza probar, pero acéptalo, acércate a lo que te hace quien eres. Sé la versión bella y empoderada de ti mismo que Jofiel ve; él te enviará las señales.

Puedes sentir un cosquilleo en la espalda cuando veas un par de zapatos o un tapado en particular. Ese es Jofiel, que te está diciendo que está bien que compres esa prenda, que aceptes esa parte de ti.

Otra cosa que debes tener en cuenta es que los demás quizás solo ven cómo te contienes, cómo contienes tu energía. La energía nerviosa y caótica es como estar cerca de una obra en construcción. Todo ese ruido y esa energía son poco favorecedores y hace que quienes están rodeados por esa energía no aprecien lo que ocurre.

La confianza apacible y silenciosa es la personificación de Jofiel, y aprender a canalizar la energía nerviosa en un aura de calma y paz es una herramienta poderosa. Todo este tiempo es Jofiel el que te alienta a hacerlo.

Una vez al día, párate frente al espejo y dite a ti mismo que eres fuerte, que eres apacible y que eres una persona hermosa. Adúeñate de ello y pronto sabrás cómo te sientes; la forma en la que los demás responden a ti comenzará a cambiar.

Embellece tu hogar

Mantener la casa ordenada es una cosa, pero algo totalmente diferente es hacer que tu hogar se vea bello. Crear un espacio de calma con un buen flujo de aire y energía es solo el primer paso.

Añadir plantas que dan un toque de color y decorar con piedras y colores que iluminan y energizan el hogar hará que tu casa rebose de positividad.

Sacar los muebles que no necesitamos, poner velas, colocar luces más suaves o cortinas más claras, cambiar el papel tapiz o volver a pintar las paredes son pequeños cambios a la forma en la que se ve y se siente un hogar. Pueden atraer la belleza al hogar y hacerlo más relajante, por lo que seremos más sensibles a las vibraciones positivas.

Mencioné anteriormente el *feng shui*, pero otro estilo de proyecto para mejorar el hogar del que me gustaría hablar es el minimalismo. Este consiste en solo conservar las cosas imprescindibles y tener tan pocos colores y objetos como sea posible en el espacio del que haces uso. De esta forma, reduces el ruido y el desorden del espacio y permites que la energía y el aire circulen con mayor libertad.

Este es un enfoque visualmente simplista; sin embargo, sé que este estilo de decoración no es para cualquiera. Vale la pena echarle un vistazo e investigar si quieres mejorar tu hogar, sobre todo si está abarrotado.

Las cosas que decimos

Ser una persona hermosa es una cosa, pero ser amable es algo completamente diferente. Uno de los conceptos centrales del amor angelical es el amor incondicional hacia todas las personas por igual. Por lo tanto, hablar o tratar a alguien de una manera diferente a esta no es la intención divina.

La forma en la que hablamos y las palabras que usamos son la forma en la que los demás nos conocerán. Si somos personas crueles y deshonestas, ten la certeza que recibiremos más de lo mismo. Si dices cosas positivas y tus palabras son sinceras y nacen del alma, la energía de esas palabras será sincera.

Esta también es la verdad de los mensajes que recibimos. Solo podremos aceptar la verdad si estamos listos para escucharla. Por eso, cada vez que Jofiel nos habla, sabemos que nos está diciendo la verdad, porque todos sus mensajes están envueltos en amor y compasión.

El amor y la compasión son la forma en la que debemos tratar a los demás y la forma en la que debemos hablarles. Una vez que te das cuenta de que sencillamente esta es tu forma de ser, te volverás más receptivo a la positividad que te rodea.

Elegir cuándo decirlo

Una situación que ocurre muy seguido en este mundo moderno es cuando una persona amable intenta ayudar a alguien que lo necesita, pero ofrece su ayuda de una manera demasiado entusiasta. Es una verdad que debemos prepararnos para entender; que no todo el mundo está verdaderamente listo para aceptar la ayuda de los demás.

En ocasiones, nuestras mejores intenciones pueden conducir a reacciones negativas de quienes simplemente no están en el mejor momento de su recorrido como para aceptar nuestra ayuda o incluso saber que la necesitan.

Está bien ofrecerle a alguien una invitación para charlar o escucharlo con atención y compasión si lo necesita, pero asegúrate de seguir la guía de Jofiel. Espera el momento adecuado y abórdalo con la energía correcta.

Algo que debes tener en cuenta es qué tan emocional es la persona. Las personas tristes o extremadamente furiosas pueden reaccionar de mala manera ante la ayuda que uno les ofrece, incluso si es justo lo que necesitan.

No se trata de lo que dices

Jofiel no es riguroso con sus mensajes, y existe una razón detrás de ello. A veces puedes decir algo que es cierto, pero lo dices de una manera muy brusca. Recuerda la frase: "no se trata de lo que dices, mas bien de cómo lo dices".

Esto quiere decir que, a pesar de que lo que digas es verdad, la persona a la que le estás hablando quizás no quiere oírlo de esa manera. Así como Jofiel es amable con nosotros y nos guía hacia las respuestas en nuestros propios términos y nuestros propios tiempos, tenemos que aprender a guiar a los demás hacia su propia verdad sin ser demasiado contundentes.

Incluso si lo que quisiste decir es la verdad que necesitaban oír, debemos entender que a veces la verdad duele.

Lo asociaría con beber café cuando está demasiado caliente. Vas a tomar el café de todos modos, eso es seguro, pero vas a quemarte la lengua. Si esperas el momento adecuado, o si preparas el café y le das tiempo para que se enfríe, disfrutarás mucho más esa taza de café.

Capítulo 6: Meditación de la piedra magenta

Nuestro mundo físico no es lo único que debemos tener en cuenta cuando pensamos en lo cansados o estresados que estamos.

A veces el desorden está en nuestro interior, y la única forma de ordenarlo es centrar la energía y encontrar momentos de meditación en los que podamos aprovechar el poder y la gracia de Jofiel. Una vez que lo hagamos, podremos invocarlo de verdad y hacer lugar en nuestras vidas para más de su influencia positiva. Seguro te preguntas, ¿cómo puedo hacerlo?

Podemos hacerlo de varias maneras. Quiero que incorpores a tu día a día estos métodos, estas pequeñas formas de crear esa energía como escudo y faro de tranquilidad.

La primera forma de asegurarnos de que nuestras prácticas de meditación funcionen es ubicar en el espacio cosas que necesitaremos, como un lugar cómodo para sentarse y un asiento o colchoneta cómodos, de preferencia en tonos rosados o amarillos, como hemos visto anteriormente.

Luego incorporaremos aromas como incienso, sándalo, rosas, jazmín o incluso lavanda. Estos aromas preciosos y relajantes son indicadores de su gracia, así que, al usarlos, nos sentiremos más cerca de Jofiel en nuestra meditación.

Cuando reservamos un espacio y un tiempo para nuestra meditación, se volverá parte de nuestra rutina de superación personal y contemplación. La meditación es importante para pensar en lo que queremos y remover lo negativo de nuestras vidas, pero ¿cómo podemos aprovecharla al máximo?

Reiki de la piedra rubelita

La piedra más asociada con Jofiel es la rubelita, una piedra rosa brillante infundida de una energía que eres capaz de absorber.

Estas piedras no solo te permiten sentir más energía; ellas tienen el poder de mejorar nuestras decisiones, porque las llenan de positividad y amor. Cada vez que veamos al reiki como energía de sanación, debes tener en cuenta los tipos de energía involucrados, y estas piedras son el equivalente ideal de Jofiel.

Tener el lugar adecuado y las piedras adecuadas son solo parte del proceso de sanación y meditación, pero lo más importante es nuestra mentalidad y entender cómo podemos afectarla.

Lo primero que debemos hacer cuando despejemos nuestras mentes del desorden antes de comenzar a meditar es respirar. Jofiel es apacible y amable, así que te ayudará tomar aire de forma tranquila y pausada por la nariz y soltar por la boca con los ojos cerrados.

Es mejor relajarnos antes de comenzar a poner música o encender un incienso, porque esto permitirá que nuestra mente se despeje y se vuelva más receptiva al nuevo amor y la energía.

Música

El gusto musical es algo muy personal, y eso está bien. La música debe relajarte. A pesar de que la música clásica e instrumental sea más relajante para otras personas, tal vez las armonías vocales y los ritmos alegres funcionan mejor para ti. Está muy bien, Jofiel no te juzga; él entiende que la parte creativa de nuestras almas es un poco diferente en cada una de ellas. Sabe que la sidra de una persona es el vinagre de otra y nos ama a todos por igual.

Encuentra la música que resuena con tu alma; escúchala, canta al compás, o siéntate con los ojos cerrados y siéntela. Deja que las vibraciones de la música resuenen en tu alma.

Si la música te hace llorar, permítete llorar. Hasta esta tristeza pasajera es un momento de belleza intensa. Es algo que tu alma necesita vivir, una experiencia que te unirá más a Jofiel, el arcángel del amor, la belleza y la compasión.

Plática

Una de las mejores formas de expulsar toda negatividad, ya sea de una pareja, un colega o una situación, es hablar sobre ello o escribirlo.

Sacar la energía negativa de tu cuerpo es una parte tan importante de la sanación y la meditación que buscar la manera de expresarlo de forma positiva solo puede ayudarte a sentirte mejor.

Esto también ayudará a tus parejas, compañeros de trabajo y amigos a entenderse mejor a sí mismos. Esto les ofrece la oportunidad de dar rienda suelta a su propio bagaje tóxico en un lugar de confianza y amor que los ayudará a aceptar su propia sanación.

Caminatas

Una de las formas más simples pero más efectivas de aliviarnos es caminar. Planea una visita a un parque o un santuario animal de la zona. Tomarse el tiempo de escapar de los rigores de la vida moderna con una caminata es increíblemente gratificante.

Explorar el mundo a nuestro alrededor es una gran forma de disfrutar de toda la belleza, los aromas y los colores que experimentamos con Jofiel como nuestro guía.

Esta puede ser una gran forma de ponerse en forma física y quitarnos el peso mental del estrés de la vida moderna, sobre todo si caminamos para permitir que nuestras almas alivien toda la tensión, si hablamos con una pareja o un amigo o si escuchamos música relajante.

Pasatiempos

Realizar pasatiempos en grupo es una gran forma de conocer personas con las mismas pasiones y la misma energía que tú. El pasatiempo en sí mismo puede ser terapéutico, porque te permite concentrarte solo en una cosa y hacer a un lado todos los demás pensamientos.

Este es exactamente el tipo de habilidad que la influencia de Jofiel puede inspirar en ti. Su inspiración puede llevarnos a buscar la compañía de personas que piensan como nosotros y abrirnos más al mundo a nuestro alrededor.

Los pasatiempos pueden variar, desde coleccionar estampillas hasta tarjetas clásicas de béisbol, desde pintar un lienzo hasta tejer una manta. Aceptar algo que te hará feliz es todo lo que Jofiel quiere para ti.

Si quieres asociar a Jofiel con un pasatiempo, colecciona piedras de rubelita u objetos rosas o amarillos. Esto te permitirá tener nuevas cosas para explorar y coleccionar y a la vez mostrar una profunda apreciación por Jofiel.

Chakras

Nuestros cuerpos tienen chakras en diferentes ubicaciones. Estas son las áreas desde las que recogemos la energía, ya sea en nuestro corazón, nuestra mente o incluso nuestras voces. Son las partes de nuestra alma que absorben el poder, la confianza y la energía del mundo que nos rodea.

De todos los puntos del chakra en nuestro ser, los dos que más resuenan con Jofiel son el chakra del loto de los mil pétalos y el chakra de la coronilla, el cual es el chakra de la mente. La liberación que Jofiel puede traer a esta parte de nosotros ilumina e instruye y nos permite entender las cosas con más claridad.

La otra parte de nuestro chakra que Jofiel puede afectar es el plexo solar, la energía en nuestro centro y nuestra respiración. Esto nos permite relajarnos y a su vez permite que el cuerpo y la mente se abran al mensaje de Jofiel.

De esta manera, él nos ayuda a ver nuestra mejor versión, la más elevada, nuestra forma encendida por la llama de la sabiduría. Esta parte de nosotros mismos nos permite sentir más claramente la intención de su mensaje y entender con más profundidad nuestros deseos más verdaderos.

Nuestros chakras son nuestra misma energía, y aceptar esta energía es increíblemente importante. Como Jofiel es un sanador del espíritu, no podemos dejar de destacar su capacidad para sanar nuestro chakra.

Aprende a meditar

En esta sección veremos cómo meditar con Jofiel y cómo acercarnos a él a través de la meditación. Esta será una meditación corta y agradable que te permitirá sentir mucha más calma y centrar tu energía y tu alma.

La primera etapa siempre será hacer lugar para tu meditación. Puede ser una habitación específica de tu hogar, pero debe estar libre de desorden y debe haber libre circulación de aire.

Para organizar el cuarto, necesitaremos aceites esenciales o incienso. Rosa o lavanda son ideales, porque son esencias que asociamos todo el tiempo con Jofiel.

La música suave y relajante debe estar en un volumen más bajo que el de la voz. Algo instrumental y reconfortante es ideal, pero las vocalizaciones suaves también funcionan.

Lo que queremos es mantener la mente clara y despejada. Una vela perfumada color rosa o con hojas doradas puede ayudar a capturar la energía de la habitación.

Una vez que hayas realizado todos estos ajustes en tu espacio, es momento de comenzar. Primero, siéntate de piernas cruzadas y espalda recta en una colchoneta o almohadón. Respira por la nariz; inhala de forma prolongada y profunda para inspirar las fragancias.

Suelta el aire por la boca, de forma lenta y calmada. Cierra los ojos y abre las manos, con las palmas mirando hacia arriba.

Deja que el esternón se expanda y contraiga por completo. Recuerda respirar profundo ese aire purificador y exhala lentamente, casi con los labios cerrados. Reduce el ritmo de tu respiración y asimila nada más que la música relajante.

En un calmo susurro, háblale suavemente a Jofiel. Dale las gracias por la belleza que nos comparte y por su amor y sabiduría. Pídele unirse a ti y permitirte llenarte de su amor y su guía.

Respira de forma lenta y profunda y deja salir el aire de forma lenta y calmada. Cierra los ojos pero no los fuerces; relaja los antebrazos sobre tus piernas cruzadas.

Repite de forma tranquila y relajada: "Gracias, Jofiel, por tu cálida belleza, tu sabiduría honesta y tu guía apacible. Gracias, Jofiel, por tu amor y por permitirme compartir tu luz contigo".

Cierra los ojos y toma aire por la nariz, lenta y profundamente, para inhalar las esencias de su gracia. Exhala por la boca. Deja que tu energía viaje más allá de tu cuerpo físico.

Repite una vez más, de forma tranquila y relajada: "Gracias, Jofiel, por tu cálida belleza, tu sabiduría honesta y tu guía apacible. Gracias, Jofiel, por tu amor y por permitirme compartir tu luz contigo".

Cuando te sientas más relajado, extiende los brazos hacia delante y, cuando tomes aire, junta tus manos. Dobla los codos y lleva las manos hacia tu pecho, palma con palma, hasta que los pulgares toquen tu pecho.

Suelta el aire lentamente y extiende las manos lejos del pecho. Deja que la energía física y emocional escapen poco a poco.

Cuando vuelvas a extender tus brazos por completo, inhala lentamente, vuelve las palmas hacia arriba y repite de forma tranquila y relajada: "Gracias, Jofiel, por tu cálida belleza, tu sabiduría honesta y tu guía apacible. Gracias, Jofiel, por tu amor y por permitirme compartir tu luz contigo. Estoy listo para ser uno con tu gracia".

Ahora, poco a poco, abre los ojos suavemente, relaja los hombros y la espalda, respira por la nariz y suelta el aire por la boca.

Mientras descruzas las piernas y estiras tus manos hasta los dedos de los pies, permítele a tu mente este momento para volver a concentrarse. Apaga las velas, apaga la música y vuelve a tu rutina del día con más vitalidad y el amor de Jofiel renovado en tu alma.

Capítulo 7: Sueños y vibraciones

Los sueños son una parte muy profunda e increíblemente compleja de quienes somos. Sirven en parte como un mensaje del mundo espiritual y como nuestra interpretación de los eventos y, como tales, son una parte infinitamente poderosa de nuestra mente.

Son algo que no entendemos del todo, que contienen información sobre nosotros que tal vez no conocemos.

Se sabe que Jofiel tiene influencia sobre nuestros sueños. Tal vez tienes problemas para resolver algo, ya sea una relación personal o un problema con el estudio o el trabajo. Así que, naturalmente, cuando sueñas, estás intentando darle sentido a esas preocupaciones en el estado de inconsciencia.

Esto es algo normal y bueno para ti. La mente se conecta con los arcángeles y recibe sus mensajes.

Si percibes tonos rosas o amarillos en tus sueños, es el mensaje de Jofiel que te dice que lo que estás viendo es algo que necesitas aprender y poco a poco te llevará a comprender cómo superar este obstáculo.

Si ves una montaña cubierta de un radiante color magenta o dorado, podría ser Jofiel que te dice que ese es el camino, que lo recorras, y que te asegura que el destino valdrá el camino cuesta arriba.

Si sueñas con algo que te hace sentir confiado y tranquilo, ese es Jofiel que te dice que está bien desear y perseguir ese sueño, que está bien ponerte a ti y a tus necesidades primero. Se trata de amor propio, una gran parte del mensaje de Jofiel para nosotros.

Los sueños son una parte tan profunda e importante de nuestras mentes y almas que escribir un diario de sueños puede ayudarte a ver patrones y descifrar sus significados.

Sueños lúcidos

Los sueños lúcidos es la acción de meditar antes de un sueño, una forma de reprogramar nuestra mente para poder controlar nuestros sueños e interactuar con ellos.

Mediante las técnicas del sueño lúcido, podemos enviarle mensajes a Jofiel en un estado de inconsciencia y hacerle preguntas o pedirle consejos. Él podrá mostrarnos cosas en nuestros sueños que no estábamos esperando.

En los sueños lúcidos, evocamos recuerdos, aromas, sabores y colores. Estas cosas nos permiten entrar en un lugar de nuestra mente en el que podemos dirigirnos a Jofiel de manera directa con nuestras preguntas.

Una vez que hayamos hecho la pregunta, no debemos resistirnos a aquello que se nos muestra. Es el mensaje divino del mismísimo Jofiel, una guía calma y apacible mediante la cual encontraremos nuestro camino o saldremos en busca de algo totalmente nuevo.

Esto puede sonar abrumador, pero no solo es algo posible, sino que tiene detrás mucha investigación científica moderna.

Sueña despierto

Algunas de las personas que te rodean podrán decirte que no sueñes despierto, pero esos sueños son mensajes. Son importantes para nuestra alma y, al igual que nuestros sueños regulares, están colmados de mensajes, sobre todo cuando esos momentos están precedidos o seguidos de momentos de calma o aromas de rosa y lavanda.

Estos son mensajes de Jofiel, que se acerca a nosotros y nos pide que escuchemos y que prestemos atención a lo que nos rodea. Él nos alienta a aprovechar ese momento, esa oportunidad, o incluso esa relación.

Ese es Jofiel, que con su sabiduría te dice que todo va a estar bien. Solo tienes que confiar en él y en los mensajes que te envía.

Vibraciones

La energía de todas las cosas vibra con nosotros, y esto puede conducir a muchos efectos positivos, a una energía mejorada y a la sanación emocional y espiritual. Si podemos rodearnos de la energía y las vibraciones correctas, podremos aprovecharlo al máximo.

Parte de ello es observar la energía de los demás. Si ves una persona que es combativa y negativa, la mejor estrategia es alejarnos de su influencia y contraatacar esta energía con amor y comprensión.

Tenemos que entender que, incluso cuando sentimos que existe una posibilidad de que haya influencias negativas, podemos convertirlas en algo positivo si estamos preparados para alejarnos de situaciones que no nos sirven.

Estas vibraciones negativas y tóxicas pueden dañar nuestra energía, por lo que debemos protegernos lo mejor posible. Si no es posible protegernos o cambiar la energía al ayudar a esa persona, tenemos que apartarnos.

Somos bendecidos con el don del amor cada día y estamos bañados por la luz de Jofiel, quien siempre nos asegura que remover lo negativo es algo bueno porque nos ayudará a crecer.

Capítulo 8: Comunicación y paciencia

Recibimos mensajes todo el tiempo de los arcángeles a nuestro alrededor, incluso Jofiel, quien nos conduce a percibir colores o aromas específicos. ¿Es esa comunicación entre ambas partes una responsabilidad mutua?

Habrá momentos en los que querremos comunicarnos con Jofiel para pedirle su ayuda y su guía, hacerle preguntas directamente y pedirle que venga a nosotros.

Nos tomaremos unos momentos para ver las formas de comunicarnos con él, de atraerlo a nuestras vidas y de absorber su gracia y energía. También lograremos ver que Jofiel ya está ahí, listo para guiarnos suavemente y ofrecernos su ayuda y sus consejos.

Lo más increíble es que este proceso no es tan complicado como crees. Como veremos, Jofiel no sólo quiere comunicarse con nosotros, sino que siempre está listo para recibir nuestro mensaje. Entender esto es una parte importante de aceptar su amor.

Escribe una carta

Cuando queremos darle las gracias a alguien en el mundo moderno, enviamos un correo electrónico o una tarjeta virtual. En épocas más antiguas, hubiéramos enviado cartas o postales. No existe un *email* para mantenernos en contacto con los ángeles, pero sí podemos escribir una carta.

Cuando escribamos la carta al arcángel, es necesario tener en cuenta su elemento. Jofiel es el elemento del aire. En breve hablaremos de por qué es importante, pero primero, ¿cómo le escribimos una carta a Jofiel?

Puede parecer algo raro al principio, pero es importante que uses papel y bolígrafo, o un lápiz si prefieres, porque debes escribir a mano.

Escribimos cartas a mano a los arcángeles para demostrarles que la hemos escrito con sinceridad y cuidado. Debemos sentarnos en un espacio de relajación y usar la rubelita y las esencias de rosa o lavanda para canalizar toda esa hermosa energía que tenemos.

Luego despejamos nuestra mente y nos presentamos, decimos quiénes somos, nuestro nombre completo y saludamos. Tenemos que agradecerle a Jofiel por sus bendiciones y su amor.

De aquí en más, puedes escribir la carta como si fuera para un amigo o un familiar: con amor, compasión y sinceridad. La carta puede incluir un pedido de guía o de ayuda para nosotros mismos o para alguien más.

Pedimos este favor de forma amable, como lo harías con un padre, madre o hermano; sin suplicar, sin implorar. Jofiel te ama y te aprecia, y no pide nada más que respeto, así que no tiene que ser una carta compleja y suplicante.

Después le damos las gracias a Jofiel por ayudarnos a nosotros y a quienes nos rodean, por nuestra carta y por la inspiración que nos dio para escribirla. Le agradecemos sus regalos de amor y compasión. Luego debes quemar la carta. Por último, como Jofiel es del elemento aire, busca un lugar donde puedas tirar al aire las cenizas.

Cuando escribimos, pedimos la ayuda de Jofiel y a la vez mostramos nuestro aprecio por los dones de la belleza y el amor que recibimos de él en nuestra vida cotidiana.

Sin embargo, no debes preocuparte si no recibes una respuesta de inmediato. Tal vez la pregunta que has hecho siempre es respondida. Quizás, en su sabiduría, Jofiel tiene un plan más grande, un plan que todavía no podemos ver.

Si no quieres deshacerte de la carta, otra cosa que puedes hacer que se transformará en un ejercicio creativo es comprar una caja de madera de sándalo. Coloca dentro de la caja un poco de lavanda seca, cubre la caja con fieltro amarillo, rosa o color durazno y pinta el exterior de la caja del mismo color.

También puedes decorar la caja con el nombre de Jofiel o con una piedra rubelita. Luego solo debes colocar tu carta dentro de la caja. Esto atraerá a Jofiel a la carta y te permitirá conservarla si lo deseas.

Conversación

Escribir una carta es una cosa, pero conversar es otra forma de abrir esa comunicación, más específicamente, a través de las plegarias.

Jofiel es amor e integridad, así que rezarle a él con fuego en nuestros corazones y un deseo honesto que encienda esa llama lo hará mucho más fácil. A diferencia de una carta, debemos hablar con claridad y convicción y dirigirnos a él directamente.

"Querido Jofiel" es una buena forma de comenzar la plegaria, y con ese fuego de puro deseo en nuestros corazones, podemos mostrarle a Jofiel que estamos hablándole a él. En esos momentos, comenzaremos a sentir su gracia y su mensaje.

Paciencia

Habrá momentos en los que no veremos mensajes de Jofiel; es completamente normal. La verdad es que no siempre estamos listos para ver los mensajes que se nos envían.

Lo asocio con las personas que intentan convencer a otras que están equivocadas sobre el "mejor álbum de todos los tiempos" cuando simplemente no están abiertas a esa discusión y bloquean cualquier conversación que intentes tener antes de dar tu opinión.

Cuando sentimos que no estamos recibiendo mensajes, tal vez nuestra mente y energía se han cerrado a lo divino. Podemos meditar y seguir todas nuestras prácticas y rutinas diarias, pero no recibimos nada. En esos momentos, es importante mantener la calma y ser optimista y receptivo.

Es probable que exista una influencia que no hemos percibido o un estrés subconsciente que no podemos despejar. Mantente abierto y Jofiel estará ahí para ayudarte a liberar ese bloqueo.

La paciencia y la calma nos llevarán a la sanación que necesitamos para comenzar a recibir esos mensajes de nuevo.

Tal vez esta sea la razón por la que decimos que "la paciencia es una virtud" y, por supuesto, la vieja frase "las cosas buenas llegan a quienes las esperan". Sabemos que, en este mundo, hay un tiempo para esperar y un tiempo para actuar.

Entender el poder y la importancia de la paciencia solo nos traerá beneficios. Cuando entendamos que el momento correcto llegará cuando en verdad sea el momento correcto, podemos aprovechar la felicidad.

Capítulo 9: Belleza exterior

Si alguna vez has escuchado la frase "detente y huele las flores", esta es una forma muy buena de mostrar apreciación al arcángel Jofiel en la vida real.

La belleza no solo está en el interior o en lo humano. Está a nuestro alrededor. Incluso ahora el cielo es color azul brillante y, a medida que se pone el sol, a veces vemos tonos rosas y amarillos radiantes.

Podemos apreciar las hermosas flores de primavera, los vibrantes colores llamativos del verano, los tonos marrones y anaranjados del otoño y la nieve inmaculada del invierno.

Hay belleza en todas partes, y parte de hacer tiempo para el amor es hacer tiempo para visitar la belleza exterior que nos rodea, desde los zoológicos, las playas y las ferias hasta los campos rebosantes de flores.

Jofiel quiere que disfrutemos de la belleza natural del mundo que nos rodea. Quiere que la aceptemos, la amemos y la cuidemos.

Quiere que visitemos edificios y murales antiguos, que vayamos a conciertos y obras de teatro. El arte es una expresión de amor por Jofiel tanto como el florecer de una rosa.

Hablamos anteriormente de las caminatas; este es realmente el momento adecuado para emprender este camino de descubrimiento de la belleza exterior. Puedes visitar reservas naturales y antiguas bibliotecas. Puedes visitar y tomar fotografías de incontables playas y tantos atardeceres como puedas.

El cielo nocturno está lleno de un sinnúmero de estrellas y la gran luna brillante. Todos estos son momentos de belleza que podemos usar para aceptar la tranquilidad y la paz.

Iglesias

Aunque parezca obvio, nuestras almas tienen una necesidad profunda de visitar lugares de adoración, sobre todo en momentos turbulentos en nuestras vidas.

Acudir a un lugar de adoración divina es algo que puede acercarnos a esa divinidad, pero también nos da un momento y un lugar para reflexionar.

Las iglesias son la casa del Señor y de los arcángeles. Ellas pueden permitirte orar con la energía de lo divino a tu alrededor. Son lugares de reverencia silenciosa para quienes concurren a ellas. Este silencio y esta tranquilidad están más que alejados del ajetreo y el bombardeo de la experiencia humana cotidiana, y a menudo es ese ruido y ese caos los que disminuyen nuestra energía.

Entonces, es lógico que ir a lugares como las iglesias, sitios llenos de energía divina, que nos permiten desconectarnos y librarnos de los excesos, nos ayuda en nuestro camino de claridad y sanación.

Las iglesias son un buen lugar para escuchar, ya sean las palabras divinas de Dios o los himnos y el júbilo divinos que nos bendicen. Beneficiarnos con los mensajes divinos puede ayudarnos a recordar lo que es realmente importante y aclarar lo que estamos buscando en nuestras vidas.

Crea un espacio de belleza

Una de las mejores cosas sobre la energía de un arcángel es que podemos comenzar a incorporar formas de atraerlos si usamos cosas que los atraen.

En el caso de Jofiel, los aceites esenciales y los difusores de aromas con varillas son una gran forma de atraer su energía al espacio. Puedes comenzar haciendo esto para crear un espacio de belleza.

Las flores y las esencias formarán parte de este espacio, pero las fotografías de tus seres queridos o los boletos enmarcados de algún evento memorable son incorporaciones más que bienvenidas, porque harán de este espacio un lugar personal de reflexión.

Todos estos recuerdos deben ser positivos, de amor y felicidad, de alegría y belleza. De esta forma, tendremos un lugar en nuestros hogares que rebosa de energía bella y positiva.

Si el lugar está cerca de la ventana, esta permitirá que la luz y el aire que pase por ella energize el hogar con la energía del amor y la positividad, lo convertirá en un lugar en el que Jofiel estará presente y podremos comunicarnos con él más fácilmente.

Lugares de poder

Las iglesias no son los únicos lugares físicos que podemos visitar para sentirnos más cerca de lo divino.

Los crómlech y otros sitios de poder son lugares geniales para visitar. Esto se debe a que están cargados de poderosas energías espirituales. Son lugares de adoración y paz, de calma y entendimiento, y son visitados por personas de todo tipo que están recorriendo un camino de entendimiento de ellas mismas y del mundo.

El poder del amor y de lo divino es abundante en estos sitios. Por lo tanto, visitarlos y experimentar la energía del lugar y de la gente es una muy buena forma de disfrutar de la belleza de nuestro mundo.

Los lugares de belleza poderosa como los ríos, las cascadas, los grandes cañones, los bosques y los campos también pueden tener el mismo tipo de energía. Sitios como estos son buenos lugares para ir y despejar la mente. Camina y escucha el silencio, el aire y el cantar de los pájaros. Siente la tranquila corriente del arroyo, respira el aire puro y desconéctate del caos que nubla nuestra mente.

Capítulo 10: Pasar el tiempo

Parte de nuestro camino en la vida es encontrar tiempo para pasar en la presencia y la luz de los arcángeles. Hemos aprendido a reconocer que esos sentimientos de belleza y estar rodeados de belleza son señales de que Jofiel está cerca de nosotros.

Sin embargo, ¿qué podemos hacer cuando queremos invitar a Jofiel a pasar tiempo con nosotros más allá de sus mensajes? Dicho de otra manera, ¿cómo podemos pasar más tiempo con Jofiel?

En realidad, esta es una pregunta muy sencilla, porque ya la hemos respondido de varias maneras. Ya hemos hablado de acercarnos a Jofiel y escucharlo. La meditación, el amor propio y hacia los demás y las visitas a lugares divinos y de sanación hacen de nuestro mundo un lugar bello y maravilloso.

Cuando hacemos estas cosas, estamos invocando a Jofiel. En esos momentos de alegría y felicidad que sentimos, estamos sintiendo su presencia y podemos invocarlo cuando disfrutamos de estas experiencias.

Podemos acercar a Jofiel a nuestros corazones cuando visitamos una galería de arte, cuando pintamos, creamos, dibujamos, escribimos o cantamos. Él está ahí, a nuestro lado, en todos estos pequeños momentos artísticos.

Cuando nos amamos a nosotros mismos y hacemos las cosas que amamos y las que nos hacen sentir alegría y plenitud, podemos sentir su amor.

Esto se debe a que estos son los elementos de nuestro espectro emocional al que Jofiel está sintonizado. Son sentimientos y sensaciones que podemos usar para comunicarnos con él de forma directa e indirecta.

Entiende los mensajes

Cuando Jofiel está cerca, comenzaremos a ver destellos rosas y amarillos y a sentir el aroma de las rosas y el sándalo, pero es mucho más que eso. Ahora que sentimos y vemos esos mensajes divinos, tenemos que entender lo que ellos significan.

Los mensajes pueden guiarte a perseguir una nueva carrera, una nueva relación o una nueva salida creativa, pero siempre estarán allí.

No puedo decirte lo que *tus* mensajes significan. Todos los mensajes que recibimos son diferentes, pero está bien. Jofiel es un arcángel paciente y amable que siempre estará tranquilizándote dulcemente con sus mensajes.

Lograrás descifrar el significado cuando sea el momento correcto. Jofiel lo sabe, y por eso jamás te presionará ni querrá que sufras estrés.

Luego, cuando conozcas el significado del mensaje, serás capaz de aceptar esa lección o esa nueva relación con los brazos abiertos, gracias a los mensajes y las certezas divinas que recibimos.

Una de las cosas más interesantes que debemos tener en cuenta es que los mensajes de amor y belleza pueden estar a nuestro alrededor todo el tiempo, pero es para que entendamos lo que ese mensaje quiere decirnos. Solo obtendremos la claridad divina cuando sea el momento correcto y cuando estemos listos para aceptar el mensaje.

Nuestra mente y nuestro corazón deben estar abiertos a los mensajes de Jofiel todo el tiempo; si no, podemos estar perdiéndonos mensajes importantes a diario donde menos los esperamos.

Cadena de favores

Antes hablamos de ser voluntario en un refugio de animales, pero quería retomar esta idea aquí para discutirla en profundidad. Los refugios para personas sin hogar y las organizaciones de caridad necesitan nuestra ayuda, y dedicar algo de nuestro tiempo a esos lugares puede ayudar, no solo a nosotros, a nivel espiritual.

Cuando hacemos una cadena de favores, ayudamos a quienes necesitan nuestra ayuda, nuestra compasión. Podemos servir comida en un refugio durante los fríos meses de invierno u organizar una noche de juegos para los desamparados. Podemos hacer tantas cosas para ayudar a sanar a quienes nos rodean, y esto a su vez nos ayuda a sentirnos más completos, más amados.

Podemos ayudar a organizar eventos en la comunidad con una temática de reparar cosas viejas y embellecerlas, o crear algo totalmente nuevo, lo cual le permitirá a los demás hacer uso de su lado creativo y nos permite aceptar el nuestro.

En momentos como esos, Jofiel estará junto a nosotros, nos demostrará lo mucho que nuestros esfuerzos significan para él y nos cubrirá con su amor.

Momento de orar

Cuando es el momento de orar, ya sea antes de ir a dormir o apenas te despiertas, una de las cosas principales que debemos incluir es darle la bienvenida a Jofiel a tu vida.

Dale la bienvenida y agradécele; permítele entrar en tus sueños y tu estado consciente, donde pueda estar a tu lado, hablarte y guiarte. Cuando rezamos y reafirmamos esta conexión mediante la plegaria, permitimos que esta influencia y energía entre a nuestros corazones y nuestras almas.

Esto es particularmente prudente con Jofiel, porque él es la personificación del amor y de la belleza. Cuando demostramos que aceptamos su amor como parte de nuestra vida cotidiana, le mostraremos a Jofiel que somos agradecidos y aceptamos su amor.

La plegaria no tiene que ser larga, complicada o extensa. Solo tiene que ser honesta y sentida en nuestros corazones. Jofiel percibirá tu honestidad y amor y te recompensará con su amor, integridad, honestidad y guía.

Una plegaria antes de dormir, junto con una invitación para que Jofiel te hable o te guíe en tus sueños, y permitir que tu corazón esté abierto a su mensaje es una de las partes más importantes de nuestras vidas.

Conclusión

Querido lector, querido amigo, nuestro tiempo en este camino de entendimiento casi ha llegado a su final. A medida que nos vamos acercando al final de nuestro tiempo juntos, tenemos que hacernos dos preguntas finales.

Primero, ¿qué hemos aprendido? Ahora sabemos cómo acercar a Jofiel hacia nosotros y cómo comunicarnos con él. Sabemos que tiene influencia sobre nuestros sueños y que a través de la meditación y los sueños lúcidos podemos invocarlo y conversar con él.

Sabemos que podemos sentir su presencia en lugares de poder y momentos de belleza. Sabemos que nos envía mensajes a través de esta belleza, y sabemos que podemos ver su influencia en lo bello. Hemos logrado reconocer algunos de los aromas que incitan su presencia y que sus vibraciones nos afectan cuando soñamos despiertos.

Hemos hablado de encontrar tiempo en nuestras vidas para orar, para nuestras salidas creativas y para meditar. Sabemos que es importante porque Jofiel es una influencia pacífica, tranquila y amorosa en nuestras almas.

Hemos visto cómo deshacerse del desorden y de los ruidos que nos abruman en nuestra vida cotidiana y cuándo es momento de alejarnos o marcharnos.

Hemos hablado de la sabiduría, la creatividad y el poder de Jofiel sobre los sentimientos en nuestro interior y su influencia sobre nuestros chakras. Hemos visto que influye en nuestros pasatiempos y por qué aceptar estas cosas nos ayuda a construir puentes de comunicación.

Hemos hablado de sus llamas de sabiduría y que aceptar sus mensajes puede ayudarnos a contactar a nuestro yo superior. Hemos aprendido que podemos ver mensajes que nos alientan a perseguir deseos que no sabíamos que tenemos.

Hemos visto que Jofiel siempre nos alienta a aceptar el amor y la belleza y comportarnos de una manera honesta y sincera, armando una cadena de favores de energía positiva y amorosa. Hemos visto cómo entender los mensajes que recibimos y cómo verlos incluso en momentos de mucho estrés, porque nos aseguran que todo estará bien y que nunca estaremos solos.

Hemos aprendido que hacer trabajo voluntario y ayudar a quienes nos rodean son parte de nuestro rol en el mundo y que en esos momentos sentiremos una conexión cercana con Jofiel y su hermosa gracia.

Hemos hablado de la importancia de comunicarnos con Jofiel, ya sea escribiendo una carta, entablando una conversación o tomándote un tiempo para orar. También hemos aprendido que a veces no estaremos listos para aceptar los mensajes que recibimos.

Hemos aprendido la importancia de la paciencia, de darnos tiempo para reflexionar y sanar y que con la paciencia podemos comenzar a entender y aprender cosas sobre nosotros mismos que de otra manera no sabríamos.

Sí, hemos aprendido y asimilado un nuevo entendimiento del mundo y muchas nuevas fortalezas y ahora podemos comenzar a vivir como la mejor y más divina versión de nosotros mismos. Eso es lo que queremos lograr.

Sabemos que los arcángeles son la personificación de uno de los aspectos de Dios Todopoderoso. Sabemos que, para construir una conexión más grande y profunda con Jofiel y su belleza, existe una verdad profunda que podemos comenzar a entender. Sí, es la misma verdad que te pedí que consideraras al comienzo de nuestro recorrido.

Nuestra última pregunta es la que hice al comienzo de nuestro momento juntos.

¿Pueden los arcángeles acercarnos a lo divino?

Cuando comenzamos a sentir el amor de Jofiel en nuestra vida cotidiana, nos cubrimos de su baño de luz dorada y empezamos a sentirnos más cerca de lo divino.

Esto se debe a que acercarse a los arcángeles es acercarse a Dios. Cada arcángel es un reflejo de parte del poder y la gracia de Dios. Como Jofiel es el arcángel de la belleza, la sabiduría y la iluminación, él absorbe esta energía de Dios.

De esta manera, nos acercamos a Dios y a lo divino para ascender a un lugar superior de entendimiento.

Cuando aceptamos al arcángel Jofiel y él nos acepta, nos permitimos ser más de lo que solíamos ser, más puros y más envueltos en la gracia de Dios.

Ahora hemos aprendido todo lo que hay que aprender sobre el ser divino conocido como arcángel Jofiel, su compasión y su magnífica belleza. Así como su mano está sobre mi hombro, él me alienta dulcemente a aceptar mi amor y mi belleza.

Jofiel está en tus sueños, tus esperanzas y tus amores, en tus momentos de claridad e inspiración y en tus planes. Está ahí para ti, esperando poder envolverte en su amor, su gracia y su belleza, así que respira profundo e invítalo a entrar en tu alma.

Arcángeles: Uriel

Uriel: Accede a la sabiduría divina, estimula tu inspiración, aumenta tu productividad y manifiesta el propósito que Dios te ha dado

(Libro 6 de la serie Arcángeles)

Angela Grace

Introducción

No es fácil navegar este mundo en soledad. Solemos recibir mensajes contradictorios, energías confusas y la negatividad conflictiva de los demás y de nosotros mismos. Enfrentamos elecciones difíciles y nos cuesta vivir la vida para la que fuimos creados. Y aunque escuchemos a Dios e intentemos seguir sus enseñanzas, su voz es difícil de escuchar.

Por fortuna, Dios ha creado a unos seres diseñados específicamente para ayudarnos a encontrar nuestro camino. Los ángeles existen en todos lados en nuestro mundo, a menudo fuera de la vista, para guiarnos con amor. La palabra "ángel" puede traducirse como "mensajero" y es exactamente lo que hace. Los ángeles llevan mensajes de Dios y nos los comunican de una forma en que podemos entenderlos. Está en nuestro derecho elegir escuchar esos mensajes o no; es una demostración del don del libre albedrío. Sin embargo, los ángeles en verdad quieren lo mejor para nosotros y tienen buenas intenciones. Ellos reconocen el valor de nuestras vidas creadas a imagen de Dios y trabajan con nosotros de forma individual para hacer un mundo mejor.

Dentro de la jerarquía angelical se encuentran los arcángeles, los príncipes de los Cielos que tienen un rol especial entre sus pares. Son respetados como líderes e influencias poderosas y siempre están disponibles para ti. Muchas personas creen que están restringidas a la comunicación con sus propios ángeles de la guarda y que no son dignas del tiempo de un arcángel, pero no es para nada cierto. A los arcángeles como Miguel, Rafael, Gabriel y Uriel les encantaría reunirse contigo a solas y ayudarte a crear una vida de paz y productividad.

Este libro estará enfocado en crear una relación significativa con el arcángel Uriel. Uriel es un ángel menos conocido que suele trabajar detrás de las escenas para revelar la verdad, iluminar y ayudarnos a elevar nuestro plano terrenal al reino angelical. Es el ángel de la sabiduría y el conocimiento y puede ayudarte si te sientes perdido en este mundo o si necesitas un poco de ayuda para ser una persona más productiva y creativa o descubrir el propósito que Dios te ha dado.

A pesar de que no se lo menciona muchas veces en las escrituras canónicas, Uriel aún así quiere hablar contigo y ayudarte a atravesar lo que sea que está en tu mente. ¡Por suerte para nosotros, él es muy bueno para ofrecer explicaciones y su voz es fácil de escuchar! Después de algunos ejercicios y meditaciones simples, serás capaz de interactuar con Uriel todos los días y podrás sentir su influencia en todo lo que te rodea. Serás capaz de canalizar su energía abundante y dinámica en tu trabajo y carrera para poder acumular más riqueza y abundancia. También podrás aprovechar su naturaleza elocuente como una forma de encontrar el rumbo de tu vida y determinar con exactitud los pasos que debes seguir para alcanzar todo tu potencial. Después de que Uriel disipe la confusión que bloquea tu mente y tu energía, sin dudas encontrarás más satisfacción en muchos ámbitos de tu vida.

Gracias a esta guía, aprenderás a hacer lo siguiente:

1. Entender a Uriel como un símbolo y como una entidad independiente.
2. Comunicarte con Uriel y reconocer su voz.
3. Realizar a diario ejercicios, afirmaciones y liberaciones que te permitirán lograr más cosas a lo

largo de tu día.

4. Contratar a Uriel como tu guardián personal y el de tus mascotas.

5. Alinear tu frecuencia con Uriel para poder manifestar más positividad en tu vida.

6. Completar una variedad de meditaciones que te permitirán escuchar a Uriel de diferentes maneras.

7. Emplear los sueños, los cristales y el karma como un medio para conectarse con los aspectos de la esencia de Uriel.

8. Reconocer las señales de que Uriel está presente en el mundo que te rodea.

9. Escribir una carta a Uriel como lo harías con cualquier otro amigo.

10. Realizar una sanación básica de reiki con la guía de Uriel.

11. Pasar tiempo con Uriel en tu día a día e incluirlo en tu domesticidad celestial.

Si esta es la primera vez que trabajas con energías o te involucras con cosas esotéricas, ¡no te preocupes! Esta guía está pensada tanto para principiantes como para quienes ya han tenido contacto con los ángeles en el pasado. Incluso si ya te has contactado antes con Uriel, descubrirás que podrás profundizar tu conexión con él después de terminar de leer este libro. No importa tu nivel de habilidades, podrás comunicarte con Uriel sin necesidad de muchos elementos. Tal vez te interese conseguir algunos cristales, velas y aceites para conectar con su energía, así que ten esto en cuenta antes de proceder. Sin embargo, si estás buscando una relación profunda con el Ángel de la Sabiduría, no son necesarios.

Si estás listo para cambiar tu vida para mejor, adelante, ¡pasa a la siguiente página!

Capítulo 1: Uriel, el sabio

Los arcángeles son seres de una complejidad y una inteligencia incomprensibles. No tenemos idea de qué ven los ángeles cuando nos ven, cómo es su experiencia del tiempo y cómo existen fuera de nuestro mundo físico. En el caso de muchos de ellos, ni siquiera sabemos bien claro el rol exacto que tienen en la creación de Dios. De hecho, se cree que ver a un arcángel es una experiencia atemorizante, o al menos impresionante, como puede observarse en la forma en que las personas responden a ellos en las escrituras (The Legends of History, 2020).

Sin embargo, no quiere decir que no podemos acercarnos por completo a los arcángeles. Como las personas suelen responder a su presencia con temor, muchos arcángeles se presentan con la frase "no teman" (*Al-tirah* en hebreo) para destacar que la humanidad no debe tener miedo de su presencia (Lucas 2:10, 2 Reyes 1:15). De hecho, "no teman" es el mandamiento más repetido de las escrituras cristianas y hebreas, ¡con un total de 144 veces! La segunda frase más común, "amen a Dios", aparece solo 72 veces (Be Not Afraid: Luke 2:1-20 [*No teman: Lucas 2:1-20*], 2018). Es evidente que el Padre Celestial no quiere inspirar terror en nuestro mundo; los ángeles son una fuente de paz y guía.

Es fácil hablar con Uriel, el poderoso arcángel de la sabiduría y el conocimiento. Veamos algunos versículos del cuarto libro de Esdras (o Apocalipsis de Esdras), en donde Uriel consuela al profeta Esdras:

> "¿Dónde está el ángel Uriel que vino antes hacia mí? ¿Por qué me ha hecho buscar todo esto, para que el final de mi vida sea presa de las penas y mi oración del oprobio?". Mientras le hablaba así, este ángel que antes vino hacia mí, se me acercó. Me encontró estirado como un cadáver privado de sentimiento; me tomó la mano derecha, me dio fuerzas, me puso derecho sobre mis pies. Me interpeló: "¿Qué te ha ocurrido? ¿Qué te ha alterado? ¿Por qué has perdido el conocimiento?". "Es porque me has dejado y abandonado; he salido al desierto como me habías dicho y he visto cosas incomprensibles". "Levántate", me dijo, "y te hablaré como a un hombre". Le respondí: "Habla, Señor mío, pero no me abandones, no sea que muera súbitamente. Pues he visto lo que nunca había visto; he oído lo que no entendía. ¿Acaso ha delirado mi espíritu? ¿Quizás ha soñado mi alma? Ahora te lo ruego, Señor mío, exponle a tu servidor la explicación de todo ello". Me respondió: "Escúchame y te instruiré sobre lo que temes" (Esdras IV 10:28-38).

Uriel no simplemente expresó una orden y se alejó. Él apareció cuando oyó la aflicción de Esdras y lo ayudó con su agotamiento físico antes de hacer preguntas, escuchar toda la respuesta y dar una explicación paciente para aliviar a Esdras de su confusión. Como ángel de la sabiduría, esa es su especialidad: aliviarnos de los pensamientos confusos que nublan nuestra mente y nuestro juicio para poder seguir adelante de una forma mucho más digna de nuestro propósito definitivo.

Sin embargo, al igual que con los demás arcángeles, es provechoso tener un profundo entendimiento de Uriel antes de intentar comunicarte con él. Conocer su historia, su personalidad y su energía te ayudará a reconocer su voz cuando te habla directamente a ti e incluso te ayudará a ver su influencia en el mundo que te rodea. Para poder entender a Uriel, primero tenemos que analizar su rol en las escrituras y luego veremos los símbolos que están típicamente asociados con él, al igual que las experiencias de otras personas con Uriel.

Uriel en las escrituras

Los versos que acabamos de ver son extractos del cuarto libro de Esdras, un texto escrito por el profeta aproximadamente entre 70 y 218 e.c. Es uno de los libros apócrifos (también conocidos como Deuterocanónicos), lo cual significa que, aunque es altamente respetado y se lo suele referenciar en reflexiones específicas, no se lo considera parte del canon bíblico (What are the Catholic Apocrypha [*Qué son los apócrifos católicos*], s.f.). Los textos canónicos solo mencionan a tres ángeles: Gabriel, Miguel y Rafael. Sin embargo, los textos judíos como el Talmud incluyen a Uriel como el cuarto ángel que se para junto al trono de Dios en cada punto cardinal. Aquí se dice que Uriel está ubicado en el norte, la dirección asociada con la conciencia plena, el pensamiento y el tercer ojo. De manera similar, el nombre "Uriel" se traduce como "luz de Dios", haciendo referencia a que él ilumina nuestras mentes con la verdad (Chaignot, s.f.).

Sin embargo, aunque no se menciona su nombre directamente en los textos canónicos, muchos teólogos creen que Uriel es un ángel mencionado en Isaías 63:9, al cual se lo llama "el ángel de la presencia de Dios", al igual que uno de los cuatro ángeles que pidió la intervención divina para los Nefilim en Génesis 6:1-4 (Chaignot, s.f.). El resto de lo que conocemos sobre Uriel proviene de las leyendas, la interpretación y de la interacción directa con el mismísimo ángel.

Símbolos y asociaciones

Se suele mencionar a Uriel como el Ángel de la Tierra, mientras que Miguel es el Ángel del Fuego, Gabriel es el Ángel del Agua, y Rafael es el Ángel del Aire (Hopler, 2018). A veces es un poco desconcertante pensar en Uriel como luz y tierra a la vez, pero piénsalo de este modo: él existe en nuestro plano terrenal para elevarse hacia la luz. Por lo tanto, su influencia puede encontrarse en los estudios que ayudan a la humanidad a progresar y percibir la divinidad, como las artes y las ciencias. Él es el ángel perfecto con quien hablar si eres un estudiante, maestro o simplemente alguien que quiere ver mejorar a la sociedad. Uriel vive en los corazones de todos los activistas sociales más allá de su fe. Debido a esta conexión terrenal, él también es versado en dirigir a la humanidad, explicar conceptos abstractos de forma escueta y dar consejos maduros (Hopler, 2018).

Del mismo modo, podemos acercarnos a Uriel para nuestro desarrollo personal. Ya sea que estés en una encrucijada en tu carrera, que tengas que tomar una decisión difícil o estés intentando ser mejor de cualquier manera, Uriel puede darte la dirección que necesitas para seguir adelante. Recuerda la "prueba" que vimos en el cuarto libro de Esdras. Uriel estaba ansioso por explicar y responder preguntas: ¡es justo lo que Esdras necesitaba! De modo similar, él trabajará contigo de una manera paciente y sin juzgarte para aclarar el camino de tu vida.

Quizás su trabajo a través de las artes y las ciencias es el motivo por el cual no aparece tanto como otros arcángeles en las escrituras. Su mano está presente en nuestras propias obras, porque él nos guía en nuestros proyectos, así que a veces da un paso al costado y no se lleva el crédito por el trabajo que hace. Uriel es un arcángel humilde que existe para llevarnos hacia la verdad mientras nos hace creer que lo hemos descubierto por nuestra cuenta (The Legends of History, 2020). Sin embargo, al igual que Esdras, podemos aprender a reconocerlo, invocarlo y escuchar sus direcciones. Incluso podemos pensar en Uriel como un amigo al que recurrimos cuando necesitamos un consejo.

La festividad de Uriel es el 11 de julio, y algunas personas han declarado que su energía es más poderosa en el verano boreal. La Tierra prospera en el verano y disfruta de un periodo de crecimiento, lo cual podría explicar fácilmente por qué Uriel está más presente en los meses más calurosos (Chaignot, s.f.). Sin embargo, no te desanimes e intenta contactarte con él durante las otras estaciones. El crecimiento tiene lugar todo el tiempo de diferentes maneras.

Capítulo 2: Invoca al arcángel Uriel

Tal vez piensas que tienes que ser específicamente elegido para poder comunicarte con Uriel. Debe existir algún tipo de mensaje que Dios quiere entregar a través de él, algún propósito importante que tienes que cumplir o algo de una gran importancia universal que fuiste hecho para hacer. No puede ser algo que cualquier mortal pueda hacer, ¿no es cierto?

Si eso es lo que piensas, ¡estás casi del todo correcto! Sí, existe algo que solo tú puedes cumplir. Sí, hay un mensaje que Dios quiere que Uriel te diga. ¡Y sí, es un mensaje de una gran importancia universal! Sin embargo, todas las personas tienen una tarea que cumplir aquí en la Tierra y todas tienen igual acceso a los ángeles para que las ayuden a alcanzar sus metas. ¡Toda la humanidad fue creada a imagen y semejanza de Dios, no solo los profetas y los santos! Completa unos simples pasos y podrás comunicarte con Uriel libremente y podrás reconocer su energía en el mundo a tu alrededor.

Comienza la meditación

Aunque tu habilidad para reconocer la influencia de un ángel mejorará con el tiempo, la mejor forma de conectar con ellos si eres principiante es mediante una meditación profunda. Con algo de concentración e intención, ¡podrás conocer mejor a Uriel y oír su voz con más claridad! Si recién comienzas con esto de la meditación, aquí te dejo unos consejos para entrar en un estado de meditación.

- **Busca un lugar tranquilo.** En este mundo moderno, a veces es un poco difícil encontrar el silencio total. El lugar que elijas para tu meditación no tiene que ser completamente silencioso, pero sin dudas ayuda tener un árca con interrupciones mínimas para que nada te aleje de tus pensamientos. Si el ruido te resulta molesto, puedes ponerte unos auriculares y escuchar ruido blanco. Existen miles de videos de ruido blanco disponibles en YouTube gratis, o puedes buscar un reproductor de ruido blanco en la tienda de aplicaciones de tu teléfono.
- **Controla tu respiración.** La respiración es el ritmo del cuerpo, ¡y podemos usarla a nuestro favor! Una técnica de respiración muy popular recomendada por los científicos es la 4-7-8, en la cual inhalas durante cuatro segundos, aguantas la respiración durante siete segundos y exhalas en ocho segundos (Fletcher, 2019). Siempre puedes ajustar el tiempo si este ritmo te parece algo difícil. Simplemente intenta mantener un ritmo de respiración estable, lento y continuo.
- **Practica la conciencia plena (*mindfulness*).** Para algunas personas es útil integrar una práctica de conciencia plena a sus meditaciones. El *mindfulness* o conciencia plena es la práctica de estar presente en tu entorno actual y percibir las pequeñas cosas que te rodean. Nombra una cosa que puedas tocar, oír, oler, ver o saborear. Este simple acto te conectará con la Tierra, la esfera de Uriel.

- **Emplea la visualización.** A menudo uso la imaginación cuando mi mente está particularmente desconcentrada para poder entrar en un estado de meditación. Las visualizaciones más efectivas están centradas alrededor de la respiración y combinan con tu ritmo de respiración, como imaginar una pluma que sube y baja flotando mientras inhalas y exhalas. También puedes imaginar que subes y bajas una escalera, que subes y bajas en un ascensor, o cualquier otra imagen que te hable. Usaremos la visualización para ayudarnos a relajarnos y concentrarnos, así que la imagen no es tan importante en esta etapa.

Invoca a Uriel

Después de que hayas podido entrar en un estado de meditación con éxito, ¡es momento de invocar a Uriel! No existe una forma correcta o incorrecta de hacerlo, así que te daré algunas opciones específicas para Uriel que puedes intentar. Si no tienes éxito con uno de los métodos, ¡intenta otro! El único truco es mantenerse alerta y consciente mientras su presencia se acerca a ti. Él vendrá; solo tienes que encontrar un método que puedas combinar con tu energía.

- **Cambia tu visualización.** Si has usado la visualización para ayudar a relajarte y entrar en tu meditación, es momento de cambiar las imágenes para que sean más específicas de Uriel. Intenta imaginarte bañado en la luz roja de la Tierra o la luz dorada de la sabiduría. Si tu tercer ojo es muy sensible, puedes concentrar el color en tu frente (Beckler, 2017). En su defecto, puedes invitar a Uriel para que toque tus brazos u hombros e imaginar sus manos en tu piel. Su toque se sentirá cálido, estable y fuerte.
- **Usa un canto o mantra.** En el libro de Esdras, Uriel respondió cuando Esdras mencionó su nombre. Tú puedes hacer lo mismo; di su nombre lentamente, puedes hacerlo al exhalar. Pronuncia cada sílaba con cuidado. También puedes convertirlo en una afirmación, tales como: "Uriel, necesito tu ayuda", "Uriel, muéstrame la verdad", o "Uriel, te necesito". Siempre y cuando la afirmación que elijas es genuina y venga del corazón, ¡él te responderá!
- **Usa distintas herramientas.** Si tenemos problemas para recibir un mensaje directo, podemos usar herramientas como cristales, aceites o cartas del tarot para ayudarnos a leer la energía. Si decides usar los cristales, intenta con uno que esté asociado con la Tierra, como la obsidiana. También puedes usar la hematita o la piedra ojo de tigre. Si decides usar una esencia o un aceite, busca aromas de sándalo, jengibre o albahaca (Acone, 2010). ¡Consulta el capítulo 7 para saber más sobre estas herramientas! Si usas las cartas del tarot, preséntale a Uriel una pregunta abierta e invítalo a que guíe tu mano mientras sacas una carta.

Escucha la voz de Uriel

En el mundo esotérico, solemos utilizar palabras como "voz" para representar la energía y las intenciones de un ser, incluso si no hace uso de cuerdas vocales tal y como las conocemos. Es muy factible oír las palabras directas de un ángel como lo hacen muchos de los profetas, pero es importante que nos mantengamos susceptibles a las formas en las que podemos absorber la energía angelical.

Si escuchas palabras específicas, mucha gente percibe a Uriel con una voz masculina. Es por esto que me refiero a él en género masculino. Sin embargo, otras personas declaran haber visto a Uriel como una presencia femenina o lo sienten con un tono más femenino cuando se comunica. ¡Otras dicen que lo han visto como masculino en la mayoría de los casos, pero a veces como femenino! Mantente abierto a estas posibilidades. Si recibes una energía más femenina, es probable que estés hablando con Uriel; él simplemente ha decidido presentarse de forma femenina por el momento (Aroche, 2018).

Otras personas tienen respuestas emocionales muy fuertes cuando se ponen en contacto con un ángel. ¡Si descubres que tienes ganas de llorar, eso significa que lo has logrado! Sigue adelante con determinación y escucha con atención el mensaje de Uriel.

Por último, solemos escuchar las verdades de Uriel en la forma de intuiciones, imágenes y pensamientos. Si descubres que tus intuiciones o emociones te empujan en una cierta dirección cuando te conectas con Uriel, él está tratando de decirte que esa es la dirección correcta. O si de repente una idea te llena de temor, él te está enviando una advertencia. ¡Mantén la mente abierta y escucha con atención!

Capítulo 3: Ten la fortaleza para preguntar

Los ángeles siempre están dispuestos a ayudarnos. Son capaces de hacer un sinfín de cosas por nosotros, pero al igual que los padres, quieren que aprendamos a preguntar. En el simple acto de preguntar, aprendemos a reconocer nuestras propias necesidades, darnos cuenta de nuestras fortalezas y debilidades y ser humildes (Palmy, 2020).

Ahora que has aprendido a reconocer la presencia y el poder de Uriel, es momento de dejar que él influya en tu vida de forma más directa y con intenciones más claras. Como es el ángel de la sabiduría, ¡piensa en él como un maestro o un mentor en tu vida! En este capítulo, veremos algunos ejercicios diarios que puedes hacer para incluir a Uriel en tu rutina, afirmaciones que te ayudarán a aceptar su energía, y una técnica especial de cortar lazos que te libra de las conexiones negativas que aún persisten. ¡Uriel estará muy emocionado de descubrir que estás pidiéndole las cosas que necesitas!

Ejercicios diarios

Poder contactar a Uriel a través de la meditación es una buena forma de buscar su guía, pero hay muchas otras cosas que puedes hacer que le permitirán influir en más aspectos de tu vida. Como su especialidad son las artes, las ciencias y todas las cosas que hacen progresar a la humanidad, muchos de estos ejercicios se centrarán en tu trabajo y en tu carrera. Si sientes que el propósito de tu vida está en otro lado, como la paternidad, puedes invitarlo a entrar a esa parte de tu vida. Ningún obstáculo es demasiado pequeño para Uriel; ¡déjalo entrar y verás que te convertirás en alguien mucho más productivo!

- **Invita a Uriel a tu trabajo.** Como nuestras carreras son una de las formas principales en las que influimos sobre el progreso de la humanidad, ¡Uriel está profundamente arraigado en nuestro trabajo! Él está presente en nuestra rutina diaria incluso antes de invitarlo. Al reconocer abiertamente su influencia e invitar su ayuda antes de comenzar una tarea o un proyecto, intenta contactar a Uriel y hazle saber que estás escuchando. Ya sea que lo digas en silencio o en voz alta, di: "Uriel, recibo tu ayuda en mi trabajo" o "Uriel, siento tu mano que influye sobre mí". Si es un proyecto difícil, pídele ayuda. Intenta con: "Uriel, ayúdame a crear el bien común a través de mi trabajo".
- **Pasa tiempo con la Tierra.** Tomar sol es la actividad perfecta para conectar con Uriel: ¡estás recostado en la tierra y recibes la luz! No puedes solo tomar sol sin pensar; sin embargo, debes oír a Uriel adrede si quieres escucharlo. Intenta realizar una meditación mientras tomas sol o usa esos momentos bajo el sol como oportunidades para pensar en ideas para tus próximos proyectos.
- **Purifícate con energía roja y dorada.** Cuando estés atravesando un bloqueo mental, como el infame bloqueo creativo o del escritor, deja que Uriel limpie eso por ti. Permítete unos

momentos para desconectarte de tu trabajo y concentrarte en la energía de Uriel. Deja que te envuelva de pies a cabeza, disfruta su fortaleza y su estabilidad y quédate allí todo el tiempo que necesites. Cuando estés listo, ¡vuelve a lo que estabas haciendo y mira toda la inspiración que Uriel te ha dado!

Mantras y afirmaciones

En tiempos de estrés y ansiedad solemos someternos a la autocrítica negativa. Estamos tan agobiados por pensamientos como "no soy lo suficientemente bueno" que no somos capaces de escuchar la voz de Uriel a lo largo del día. Emplear mantras o afirmaciones a diario es una forma fantástica de separarnos de esa autocrítica y abrir nuestras mentes a la verdad de Uriel. De un cierto modo, nos ayuda a engañar a la mente para entrar en una vibración más elevada mediante el uso de afirmaciones positivas con "yo soy".

Existen muchas formas de usar las afirmaciones de manera efectiva, así que eres libre de experimentar y ver lo que funciona para ti. Puedes usarlas como parte de tu meditación habitual o puedes combinarlas con algunos de los ejercicios que ya hemos mencionado, como cada vez que pasas tiempo con la Tierra. Para usarlas, solo repite la frase en voz alta o en tu mente durante treinta segundos o más. Haz que suene como si de verdad lo desearas, ¡incluso si no crees que la afirmación aplica para ti en ese momento! Repítelo hasta que sientas que las intenciones se afirman.

Puedes crear tus propias afirmaciones si te gustaría acceder a un aspecto particular de la identidad de Uriel, pero aquí tienes unas cuantas para comenzar:

- "Estoy abierto a la verdad y la luz".
- "Estoy conectado a la Tierra y a su poder".
- "Siento la Tierra bajo mis pies y sé que estoy respaldado".
- "A través de mi trabajo, ayudo a progresar a la humanidad".
- "Tengo una importante misión que cumplir y lo haré de forma perfecta".
- "Soy una persona sabia y culta".
- "Uso la ciencia/uso el arte como una forma de ayudar a la sociedad".
- "Soy humilde y no tengo miedo de hacer preguntas".
- "Puedo recibir nuevos conocimientos con dignidad".
- "Veo con claridad el camino que debo seguir en la vida. Sé exactamente lo que hay que hacer".

Cortar lazos

¿Alguna vez has notado que tus sentimientos de duda y confusión duran días, semanas o meses después de que el desencadenante emocional ocurriera? Tal vez descubres que te obsesionas con una decisión que tomaste en el pasado, te preguntas si fue la correcta, piensas demasiado en el "significado" del comportamiento de otra persona o tienes otros pensamientos persistentes que te provocan angustia. Por fortuna, con la ayuda de Uriel, ¡puedes cortar con esos pensamientos negativos y librarte de ellos para siempre!

Cortar lazos se basa en la idea de que creamos "lazos" emocionales con las personas con las que interactuamos, las cosas que vivimos e incluso los pensamientos y las ideas a los que nos aferramos. Estos lazos pueden ser positivos, pero en ocasiones nos impiden alcanzar el bien común porque nos mantienen anclados a las cosas que ya no nos sirven. Como Uriel es modelo de honestidad, pensemos en las cosas que nos impiden llegar a la verdad. Piensa en algún trauma que recibiste de gente que te ha mentido, pensamientos de "qué hubiera pasado si…" que no te dejan dormir por las noches o cualquier cosa que piensas que Uriel puede ayudarte a eliminar de tu vida.

Para poder cortar lazos de forma exitosa, debes entrar en un estado de meditación en el lugar silencioso que tú prefieras. Hay personas que prefieren un baño de inmersión con sal del Himalaya o sal de Epsom para debilitar la carga de un vínculo tóxico, pero puedes hacerlo fácilmente sin ayuda si no las tienes. Visualiza a la persona, la situación o el pensamiento que quieres eliminar y visualiza una cuerda que te amarra a ellos. Date unos instantes para asegurarte que la imagen es clara en tu mente (Marcin, 2017).

Después debes invocar a Uriel para que te ayude. Simplemente llámalo en tu mente y escucha su presencia fuerte y arraigada. Hazle saber lo que sucede y pídele que te dé su fortaleza para cortar los lazos. Intenta con: "Uriel, este lazo ya no sirve a mi propósito superior", "Uriel, este lazo me aleja de la verdad", o lo que sientas que aplica a tu situación particular (Palmy, 2020). Uriel liberará las ataduras con la espada ardiente que usó para custodiar el jardín del Edén y estarás libre de las influencias negativas por completo (Génesis 3:24).

Capítulo 4: Invoca la espada de Uriel

"Luego de expulsarlo, puso al oriente del jardín del Edén a los querubines, y una espada ardiente que se movía por todos lados, para custodiar el camino que lleva al árbol de la vida" (Génesis 3:24).

A pesar de que no se lo menciona a Uriel por su nombre en este versículo, la tradición dicta que el ángel a cargo de la custodia del Edén era, de hecho, Uriel. Para hacer esta suposición, nuestra fuente principal es el libro apócrifo sobre la vida de Adán y Eva, que se remonta al siglo 1 e.c. En el texto, se lo ve a Uriel situado en los confines de la frontera del Jardín (Chaignot, s.f.). Además de ser un brillante maestro, mentor, y revelador de la verdad, Uriel también es un espadachín habilidoso y un guardián eficaz. Puedes sentirte libre de invocar su poder protector en cualquier momento que te sientas vulnerable o si te sientes amenazado a nivel físico, emocional o espiritual. También puedes invocar su poder para proteger a tus seres queridos e incluso a tus mascotas.

Protégete

Tradicionalmente, la plegaria es la forma clásica de solicitar la protección de un ángel. Si has sido criado en un hogar creyente, es probable que ya estés familiarizado con la típica plegaria. Es apropiado sentarse en silencio y en calma, enfocarse y expresar tu intención a la entidad de tu preferencia. Puedes usar una plegaria guiada o puedes improvisar y hablar desde el corazón.

Suena muy parecido a la meditación, ¿no es cierto? ¡Es porque es así! Muchas creencias en todo el mundo usan la meditación como una forma de invocar la energía protectora, ya sea que hagan referencia a la meditación o usen otro término, como plegaria. Puedes pedir la protección de Uriel del modo occidental, simplemente pidiéndole su ayuda, o puedes integrar conceptos orientales como el enfoque de chakras o la limpieza de auras. ¡No hay respuesta incorrecta!

Si decides usar los chakras, puedes hacer uso de tu chakra de la coronilla para acceder al aspecto de la luz de Uriel. Después de entrar en un estado de meditación, imagina que tu chakra de la coronilla flota sobre ti y gira como un remolino de energía blanca. Luego, imagina que ese remolino crece más y más hasta que cubre todo tu aura e invita al aura roja y dorada de Uriel a tomar el control. Él necesitará tu permiso para hacer guardia sobre ti, así que hazle saber que deseas su espada de protección, ya sea abriendo tu corazón o diciéndolo con palabras. Puede serte útil imaginar su espada o su escudo plantados frente a ti, protegiéndote de las energías negativas (Taphorn, 2018).

Si hay un chakra en particular con el que tienes problemas y quieres que Uriel se centre en él, puedes cambiar el chakra que usas en el ejercicio. Uriel también podrá percibir tu aflicción en esa área y puede ayudar a localizar el problema de raíz. Debes estar abierto a sus habilidades expertas como guardián; déjalo entrar a tu energía y defender tu centro.

Protege a tus mascotas

Del mismo modo en que podemos invocar a la espada protectora de Uriel para nuestro propio beneficio, también podemos usarla para proteger a quienes más queremos. ¿Y a quién amamos más sino a nuestros mejores amigos, nuestras mascotas? Como el ángel elemental de la Tierra, Uriel tiene una debilidad por los animales y toda la vida silvestre, lo cual lo convierte en el ángel perfecto a quien recurrir para pedir por la protección de nuestras mascotas. Ya sea que tu mascota esté enferma, medio ansiosa, o simplemente quieras que esté protegida en su día a día, puedes pedirle a Uriel que mejore la calidad de vida de tu animalito durante sus días en esta tierra.

Cuando comiences esta sesión de sanación y protección, es importante entender que los animales tienen los mismos chakras que nosotros, aunque la ubicación de estos varía levemente. Vale la pena investigar las ubicaciones exactas de los chakras del animal de tu preferencia; ¡los perros, gatos, caballos y reptiles no son todos iguales! Como regla general, el chakra de la raíz se encuentra típicamente en la base del rabo, el chakra del sacro está en la zona baja del vientre, el del plexo solar está en el centro de la columna, el chakra del corazón está en el pecho, el chakra braquial está a los lados del cuello, el tercer ojo está en la frente y el de la coronilla está en la parte superior de la cabeza. De nuevo, busca los chakras específicos de tu animal para una sesión más personalizada (McKenzie, 2019).

A veces, sanar a nuestras mascotas requiere un poco más de preparación que sanarnos a nosotros mismos, porque no podemos decirles cuándo deben relajarse, cómo deberían sentirse, y así. Asegúrate de que tu mascota haya hecho sus necesidades recientemente y de que sea un momento del día en el que los animales típicamente se relajan, como al caer la noche. Comienza relajando la mente y el cuerpo y desliza tus manos sobre los puntos de chakra de tu mascota. Tal vez puedas comenzar a sentir los bloqueos con solo hacerlo, así que presta atención a los hormigueos, los tirones energéticos y a tus propios instintos. Si sientes que tienes que apoyar tu mano en alguna zona, hazlo y quédate allí. Como solemos comunicarnos con los animales de forma telepática, puede que te sientas conectado con el chakra de la coronilla, así que ubica tu mano allí si no sientes bloqueos importantes.

Después, tienes que canalizar la fortaleza de Uriel en nombre de tu mascota. Deja que su fortaleza fluya a través de tus manos hacia el animal y lo proteja. Tal vez te resulte útil expresar tu intención a Uriel con una frase como "Uriel, por favor, protege a este animal de las enfermedades" o cualquier mensaje que te gustaría comunicarle (Kean, 2016). Tu mascota puede reaccionar a la energía, porque los animales suelen ser muy sensibles al movimiento de los ángeles, así que asegúrate de ser susceptible a las necesidades de tu mascota. Si parece estar agobiada por la presencia de Uriel, ¡inténtalo en otra ocasión! No todos los animales son receptivos a los extraños, incluso a los angelicales (McKenzie, 2019).

Como con cualquier trabajo de energías, tal vez tengas que repetir la sesión varias veces para ver una diferencia en el comportamiento o el bienestar de tu mascota. Esto es más que cierto, ¡porque tu animal puede estar reacio a aceptar la protección! Sé paciente y confía en tu mascota y en Uriel para lograr una sanación milagrosa.

Capítulo 5: Uriel, un modelo a seguir: Alinea tu frecuencia

Al igual que los buenos maestros y guardianes, ¡Uriel predica con el ejemplo! Él está profundamente conectado con la imagen de Dios que yace en todos nosotros y nos guía hacia un deseo de paz definitiva en la tierra. Como es un ser fuertemente arraigado al progreso de la humanidad, cada paso que demos hacia la paz es un paso más cerca de la realización total de Uriel. Aún así, él no es impaciente con nosotros y está dispuesto a trabajar con las personas para lograr sus metas a largo plazo. La mentalidad congruente y orientada a los detalles sin duda es algo a lo que muchos de nosotros aspiramos y que queremos canalizar en nuestras propias personalidades.

Por fortuna, cuando alineas tu frecuencia con la de Uriel, ¡podrás comenzar a sentirte más motivado y enfocado! Serás capaz de atraer más abundancia a tu ser y manifestar un estilo de vida más productivo que se adapte al diseño de Dios y descubrirás que llega fácilmente a ti. Tal vez te lleve varias sesiones hacer este ejercicio y requerirá algo de trabajo para completarlo de forma exitosa. Sin embargo, Uriel trabajará contigo todo el proceso y te guiará a medida que lo necesites, ¡así que no te sientas intimidado!

¿Qué es una frecuencia?

El concepto de alinear tu frecuencia puede sonar algo abstracto en un principio, así que desglosemos esta idea antes de comenzar el ejercicio.

La frecuencia es un término empleado en la ciencia para describir la velocidad a la que algo ocurre dentro de un determinado periodo de tiempo. De la misma forma en la que le decimos a nuestros amigos "voy con frecuencia a esa cafetería", los científicos usan la frecuencia como un medio para registrar qué tan seguido ocurre algo. Sin embargo, en el ámbito de la ciencia, el término debe ser más específico para adquirir un significado. La frecuencia de algo se mide por lo general en hertz, el cual hace referencia a una cantidad de unidades por segundo. Los colores tal y como los vemos son creados por la frecuencia de la luz visible y le dan al mundo sus preciosos tonos. Si la luz se mueve en la frecuencia más baja visible, 430 billones de hertz, la veremos de color rojo. Si la luz se mueve en la frecuencia más rápida visible, 750 billones de hertz, la veremos de color violeta. Toda frecuencia que se encuentre entre esos dos tonos se ubicará en algún lugar del espectro del color (How Stuff Works Contributors, 2020).

Tal vez ya conoces la idea de los colores del aura. Cada persona tiene un aura que rodea a su cuerpo físico y abarca su energía y que típicamente se manifiesta en una forma, una textura o un color que representa a su esencia. Para obtener un color, nuestra energía debe moverse en una frecuencia determinada que pueda ser percibida por quienes son sensibles a esa energía. Si te haces una lectura de aura, ¡la médium captará tu frecuencia personal!

Los ángeles también tienen un aura personal y suele ser bastante poderosa. En general su color se relaciona con los encargos que Dios les da: el azul representa la fortaleza y el valor, el rosa representa la paz, el blanco representa la pureza y la limpieza, el verde representa la sanación y el violeta representa la transformación. Los ángeles de aura roja, como Uriel, están diseñados especialmente por Dios para traernos sabiduría (Angel Colors Meanings and Symbolism [*Significados y simbolismo de los colores de los ángeles*], 2020). Si ya has contactado a Uriel en alguno de los ejercicios anteriores, ¡es probable que ya lo hayas sentido! Su aura es muy fuerte, arraigada y estable, como la Tierra misma, pero mantiene una ligereza que se le ha concedido gracias a su sabiduría. Para poder alinear tu frecuencia a la de él, tienes que manifestar su frecuencia personal dentro de la tuya.

Completa la alineación

La clave para esta actividad es hacerlo seguido y de forma tranquila. ¡Llevará un par de intentos ver cambios a largo plazo en tu energía personal! Considera hacer la meditación completa al menos tres veces a la semana y dedícale veinte minutos a cada sesión.

Para comenzar, entra en un estado de meditación con las habilidades que has aprendido en el capítulo 2. Igual que antes, las imágenes que uses para relajarte no son demasiado importantes porque las cambiaremos para visualizar lo que necesitamos.

En este ejercicio, Uriel necesitará tu permiso para invadir tu espacio personal. Estarás invitándolo al mismísimo centro de tu ser para que rodee con sus brazos cada fibra de tu energía, así que debes estar de acuerdo con la idea de tenerlo a tu alrededor. Recuerda que estás a salvo y protegido en su mano. Primero, deja que su constante energía roja llene tu propia aura. Sentirás su presencia cada vez más cerca, como si él se acercara caminando hacia ti, y será aún más fuerte cuando se acerque a tu cuerpo. Pasa algo de tiempo concentrado en la sensación de esta energía y cómo hace que tu mente se sienta más aguda, más clara y menos abarrotada. Después, relájate mientras sus magníficas alas envuelven tu cuerpo y sus manos descansan sobre tus hombros. Tal vez lo visualices parado junto a ti mientras lo hace.

Luego, su aura rubí se extenderá sobre tu ser físico. ¡Tómalo con calma! Concéntrate a medida que la energía fluye entre tus manos y penetra profundamente en tu piel. En tu mente, observa cómo se esparce por tus brazos y tu torso, de ahí a tus piernas, rodillas, pantorrillas y pies. Sentirás cómo fluye hacia tu cabeza, estremece tu cuero cabelludo y libra tu mente de todas las distracciones y la confusión. Recuerda que su luz roja tiene una frecuencia extremadamente baja, así que imagínate bajando hasta su rango de color y pasa a la acción.

Por último, sentirás la energía roja de Uriel que penetra profundamente en tu pecho y toca lo más profundo de ti. Notarás que se siente liberador y seguro en vez de aterrador. Podrás sentir su consistencia, su solidez y su inteligencia pura. Deja que Uriel se haga cargo de cada aspecto de tu ser y te afecte de forma positiva. Con su energía rodeándote, despierta tu cuerpo poco a poco. Puedes comenzar por abrir los ojos, mover los dedos de las manos y los pies o sentarte con cuidado. Si realizas esta actividad antes de dormir, también puedes permitirte quedarte dormido mientras la fortaleza de Uriel te envuelve (Cooper, 2020).

Capítulo 6: Meditaciones para tus necesidades específicas

La vida puede arrojarnos cientos de obstáculos. En ocasiones, las cosas parecen suceder todas al mismo tiempo y necesitamos que nuestra alma sane por completo. Otras veces, preferimos concentrarnos en un problema en particular. Este capítulo te guiará a través de tres meditaciones centradas alrededor de problemas particulares a los seres humanos que tal vez experimentes a lo largo de tu vida: la aceptación corporal y la búsqueda del rumbo de tu vida. Si alguna vez te encuentras lidiando con estos problemas (o si estás pasando por ellos ahora mismo), conéctate con Uriel y deja que te ayude.

Meditación para la positividad corporal

El mundo que nos rodea hace mucho hincapié en tener el cuerpo "perfecto", lo cual nos puede hacer sentir muy incómodos en nuestra propia piel. Personas de todas las edades están cada vez más preocupadas por perder peso, ganar músculo y, en general, controlar nuestro cuerpo. Aunque adoptar hábitos saludables puede ser provechoso, no debe estar acompañado de estrés y autoodio. Los ángeles no nos ven por nuestros cuerpos; ellos nos ven por nuestras almas y la esencia de Dios que yace dentro de nosotros. Eso los convierte en aliados maravillosos para encontrar la positividad corporal en nuestro día a día. Si tienes problemas con tu imagen corporal, deja que Uriel te dé una mano.

Esta meditación es relativamente corta y puede hacerse en cualquier momento de calma en donde puedas tener contacto piel con piel contigo mismo, como cuando te duchas o si estás en pijamas. Como nos vamos a enfocar en nuestro cuerpo, será importante atraer la atención positiva a nosotros mismos y al espacio que ocupamos. Para esto, abrázate a ti mismo lenta y amablemente. Coloca las palmas de las manos en el omóplato contrario y juega con la presión, pero asegúrate de no lastimar los hombros o los oblicuos. La posición debe sentirse cómoda y no debe ser tensa de ninguna manera.

Con los brazos alrededor de tus hombros, haz una serie de respiraciones lentas. Inhala durante cuatro segundos, aguanta durante siete segundos y suelta el aire durante ocho segundos. Repítelo. Nota cómo esta posición permite que sientas tu respiración de una forma nueva. ¿Dónde sientes que las costillas se expanden? ¿Qué sientes? Respira de nuevo; inhala en cuatro segundos, aguanta siete segundos y suelta en ocho segundos. Repítelo una vez más.

Deja que tu respiración entre en un ritmo cómodo y constante. Debe ser más profundo que al principio; encontrarás el ritmo naturalmente. No debes forzarte a seguir ningún patrón; tú existes perfectamente tal y como eres. Tómate unos momentos y concéntrate en tu cuerpo; nota lo que sientes. Si aparece cualquier negatividad o incomodidad, regístrala, pero no te quedes con ese pensamiento. Suéltalo y pasa al siguiente, como si hicieras un inventario. ¿En qué parte de tu cuerpo te sientes más fuerte y resistente? ¿Dónde sientes dolor? ¿En qué parte tus músculos se sienten tensos y presionados? ¿Cómo te sientes cuando estás sentado y qué asociaciones haces en la mente?

Ahora es momento de invitar a Uriel a la conversación. Repite su nombre en tu mente en las próximas dos respiraciones. Toma aire en cuatro segundos, aguanta durante siete y suéltalo en ocho. Comenzarás a sentir su poderosa aura roja a tu alrededor. Uriel está aquí y está ansioso por ayudarte. Cuéntale todas las cosas con las que tienes dificultades mientras realizas tus próximas respiraciones.

Siente cómo Uriel coloca sus brazos sobre ti y te rodea en un reconfortante abrazo junto con tus manos. También podrás sentir sus alas a tu alrededor, que te protegen de la negatividad y de las distracciones externas. Él es firme, fuerte y paciente. Su aura se funde con la tuya, te llena de su luz granate y te provee de sabiduría y conocimiento innatos. En este momento, sabes que eres una creación divina que fue creada a imagen y semejanza de Dios. Sabes que Dios no comete errores y que la forma en que la sociedad ve tu cuerpo no importa. Sabes que tu cuerpo es un hogar de amor y belleza, más allá de su forma.

Cuando te digas estas afirmaciones positivas a ti mismo, Uriel las dirá contigo, reforzará esa afirmación en tu corazón y la convertirá en una verdad absoluta. Comencemos.

Mi peso no tiene nada que ver con mi belleza. No necesito verme de una cierta manera para ser una persona hermosa. Las perspectivas externas de mi cuerpo no afectan lo que valgo. Estoy hecho de manera perfecta. Respeto mi cuerpo y todo lo que hace por mí. Reconozco mi fuerza y mi flexibilidad. Merezco amor y respeto sin importar la forma de mi cuerpo. Las expectativas de la sociedad sobre mi género no me afectan.

Comienza a despertarte. Mueve el cuerpo de a poco. Mueve los dedos de los pies y estira los pies. Mueve los dedos y quita las palmas de los hombros. El conocimiento de Uriel se queda contigo mientras él se desenvuelve y quita sus alas de tu cuerpo, te da paz mental y aceptación de ti mismo. Ahora, puedes abrir los ojos.

Meditación para encontrar el rumbo

Si te sientes perdido, confundido o sin dirección, hasta las decisiones más pequeñas pueden ser difíciles. Sabemos que fuimos creados para cumplir una misión personal para Dios, pero no sabemos por dónde empezar o qué hacer. Es una forma de vivir frustrante y deprimente. Por suerte, Dios ve nuestras luchas y creó ángeles diseñados específicamente para ayudar a las personas a encontrar su rumbo. ¡Uriel es uno de esos ángeles! Como todo un experto, él guía a las personas hacia sus destinos y es capaz de hacerlo de una forma paciente y amorosa. Si te gustaría recibir sus consejos para poder completar tu misión divina, intenta esta meditación.

En esta meditación dejarás que Uriel te guíe a través de una serie de imágenes diseñadas para darte una idea de tu destino definitivo. Para comenzar, ponte cómodo; puedes recostarte, sentarte de piernas cruzadas o relajarte en una silla. En esta meditación nos enfocaremos en reparar el chakra del corazón. Si lo prefieres, comienza sosteniendo una piedra como el cuarzo rosa, la rodocrosita, la esmeralda o la rodonita. Estas piedras son conocidas por tener un efecto poderoso sobre el chakra del corazón, así que pueden ayudarte a facilitar el proceso (Ancillette, 2020). Si decides usar una de estas piedras, puedes ubicarlas frente a ti, sostenerlas en la mano o ubicarlas sobre el chakra del corazón si estás recostado. Usar un collar con una de estas piedras es otra forma sencilla de mantenerla cerca de tu corazón.

Controla tu respiración. Toma aire en cuatro segundos, aguanta la respiración por siete segundos y exhala durante ocho segundos. Repite. Deshazte de cualquier pensamiento persistente que tengas sobre tu día; te harás cargo de ellos después. Ahora es momento de relajarse. Toma aire de nuevo en cuatro segundos, aguanta durante siete y suelta el aire en ocho. Respira una vez más y deja que tu respiración retome su ritmo natural.

En tu mente, imagina que extiendes tu mano a Uriel y dejas que él la tome. Sentirás su energía casi terrenal alrededor de la palma y los dedos de tu mano mientras la toma con suavidad. Quédate aquí unos instantes mientras respiras profundamente una vez más. Toma aire en cuatro segundos, aguanta durante siete y suelta el aire en ocho. Si tienes alguna pregunta específica a estas alturas, tal como "Uriel, ¿qué quiere Dios que haga?" o "Uriel, ¿cuáles serán las consecuencias de esta inminente decisión en mi carrera?", ahora es el momento de hacerla. Si no tienes una pregunta en mente, siempre tienes la opción de quedarte en silencio y dejar que Uriel te diga lo que cree que tienes que saber.

Presta atención a tu entorno mientras visualizas a Uriel tomando tu mano y guiándote alrededor del espacio. Relájate y respira. Es muy probable que al principio el entorno se vea negro. Confía en Uriel para que te guíe aún más hacia la oscuridad y ten presente que no estás solo en este recorrido. Toma aire en cuatro segundos, aguanta durante siete y suelta el aire en ocho.

Comenzarás a sentir más. Elige cualquier imagen, emoción, energía o sonido que se relacione con la pregunta que hiciste. Ten la mente abierta, escucha y relájate. Presta atención a lo que sientes. ¿Qué tipo de imágenes aparecen en tu mente? ¿Qué emociones surgen en tu interior? ¿Qué sentimientos adquieres de Uriel? ¿Está preocupado? ¿Feliz? ¿Optimista? ¿Sientes su voz de alguna manera? ¿Qué está diciendo?

Quédate en este lugar todo el tiempo que necesites. Cuando estés listo, podrás regresar al mundo físico moviendo las manos, los pies y el cuello. Si necesitas más tiempo, mantente en esta mentalidad y escucha. Préstale mucha atención a tu mente y tu cuerpo. Siempre puedes hacer una meditación aparte más adelante, en la que le harás preguntas a Uriel sobre lo que estás sintiendo, pero primero debes experimentarlo.

Capítulo 7: Sueños, cristales y velas

Sueños

Por lo general, nuestros sueños son misteriosos, abstractos y efímeros. Suele ser difícil recordar nuestros sueños más impactantes, incluso si son aterradores o conmovedores en ese momento, y para muchos de nosotros puede ser algo frustrante. Sin embargo, con un poco de trabajo extra, podemos comenzar a usar nuestros sueños como otra forma de comunicarnos con los ángeles como Uriel.

Primero, puedes tener un cuaderno y un lápiz cerca de la cama. Sería una pena recibir un sueño importante de Uriel y olvidarnos de él por completo cuando nos despertamos, ¡así que escríbelo apenas te despiertes! Si planeas trabajar seguido con tus sueños, considera tener un diario de sueños para llevar un registro de las imágenes recurrentes.

Esos instantes antes de quedarte dormido son tu única oportunidad para comunicarte con los ángeles. ¡Tienes que aprender a usar ese tiempo sabiamente! Primero, recuéstate en la cama y asegúrate de adoptar una posición cómoda. Minimiza las interrupciones: pon tu teléfono en silencio y apaga el resto de los dispositivos electrónicos. A medida que comienzas a relajarte, comienza a invocar a Uriel diciendo su nombre y notarás que su aura roja comienza a rodearte. Enfócate en esa sensación y exprésale tu intención. Tal vez solo quieras invitarlo a entrar a tus sueños e influir sobre ellos como se le plazca, pero también puede ser que tengas una pregunta para Uriel que quieres que te explique mientras duermes. Este es el momento de expresar todo lo que tienes para decirle.

Una vez que hayas dicho todo lo que necesitabas decir, aférrate a su aura mientras te adormeces. No te centres demasiado en esa sensación que no te deja dormir, pero déjala en el fondo de tu mente. Disfruta de la seguridad que Uriel te concede.

Al despertar, busca tu cuaderno o diario de sueños. Anota en él todas las imágenes, los eventos o las emociones que tuvieron lugar en tus sueños. Si hay algo que se destaca o parece similar a sueños anteriores, puedes investigar la imagen y lo que podría llegar a significar. Si algo de lo que presenciaste es confuso, siempre puedes meditar con Uriel mientras estés despierto y pedirle una aclaración. Si no soñaste nada o no recuerdas lo que soñaste, es probable que Uriel te haya sanado mientras duermes o realizó algún otro milagro que no requería tu comprensión inmediata. Escribe cómo te sentiste cuando te despiertes para ver si te han concedido una energía, perspectiva o inspiración renovadas (Beckler, 2017).

Cristales

Los cristales son un método antiguo para conectarte con el universo y el poder en nuestro interior. Como muchas personas que trabajan los ángeles han notado, también pueden ser una forma fantástica de canalizar la energía de cualquier ángel. Mediante el uso de las piedras, puedes comenzar a canalizar la frecuencia de un ángel sin siquiera pensar en ello. A continuación veremos algunas de las piedras conocidas por compartir una frecuencia con Uriel:

- **Hematita:** La hematita es una piedra negra que está fuertemente conectada a la Tierra y al plano astral, lo cual la convierte en una buena representante del poder de Uriel. Absorbe y destruye la negatividad, así que es una de las favoritas entre los sanadores y los trabajadores de energías. La hematita puede usarse en la meditación para eliminar dolencias mentales, o puedes frotarla sobre el cuerpo para aliviar dolores corporales (Acone, 2010).
- **Obsidiana:** La obsidiana es un cristal volcánico, es decir, que fue creada a partir de la lava. ¡Si la lava entra en contacto con el agua y se enfría rápidamente, crea una hermosa roca con manchas blancas llamada obsidiana nevada! Más allá de la forma de obsidiana que uses, la piedra está asociada con la Tierra y tiene poderes fuertes y protectores. Como guardián del Jardín del Edén, Uriel está fuertemente asociado con esta roca (Acone, 2010).
- **Ojo de tigre:** El ojo de tigre es una hermosa piedra conocida por sus líneas doradas y marrones. Contiene una energía solar muy potente que le otorga una conexión a la naturaleza de luz y verdad de Uriel. El ojo de tigre también es famoso por conceder una explosión de energía en tiempos de cansancio y estrés, así que puede potenciar tu productividad por un gran margen (Acone, 2010).
- **Ámbar:** El ámbar es una de las piedras más comunes asociadas con este arcángel. De hecho, es resina de árbol fosilizada, lo cual lo asocia a la flora, a la Tierra y a todas las cosas que crecen. El ámbar también puede ayudarte a crecer porque promueve la transformación. Se suele usar esta piedra para transmutar la energía negativa en positiva (Sheri, 2019).

Para usar una piedra de forma exitosa, debes limpiarla con frecuencia para asegurarte de que las energías externas no queden atrapadas en ella. Para hacerlo, puedes dejar la piedra a la luz de la luna o en agua, puedes pasarla a través de humo o puedes soplarla. Después de que hayas limpiado adecuadamente tu piedra, sostenla en tu mano mientras meditas o tenla contigo en tu bolsillo a lo largo del día. Hacer esto te permitirá canalizar a Uriel mientras realizas tus tareas cotidianas. Después de llevar contigo una obsidiana o un ámbar unas semanas, sin duda notarás un aumento en tu energía (Beckler, 2017).

Velas

Como Uriel es el ángel de la luz, las velas pueden ser una herramienta particularmente útil al momento de comunicarse con él. ¡Son extremadamente fáciles de usar y pueden amoldarse a lo que necesite tu espíritu!

A pesar de que la llama en sí misma es suficiente para invocar la energía de Uriel, el color de la vela propiamente dicho es importante para expresar tu intención. Si apuntas a usar la vela como una herramienta para comunicarte con Uriel, el color perfecto es el rojo. El rojo está conectado al chakra de la raíz, el cual nos mantiene conectados y con los pies en la tierra, así que una vela roja simboliza tanto la naturaleza terrenal como la naturaleza de luz de Uriel. Sin embargo, si quieres traer un problema en particular a la atención de Uriel, puedes combinar el color de la vela con lo que necesites.

- **Amarillo:** Usa este color para cualquier problema relacionado con tu poder personal y sentido de identidad. El amarillo viene muy bien para los problemas con la imagen de uno mismo.
- **Verde:** El verde es ideal para la sanación, ya sea que quieras sanar el cuerpo, la mente o el espíritu.
- **Violeta:** Usa una vela violeta si quieres que Uriel te ayude en tu camino espiritual o en cualquier tipo de cambio interno.
- **Negro:** Aunque se vea siniestro, el negro es un color de protección y puede concederte fortaleza.
- **Naranja:** Si necesitas ayuda para encender tu creatividad, usa una vela naranja. Uriel se ocupará de ello para darte algunas ideas.
- **Blanco:** Si no tienes velas en ninguno de los demás colores, puedes usar una vela blanca como sustituto y establece una intención personal. También puedes usarla como una vela purificadora total para intentar remover la negatividad de tu aura.

Una vez que ya hayas elegido el color de tu vela, podrás incorporarla a tus meditaciones. Muchas personas descubren que solo observar la llama puede hacer que las ideas y las imágenes exploten en su mente, ¡así que vale la pena intentarlo si quieres sentir algo de energía poderosa! También puedes escribir una intención en un trozo de papel y luego quemarlo con tu vela para desterrar o manifestar una idea de tu elección (Green, 2018).

Capítulo 8: Observa a Uriel en el mundo que te rodea

Los ángeles se mueven a nuestro alrededor todo el tiempo sin que nos demos cuenta. Tal vez evitaron un accidente de auto camino al trabajo en la mañana, tal vez llevaron tu atención a un hermoso rayo de sol o tal vez te hicieron pensar en algo importante al momento de tomar una decisión. Los ángeles tienen una influencia mucho mayor sobre los pequeños sucesos de nuestro mundo de lo que la mayoría de la gente les atribuye, y los arcángeles suelen liderar estas acciones. Cuando reconozcas que un arcángel está presente en el mundo que te rodea, aprenderás a apreciar las pequeñas cosas de la vida y serás más consciente. Verás más belleza, luz y paz en la creación de Dios y verás con más claridad el lugar que ocupas en ella.

La mayoría de las personas declara que la influencia de Uriel suele ser sutil. Cuando influye sobre las artes y las ciencias, él deja una idea en la mente de alguien y luego se va, lo cual le permite pensar que la idea vino por sí sola. También puede influir nuestros instintos e intuición de una forma apacible. Con frecuencia, Uriel nos da un empujoncito en la dirección correcta sin llamar la atención, lo cual le otorga un aire de introversión y humildad (How to Recognize When Archangel Uriel is Present [*Cómo reconocer cuando el Arcángel Uriel está presente*], 2017).

A pesar de la naturaleza tranquila de Uriel, podemos aprender a reconocer su presencia mientras continuamos con nuestra rutina diaria. Si buscas señales en la naturaleza, en tu propia mente y en algunos símbolos únicos, ¡podrás darte cuenta de que Uriel nos ayuda a lo largo de nuestras vidas y sabrás que nunca estamos realmente solos!

Encuentros con animales

Como es el arcángel conectado con el elemento Tierra, Uriel trabaja con la naturaleza y los animales como una forma de comunicarse con nosotros. Si vives en un lugar en el que no tienes mucho contacto con la vida silvestre, presta atención cada vez que veas algún animal. Si vives en el campo, presta atención cuando veas animales en un lugar fuera de lo común o en momentos cruciales, como cuando estás yendo a una entrevista laboral o estás pensando una decisión importante. Aquí tienes algunas interpretaciones de típicos encuentros con animales:

- **Gatos:** Si te has cruzado recientemente con un gato callejero, Uriel puede estar diciéndote que es momento de tomar un riesgo importante. ¿Hay algo de lo que te reprimes porque la idea de hacerlo te da ansiedad? ¡Averígualo y ve a por ello!
- **Ciervos:** Los ciervos poseen una energía distintiva de cada género. Una cierva representa la feminidad divina, mientras que el ciervo representa la masculinidad divina. Por lo tanto, ver una cierva puede significar que debes ser más amable con los demás o contigo mismo, mientras

que ver a un ciervo puede significar que recibirás empoderamiento y un empujón hacia adelante.

- **Conejos:** Un conejo debe tomar decisiones rápidas para poder sobrevivir, lo cual lo convierte en el oportunista definitivo. Si ves un conejo en algún lugar extraño, Uriel puede estar diciéndote que es momento de embarcarte en una oportunidad importante.
- **Cuervos:** El cuervo, casi tanto como la carta de la Muerte del tarot, suele estar asociado con la tristeza y el dolor, pero en realidad representa un cambio. A veces se necesita desesperadamente un cambio, pero no necesariamente trae la muerte. Es muy probable que Uriel te esté diciendo que necesitas cambiar pronto algún aspecto de tu estilo de vida.
- **Halcones:** El halcón observador depende de su vista para hacerse camino en la vida, así que, si ves uno, puede ser una señal de que debes dar un paso atrás y analizar tu situación. Te estás perdiendo de un detalle importante y tienes que volver al punto de partida.

(Spirit Animal Meanings, Encounters & Symbolism [*Espíritu animal: significados, encuentros y simbolismo*], s.f.).

Números repetidos

Como patrocinador de los artistas y los científicos, las matemáticas son integrales a la labor de Uriel. Es probable que ver un número una o dos veces sea solo una coincidencia, pero si ves un número varias veces a lo largo de unas semanas o incluso meses, puede ser una señal de que Uriel maneja los hilos detrás de escena. A Uriel también se lo asocia con números y patrones específicos, así que mantente alerta si ves los siguientes números:

- **111 o 1111.** ¿Acaso siempre ves la hora 11:11 en el reloj? ¿Muchas de tus compras tienen un total de $11.11? ¿Quizás el número 11 es relevante en el día o el mes de tu cumpleaños? El número 111 o 1111 es considerado el número de Uriel ¡y es una señal poderosa de que está intentando comunicarse contigo! Tal vez está presente específicamente en tu carrera en este momento o te está alentando a sentarte y reflexionar. ¿Acaso todas tus relaciones personales son satisfactorias? ¿Te gusta tu trabajo? ¿Disfrutas del rol que cumples en tu familia? Observa tu estilo de vida y fíjate qué cosas puedes cambiar para mejor (111 Angel Number (Uriel): Angel Numbers [*111, Número del ángel (Uriel): Números de los ángeles*], s.f.).
- **2.** En el mundo de la numerología, repetir el número uno equivale al número dos. Esto quiere decir que, si ves el número dos con muchísima frecuencia en tu vida cotidiana, tiene un significado muy similar al 111 o 1111 (Bender, 2019).

Instintos e ideas

Por último, es importante recordar que Uriel es el ángel del conocimiento y la sabiduría, sobre todo cuando se trata del progreso de la humanidad. Cuando Uriel encuentre una oportunidad para contribuir a tu desarrollo integral, ¡te lo hará saber! Puedes recibir esta influencia de muchas maneras, así que presta atención a las siguientes sensaciones:

- **Confianza repentina.** Muchos creyentes afirman que contar con la sabiduría de Uriel les da un impulso extra de confianza, sobre todo si suelen tener problemas con su propia imagen. Si alguna vez sientes una ráfaga de confianza cuando estás pensando en una idea, ¡Uriel te está diciendo que vayas a por ello!
- **Chispas de inspiración.** ¿Alguna vez se te han ocurrido ideas en los momentos más extraños, sobre todo si no estabas haciendo una lluvia de ideas? ¡Es probable que Uriel esté detrás de todo esto! Incluso si la idea no resulta, a Uriel le gusta darnos un empujoncito en la dirección adecuada.
- **Deseo de ayudar y servir.** El progreso de la humanidad depende de nuestra capacidad de ayudarnos los unos a los otros, y Uriel estará ansioso de avisarnos cuando esto sea posible. Si alguna vez sientes un deseo repentino de ayudar a alguien, entregarte a una causa o acercarte a una caridad, Uriel quiere que ayudes de la forma en que puedas (Hopler, 2019).

Capítulo 9: Escribe una carta a Uriel

Si alguna vez has tenido un amigo por correspondencia, seguro ya conoces la intimidad y la emoción que ponemos en las cartas. En una época en la que los mensajes de texto y los correos electrónicos son la norma, escribir a mano una carta y enviarla puede ser un respiro. ¡Hasta esperar una respuesta le pone más emoción a nuestros días! Si nunca has tenido la oportunidad de escribirle a un amigo por correspondencia, te espera una sorpresa: ¡puedes sentir la misma emoción cuando le escribas a Uriel! Escribir también es un arte, así que él definitivamente apreciará el esfuerzo que has puesto en ella y hasta te dará una respuesta. En este capítulo, hablaremos de cómo escribir tu carta, veremos un breve ejemplo y discutiremos cómo recibir una respuesta.

Cómo escribir la carta

¡Lo más importante de escribir una carta es que tiene que ser genuina! El contenido de tu carta no importa, siempre y cuando lo hagas con sinceridad. Puedes hacer la pregunta que quieras, hablar sobre las cosas que te molestan o cualquier otra cosa que harías con un amigo. ¡Después de todo, Uriel es tu amigo!

Muchas personas recomiendan que escribas la carta justo antes de irte a dormir, en caso de que la respuesta de Uriel aparezca en un sueño. Si te gusta trabajar con los sueños o sueles recibir mensajes a través de ellos, esta es una excelente opción para ti.

Escribe la carta de la forma en que lo harías normalmente: escribe a quién va dirigida la carta y coloca la fecha en la que la escribes. Incluye algún encabezado que se sienta bien para ti, como "Querido Uriel" o "Mi amigo Uriel". Luego, escribe todo lo demás. Puede ser tan largo o corto como quieras que sea. Uriel leerá todo, ¡incluso si le escribes una novela! Tal vez puedas sentir su presencia mientras escribes o puedas percibir que él te está mirando. Esperará pacientemente hasta que tu carta esté terminada para poderla leer por su cuenta.

Cuando hayas terminado el cuerpo de la carta, coloca tu nombre al final y ponla en un sobre. También puedes escribir "Para Uriel" en el anverso del sobre como una forma de dirigirte a él y asegurarte de que ninguna otra entidad la abra por accidente. ¡Deja la carta en tu mesa de luz y observa lo que sucede en tus sueños!

Ejemplo de una carta

Si tienes problemas para escribir tu carta o no sabes qué poner en ella, decidí incluir este ejemplo. Como es una carta de ejemplo, es bastante corta, pero recuerda que puede ser tan larga como necesites que sea.

20 de septiembre de 2020

Querido Uriel:

¡El mundo sí que está loco últimamente! Gracias por tomarte el tiempo de leer esta carta entre todas tus otras labores.

La última vez que hablamos, te dije que había estado pensando en buscar un nuevo apartamento pronto. Te encantará saber que seguí tus consejos y estoy buscando un nuevo empleo primero, pero ahora me encuentro en una situación complicada. Hay un empleo que me gusta mucho y soy optimista respecto de ello, ¡pero no he obtenido una respuesta hace tiempo! Tengo que admitir que soy un poco impaciente. Estoy pensando que debería solicitar otros empleos en caso de que no obtenga este, pero también me pregunto si solo debería ser paciente y esperar el empleo que realmente deseo.

¿Qué piensas, Uriel? ¿Acaso mi impaciencia es una señal de que debería buscar en otra parte, o debería esperar un poco más?

Con mucho amor,

Angela Grace

Seguimiento

Después de escribir tu carta, ten tu diario de los sueños cerca en caso de que despiertes con un nuevo entendimiento. También debes prestarle atención a lo largo de tu día a cualquier señal o emoción nueva que Uriel usa para comunicarte su respuesta. Si estás confundido respecto de su respuesta, siempre puedes meditar después de completar la carta para pedir alguna aclaración. Luego de que escuches su respuesta, es buena idea darle las gracias en forma de una breve plegaria o con otra carta.

Si lo deseas, también puedes incluir un poco de magia de las velas en este ritual. Muchas personas prefieren quemar sus cartas como un símbolo de que está siendo enviada al arcángel, y esto puede hacerse a la mañana o a la noche. Considera combinar el color de tu vela con la de la intención de tu carta para cargarla con algo de poder extra. Si decides quemar la carta, te recomiendo que escribas un diario en donde lleves un registro del contenido de la carta, así también como la respuesta que has recibido de Uriel. Esto te ayudará a reconocer los patrones en su comunicación y a ser más receptivo en un futuro a las respuestas. Si no, siéntete libre de aferrarte a tus cartas para guardarlas en un lugar seguro (Guidance From Angels [*La guía de los ángeles*], 2015).

Capítulo 10: Reiki con el arcángel Uriel

¿Qué es el Reiki?

El reiki es una técnica japonesa creada por un hombre llamado Mikao Usui en 1914, la cual le permite a una persona canalizar la energía de sanación para ella misma y para los demás. Su nombre se compone de dos palabras: *rei*, que significa "poder superior", y *ki*, que significa "energía de fuerza vital". Al combinarlas, observamos que el reiki involucra usar el poder del universo y de Dios para sanar la fuerza vital. Es posible certificarse y convertirse en un maestro reiki, pero no depende de la afinación espiritual o de las habilidades, por lo que está disponible para personas de todo tipo.

En general, el reiki se completa al canalizar la energía a través de las manos, como ya lo hemos hecho en otros ejercicios. Un sanador reiki puede ubicar sus manos en un chakra en particular para sanarlo, pasar sus dedos por el aura del paciente para purificarla, o acumular la energía del aire que lo rodea en las palmas de sus manos. En ocasiones, una sesión puede tener cualidades tranquilizantes, además de sanadoras.

Aunque se suele asociar al reiki con las creencias orientales o las prácticas de la Nueva Era, en realidad no está asociado a una sola religión. De hecho, hasta los ateos usan y disfrutan del reiki. El reiki implica usar el poder del universo, ya sea que lo veas como una energía o una entidad. Mikao Usui ha expresado que el único ideal necesario para la práctica del reiki es un deseo de promover la paz, algo que apoyan personas de todas las creencias.

A pesar de que los maestros reiki recomiendan usar esta práctica junto con la medicina moderna, existen instancias de sanaciones milagrosas mediante el uso del reiki. Es un arte poderoso que no debe tomarse a la ligera (What Is Reiki? [*¿Qué es el reiki?*], 2019).

Sin embargo, no te preocupes. Puedes pedirle a Uriel que te guíe en cada movimiento y se asegure de que lo estás haciendo bien. Mediante el reiki, te convertirás en un sanador poderoso para ti mismo y para tus seres queridos.

Incorpora la ayuda de Uriel

Si recién comienzas con el reiki, pedirle ayuda a Uriel puede ser una forma fantástica de entender cómo funciona. Como el resto de los ángeles, es un experto en canalizar la energía todopoderosa de Dios, así que puede ser de gran ayuda para un principiante. Sin embargo, si has estado practicando reiki durante un largo tiempo, tal vez notes algunos beneficios únicos cuando usas la ayuda de Uriel en tus prácticas.

Para esta práctica, puede resultar útil pensar en los ángeles como un fragmento de Dios. Cada ángel representa un aspecto de su personalidad y es capaz de realizar la labor que se le ha encomendado a la perfección, gracias a que la mano de Dios está en el proceso. Los arcángeles son especialmente poderosos y cada uno de ellos tiene su propia tarea: Rafael sana, Azrael trabaja con las almas de quienes han fallecido y Uriel vigila y enseña. Si te acercas específicamente a Uriel y canalizas su energía a nombre de alguien más, puedes ayudar a proteger a esa persona o disipar la confusión.

Tejido de luz

He descubierto que la técnica del tejido de luz es especialmente poderosa cuando se la usa en conjunto con la energía de Uriel. Como se centra en la luz, ¡no es una sorpresa! Con esta técnica, realizamos un tejido de luz divina con la intención de proteger a una persona o lugar de las energías. En el caso de Uriel, este tejido te defenderá de las distracciones, la confusión y el desorden mental.

Comienza invocando a Uriel. Di su nombre y exprésale que necesitas su ayuda con esta sanación reiki. ¡Asegúrate de expresar tu intención de forma directa! Puedes tener un objetivo particular en mente, tal como "deseo proteger este espacio de las distracciones cuando trabajo", pero también puedes dejar abierta la intención y dejar que Uriel decida lo que hace falta en ese momento. Apenas sientas su presencia y expreses tu intención, canaliza su frecuencia a través de tu chakra del corazón, tus brazos, tus manos y hasta los dedos de los pies. Imagina la luz de Uriel que sale de la yema de tus dedos y crea unos largos hilos que puedes manipular.

Después, pídele a Uriel que guíe tus manos mientras comienzas a armar el tejido en el aire. Tal vez notes que Uriel te alienta a realizar grandes movimientos circulares, o tal vez notes que la situación requiere de un toque más pausado y sutil. Haz lo que se sienta mejor para ti, porque ese es el consejo de Uriel. Puedes realizar el tejido directamente en frente a tu objetivo, a algunos metros de distancia, o puedes apoyar una mano sobre la persona o el objeto que quieres proteger mientras la otra mano teje. También puedes usar el tejido como una forma de cerrar heridas físicas o reparar un chakra afligido.

El resultado será un tejido rojo embebido de energía poderosa y protectora, diseñado específicamente para defenderte de la energía que tú quieras. Siéntete libre de repetir esta actividad varias veces para fortalecer el tejido y renovar sus habilidades. Después de tener el tejido durante un tiempo, tú o tus seres queridos definitivamente sentirán un cambio positivo en sus emociones y su confianza (Shewmaker, 2019).

Tirones de energía

La técnica de los tirones de energía es una técnica sencilla en la que el practicante de Reiki literalmente tira la energía no deseada del aura de su cliente o de él mismo. Suele hacerse sin la ayuda de los ángeles, pero tenerlo a Uriel como guía puede mejorar la calidad de la sesión, sobre todo si la intención es remover sentimientos de vacilación o duda o los bloqueos creativos.

Al igual que con el tejido de luz, invoca a Uriel y dile la energía que tienes la intención de remover. Pídele que guíe tus manos mientras usas tus dedos para pellizcar y tirar del aura de tu preferencia. ¡Él te guiará hacia los lugares correctos y se asegurará de que estás removiendo lo que debes remover! La gran ventaja de contar con la ayuda de Uriel en esta técnica es que él posee un vasto conocimiento que nosotros no poseemos y sabe qué ayudará a largo plazo. Tal vez no comprendamos nuestro propósito, ¡pero Uriel sí!

Como con el reiki en general, puede que debas repetir la sesión un par de veces para obtener mejores resultados, pero tú o tus seres queridos se sentirán mucho más libres incluso después del primer intento. ¡Con Uriel junto a ti puedes lograr grandes cosas!

Capítulo 11: Pasa tiempo con Uriel

"Tomé la palabra y le dije: ¿Cuándo, pues, en qué época llegará esto?, pues nuestros días son poco numerosos y malos. [Uriel] Me respondió: No te corresponde a ti apresurarte más que el Altísimo: te precipitas a causa de él; el Altísimo se precipita a causa de un gran número. [...] Pues el siglo será pesado en la balanza; ha medido el mar con una medida; no se callará y no despertará hasta que la medida que le ha sido acordada sea llenada" (Esdras IV 4:33-37).

Este extracto de una conversación entre Esdras y Uriel, aunque en el contexto del texto entero parece bastante corto, revela un montón sobre la naturaleza de los ángeles y de su creador. Aunque solemos imaginarnos a los arcángeles como seres intocables a los que solo debemos acudir en caso de eventos revolucionarios, Uriel destaca que Dios (y por ende el mismísimo Uriel) trabaja cuidadosamente con cada persona para asegurarse de que todo suceda en el momento correcto. Para poder alcanzar la imagen superior de la creación de Dios, es importante ser una persona meticulosa y enfocada en los detalles.

Para quienes trabajan con los ángeles, esto significa algo muy especial: ¡somos capaces de invocar a Uriel y sus hermanos arcángeles en cualquier momento que lo necesitemos! Cada una de nuestras acciones tiene consecuencias y puede crear un efecto mariposa, así que tiene sentido comunicarnos con los seres superiores incluso por las pequeñas cosas que ocurren en nuestras vidas. Cuando lo hacemos, contribuimos al bien común de una forma más efectiva.

En este capítulo final, aprenderás a fomentar una relación amorosa con Uriel al incluirlo en tu vida cotidiana. A pesar de que existen muchas formas de personalizar este proceso, compartiré contigo algunas formas comunes entre los trabajadores de los ángeles, para que puedas tener una mejor idea de cómo comenzar.

Momentos hermosos

En la cultura judía, es tradición decir una breve plegaria a Dios después de haber visto algo particularmente bello. ¡Una gran forma de mostrar gratitud por las pequeñas cosas de la vida y aprender a observar los momentos hermosos! Hay una hermosa bendición que se dice al ver un arcoíris: "Bendito eres Tú, Adonai nuestro Dios, Rey del Universo, que recuerda el Pacto, es fiel a Su Pacto, y guarda su promesa" (en hebreo, *"Barukh atah Adonai Eloheinu melekh zokher hab'rit v'ne'eman bivrito v'kayam b'ma'amaro"*). Sin embargo, cuando vemos algo hermoso que no tiene asociado una bendición específica, como un tierno gatito sentado bajo el sol de la mañana o niños jugando, simplemente podemos decir "Bendito eres Tú, Adonai" (*Barukh atah Adonai*) (MJL, s.f.).

Aunque las bendiciones formales deben reservarse para el mismísimo Dios, podemos usar un concepto similar para ayudarnos a conectar con Uriel en las pequeñas cosas. Piensa en todas las tareas que sabemos fueron encomendadas a Uriel: la sabiduría, el conocimiento, el aprendizaje, la luz, la Tierra, el arte, la ciencia y la protección. Si ves que alguno de estos elementos representados frente a ti, adelante, di una breve plegaria a Uriel. ¡No tiene que ser complicado! Un sencillo reconocimiento de su trabajo es más que suficiente. Aquí tienes algunos ejemplos que puedes usar en situaciones a las que te enfrentes:

- "Gracias, Uriel, por este estallido de inspiración".
- "Gracias, Uriel, por protegerme en este momento".
- "Uriel, gracias por darle talento e inspiración a este gran artista".
- "Uriel, gracias por ayudar a que nuestra Tierra prospere".

Desahogo

¿Alguna vez te has desahogado por mensaje de texto a tus amigos? Puede ser todo un alivio. A veces, todo lo que necesitamos hacer es quejarnos sobre nuestro día para poder sentirnos mejor. Contarle a alguien más las cosas por las que pasamos nos hacen sentir apreciados y comprendidos. ¡Nunca te olvides de que también puedes desahogarte con Uriel si lo necesitas!

A menudo me gusta usar los momentos tranquilos durante mi viaje al trabajo o durante las horas de trabajo para desahogarme con mis arcángeles. Siempre estamos dialogando con nosotros mismos en los viajes largos, en los días lentos en la oficina o mientras hacemos mandados, así que ¿por qué no invitas a Uriel a formar parte del diálogo? Es fácil incluirlo en la conversación. Simplemente dirígete a él cuando comiences a pensar y él comenzará a escuchar. Es probable que percibas su presencia o al menos sientas que él está escuchando.

Cuando hables con Uriel, asegúrate de prestar atención a tu entorno en caso de que él decida enviarte una señal en ese momento. Un encuentro con un animal, la aparición del número 111 o toparse con una persona necesitada puede ser una señal importante del arcángel. Sin embargo, no te desanimes si no ves ninguna señal. Uriel escogerá alguna otra forma de responder y ayudarte, incluso si está trabajando detrás de escena.

Conclusión

Aunque nuestro mundo puede estar lleno de engaños, ideas erróneas y negatividad, no tenemos que enfrentarlo en soledad. Podemos seguir adelante con confianza, sabiendo que Uriel nos cuida las espaldas. Con su ayuda, podemos lograr un mejor entendimiento de la intención que Dios tiene para nosotros y cumplir ese propósito con la menor cantidad de estrés. Y no solo eso, ¡también podemos ganar un amigo valioso!

Ahora que sabes cómo escuchar la voz de Uriel, cómo buscarlo en el mundo que te rodea y cómo acceder a él a través de diferentes actividades, estará disponible para ti en todo momento. A Uriel no le importa si has tenido un pasado difícil, un presente tumultuoso o miedo de lo que suceda en el futuro. Está aquí para ti sin importar lo que pase, y sus consejos serán muy valiosos para seguir adelante. Espero que este libro te haya dado la confianza en ti mismo que necesitas para contactar a Uriel sin miedo o vergüenza, y yo estaré rezando para que él pueda comunicarse de forma eficiente contigo. Te mereces esta influencia positiva en tu vida y estás dispuesto a aceptarla con entusiasmo.

Como ahora sabes, Uriel es capaz de concederte la guía y el conocimiento que te permite ser más productivo y tener más inspiración en tu trabajo. Con su ayuda, serás capaz de contribuir más a la evolución integral de nuestra especie, lo cual te dará una increíble sensación de logro y satisfacción. ¡Sentirás un aumento en tu energía, tu motivación y tu esperanza!

Al igual que con los demás arcángeles, debes dedicarle algo de tiempo a conocer a Uriel antes de intentar conectarte con otro arcángel. Si no, los mensajes pueden ser confusos y puede ser difícil diferenciar las energías de los arcángeles. Sin embargo, después de que conozcas bien a Uriel, espero que estés dispuesto a echarle un vistazo a los otros libros de la serie *Arcángeles* para continuar con tu camino espiritual. Todos los arcángeles ofrecen servicios únicos, así que tendrás una experiencia más completa si te acercas a todos ellos. ¡Sería un gran honor presentártelos!

¡Buena suerte, y espero que disfrutes de la sabiduría de Uriel!

Discernimiento espiritual

Una guía para confiar en la dirección de Dios

Angela Grace

Discernimiento espiritual

Discernimiento espiritual es una guía completa para escuchar a Dios en tu vida. Este libro abarca distintos temas, desde tu propósito en la vida hasta las cosas de cada día. Angela Grace usa un lenguaje amigable y fácil de entender para que todas las personas, creyentes o no, puedan entenderlo y aplicarlo a sus vidas. Ella desmitifica el don del discernimiento, muchas veces incomprendido, y brinda hábitos simples de seguir que te ayudarán a cultivar este don espectacular. En los siguientes capítulos hablaremos de estos temas:

¿Cómo puedo escuchar a Dios?

¿Cómo puedo saber que es Dios?

¿Qué debo hacer con mi vida?

¿Por qué es importante tener un propósito?

¿Cómo puedo encomendar mi vida a Dios?

¿Qué es el mundo espiritual?

¿Cómo puedo distinguir los buenos espíritus de los malos espíritus?

¿Cómo puedo vivir con sabiduría?

Y muchos temas más. Únete a Angela Grace en este camino de autodescubrimiento y crecimiento hacia la iluminación espiritual.

Introducción

"Pero el Consolador, el Espíritu Santo, a quien el Padre enviará en mi nombre, les enseñará todas las cosas y les hará recordar todo lo que les he dicho". Juan 14:26

Hay algo que quizá ya sabes, pero te lo diré de todos modos. Tal vez no lo sabes o nunca has pensado en ello. No importa; te lo voy a decir de todos modos. Tal vez la forma en la que te lo diga te ayudará a darte cuenta y a apreciar algo sobre el mundo como jamás lo habías hecho.

Mira a tu alrededor. ¿Qué es lo que ves? Las imágenes se mueven rápido en la pantalla. Afuera se escucha el piar de los pájaros. Si vives en la ciudad, todo lo que escuchas es el rugido de la ciudad y el fervor del movimiento, y no es fácil aislarse o que entre por un oído y salga por otro. ¿Cómo se siente este libro en tus manos, es suave? Si estás leyendo esto en un dispositivo, ¿cómo se siente? ¿Es sólido y resistente en tus manos? ¿Los botones de la pantalla son suaves al tacto? ¿Es pesado o sorprendentemente liviano para su tamaño? ¿Qué hay de la silla en la que estás sentado, es cómoda? ¿Qué hay de esas sensaciones en tu cuerpo, de esa molestia en la rodilla izquierda, de la forma en la que la piel se contrae y se estira cuando te mueves?

Esto es muy lindo y emocionante, e incluso puedes decir que es real, contrario a algo que es ficticio o un sueño. Lo más extraño de todo esto es que es una simulación en tiempo real creada por tu cerebro. Estas sensaciones, percepciones, imágenes y cosas que oyes. Esto no quiere decir que en el mundo no existen cosas como mesas, sillas y cuerpos; existen objetos en el mundo que cumplen un propósito y se presentan de esa forma. Lo que quiero que entiendas es que tu cerebro está en una caja negra. Recibe información de tus sentidos y mediante un par de técnicas simula un mundo por ti: el gusto, el tacto, la vista, las sensaciones internas y mucho más. Pero sabemos, ya sea por la ciencia o por nuestras propias experiencias, que la forma en la que percibimos el mundo no es exactamente como es el mundo. En nuestras vidas existen tecnologías que explotan el hecho de que el cerebro está ciego ante mucho de lo que existe ahí afuera. Considera la televisión en tu sala de estar, y si vamos al caso, a cualquier otra pantalla. Cuando la miras, ves personas hablando en la pantalla; cuando mueves el dedo, pasas de página. Pero te das cuenta de que es una ilusión que, al igual que cualquier otra ilusión, explota la manera en que el cerebro interpreta la entrada de información visual para crear un mundo. Es un tipo de ilusión óptica, como ya sabes.

Lo que intento decir es que el mundo no es como parece. No podemos vivir una vida plena en armonía con la naturaleza y el mundo basándonos en nuestras experiencias y el sentido común. Muchas de las cosas que ocurren en el universo, y me refiero al universo como todo lo que existe, incluso la materia, no están dentro de nuestra observación o nuestras experiencias directas. Son invisibles para nosotros. Y muchas de esas cosas que no podemos ver tienen efectos reales sobre nosotros. Tienen consecuencias en nuestras vidas aquí en la tierra. Solo porque algo es vasto y lejano, o solo porque no puedes verlo, no significa que no pueda hacerte daño o envalentornarte. No hace que no exista o que importe menos. Si tu objetivo es vivir una vida que sea genuinamente plena y exitosa y que esté en armonía con la existencia superior, tendría sentido ver más allá del mundo que ven tus ojos, limitado por tus propias percepciones y experiencias y tu naturaleza.

Una persona que no puede ver más allá de su realidad o experiencia inmediatas es como una persona que tropieza en la oscuridad. No tiene un entendimiento o una percepción de cómo sus decisiones reverberan más allá de lo que puede ver. Las personas son más que sus experiencias directas; tienen un alma, por lo que pueden tomar decisiones que dañan su alma a largo plazo.

Entonces, ¿cómo cambiamos esta situación? ¿Cómo ver más allá de nuestra pequeña realidad inmediata y tomar decisiones sabias más allá de nuestra experiencia directa? Debes aprender a ser consciente y a estar alerta a nivel espiritual. Para esto necesitarás algo de ayuda; la mejor ayuda y guía que puedes obtener es la de Dios. Puedes pensar que soy un poco tendenciosa porque menciono a Dios desde un primer momento. ¿Pero y si hay otros espíritus, como Cthulhu o el Leviatán, que están mejor preparados para ayudarte? Antes de tocar ese tema, hablemos de espíritus. Muchas personas piensan en los espíritus como entidades que existen más allá de la realidad física o independientes de ella. Como ya hemos visto, la realidad física, o el mundo como lo experimentamos, es solo una pequeña fracción de lo que realmente existe allá afuera. Los espíritus son seres que residen en esta realidad mayor. Ellos ven mucho más del mundo que nosotros. Por nosotros, me refiero a la mayoría de nosotros porque tenemos un alma; a nivel esencial, somos almas. Sin embargo, algunos espíritus son más conscientes que otros; saben más, ven más y pueden hacer más cosas. Esto ocurre de la misma manera en el mundo real. Algunas personas son más capaces que otras.

Imagina que todo el mundo es solo un país. A la persona más influyente en ese país la llamaríamos Presidente. La palabra Dios describe algo similar. Es solo un título. Dios no es el nombre de Dios. Dios tiene un nombre propio. Así como el nombre del presidente no es Presidente. Pero en el caso de Dios, existe otro factor que lo hace la mejor persona a quien escuchar. Ha creado todo lo que existe. Es el mayor arquitecto universal. Por lo tanto, sabe todo sobre la existencia porque él mismo la diseñó. Es por eso que decimos que Dios sabe todo; literalmente es omnisciente. Dios no tenía un algoritmo para crear el universo; él lo creó todo. No solo sabe todo, sino que también es súper inteligente. Más que cualquier otra cosa que pueda existir, porque cualquier otra inteligencia que exista en el universo existe como resultado de su creación, y por lo tanto es su creación. Entonces, Dios es a quien debes acudir si quieres vivir la mejor vida posible. Sabe lo que es mejor para ti porque él es lo mejor que puede haber.

Sin embargo, hay un problema, y para eso tenemos aquí este libro. Existe un sinnúmero de otros espíritus que intentarán ofrecerte los mismos servicios. Muy a menudo es difícil saber cuál es Dios y cuál no. Esto se debe a dos cosas. Uno, nos hemos abandonado a un nivel espiritual. Nuestra salud espiritual es deficiente, por decirlo así. Debido a esto, no podemos actuar bien en el mundo espiritual.

El segundo problema es que existen fuerzas externas empecinadas en destrozarnos o en frustrar nuestros intentos de lograr una conexión con Dios. Simplemente hay demasiado ruido. Dicho de otro modo, es necesario un esfuerzo sostenido para escuchar a Dios. Tal vez algunas personas pregunten rápidamente por qué. Mi respuesta es, ¿por qué debería ser de otra manera? Nos agradan las personas con las que nos relacionamos porque es una responsabilidad compartida. Los vínculos se construyen sobre la idea de que ambas partes hacen un esfuerzo para construir algo juntas. Dios ya está haciendo un esfuerzo; tú no estás cumpliendo con tu parte del trato. Si no me crees que Dios nos habla todo el tiempo, te daré una prueba que es difícil de discutir.

Haz memoria; recuerda tu infancia, cuando tu madre solía cocinar las galletas que tanto te gustaban. Ella las ponía en un frasco y te decía que no sacaras ninguna hasta que ella te las diera. Tal vez te dijo que pidieras primero. Pero tres o cuatro galletas en la mañana no eran suficientes para ti. Tú querías más. No es tu culpa; estaban realmente deliciosas. Se te hace agua la boca de solo pensar en ellas (a propósito, deberías llamar a tu mamá y decirle que te hornee unas galletas ahora mismo. Eso sí, sé amable. Bueno, de vuelta a la historia). Tú sabes lo que hiciste después. Fuiste y sacaste más. Una aquí y una allá, pero pronto fueron diez o veinte, y te atraparon, ¿verdad? Pero es probable que recuerdes, a pesar de la adrenalina de robarlas, esa sensación fea en el pecho o esa voz en tu cabeza que te decía que no debías hacerlo. En ese momento sabías que lo que estabas haciendo estaba mal y había una voz que te decía eso mismo. A esa voz la llamamos conciencia, y nuestra conciencia es una de las formas más puras en las que Dios habla con nosotros.

Como sabes, este canal puede estar intervenido por otros espíritus e influencias, pero es probable que cuando eras un niño eso aún no había sucedido. Y seguro Dios hablaba contigo más seguido, no solo cuando hacías cosas malas, sino también cuando jugabas. ¿Recuerdas haber sentido una presencia? ¿Algo que te estaba observando y cuidando? ¿Recuerdas que a veces hablabas contigo mismo o con algo, pero no estabas muy seguro de qué era? ¿Eso que no era tu amigo imaginario? Piénsalo.

Acudiste a este libro porque, de algún modo, has perdido eso en un momento de tu vida donde más lo necesitabas. Una razón por las que los espíritus no gastan toda su energía en los niños es porque ellos toman menos decisiones. Tienen menos responsabilidades. Por lo tanto, más elecciones tienes, más poder tienes, más útil eres como persona. Esto no quiere decir que los niños sean menos importantes. Lo son, y puede ser parte de la razón por la que atacan a los padres y adultos, porque los adultos confundidos pueden confundir también a los niños. Como tomas más decisiones y esas decisiones tienen consecuencias en otras generaciones, necesitas a Dios más que nunca. Entonces, elegir este libro ha sido una de las decisiones más inteligentes que podrías haber tomado. Tal vez el propio Dios te ha guiado hasta aquí.

En este libro hablaremos sobre lo que se necesita para escuchar a Dios y cómo saber que es él. Hablaremos sobre encontrar tu propósito y por qué es importante. Veremos las formas en las que Dios habla con nosotros día a día y cómo podemos aprovecharlo para hacer crecer nuestra fe. La parte más interesante para la mayoría de ustedes será mi discusión sobre cómo discernir los espíritus buenos de los malos espíritus y las buenas intenciones de las malas intenciones. Veremos cómo vivir de acuerdo a las escrituras y la sabiduría. Pasaremos un buen rato. Este libro trata sobre el discernimiento espiritual y, hasta ahora, he hablado mucho sobre escuchar a Dios. Porque, aunque el discernimiento espiritual se trata de tener una buena percepción espiritual, gran parte de ello surge y se alimenta de una comunicación mutua con Dios. Entonces, esta discusión necesita otra discusión sobre escuchar a Dios y prestarle atención y las formas de distinguir diferentes voces, intenciones y espíritus.

Capítulo 1: Escucha a Dios

A un nivel más básico, Dios nos habla a través del espíritu. Esto es provechoso porque el espíritu siempre está a nuestro alrededor y dentro de nosotros. Nos habla de diferentes maneras y hay muchas formas en las que Dios usa el espíritu para hablar con nosotros. Dios nos habla de diferentes formas según quiénes seamos, dónde estemos y cuál sea nuestro camino en la vida. Él habla con cada persona de manera diferente, todo sea por servir al objetivo principal: lograr intimidad y traer consigo su reino. Aunque no puedo darte un manual de instrucciones sobre cómo comenzar a escuchar a Dios en tu vida, puedo decirte que hay formas preestablecidas en las que Dios se comunica. Aún así, la naturaleza en la que emplea esas formas variará con cada persona. Sin embargo, muchas veces coincidirán en gran medida.

En estos capítulos hablaremos de las formas inmediatas y de fácil acceso en las que Dios se comunica con nosotros. Algunas personas están tan acostumbradas a estos métodos que ya no piensan que sean algo fuera de lo común. La más común es la conciencia; es un mecanismo incorporado que conecta a Dios con cada persona. El único problema es que este mecanismo puede corromperse. Lo sabemos porque existen personas que están en completo desacuerdo con cosas que deberían ser iguales para todo el mundo. Estas visiones del mundo pueden alterar nuestra conciencia.

Reemplaza la frase "visión del mundo" por "información". Una visión del mundo se compone de una serie de conceptos relacionados entre sí de manera compleja. Imagina que tienes una porción de tierra. El terreno es rico y muchas cosas pueden crecer allí, así que decides comenzar a sembrar. Antes de hacerlo, debes quitar lo que ya está creciendo allí. Si la información que tienes es que limpiar el terreno traerá un mejor rendimiento de la cosecha, trabajos fijos, alimento para otros y ayuda para tu familia, limpiar el terreno se sentirá como lo mejor que puedes hacer.

Ahora, imagina la misma situación, pero con un conjunto de información diferente. Por ejemplo, sabes que despejar el terreno provocará que el pueblo se inunde en el verano y cause un daño irreparable y, probablemente, la muerte de algunas personas. Te sientes mal por querer despejar el terreno, incluso si sabes que traerá abundancia y ayuda para tu familia. La información que tienes, los conceptos, pueden tener una gran influencia en tu conciencia y en la toma de decisiones. Lo que este ejemplo quiere ilustrar es lo fácil que es persuadir a tu conciencia. Si tu visión de la vida es bíblica, tu conciencia estará en su mayoría alineada con los deseos de Dios. Sin embargo, no siempre puedes tener por cierto que, de alguna manera, algo ha descolocado tus concepciones del mundo para llevarte por el mal camino.

Otra forma en la que Dios se comunica con nosotros es a través de la intuición. A la intuición se la conoce mejor como instinto. Puede ser algo simple, como tener un mal presentimiento sobre una decisión en particular. En ocasiones, es la convicción de saber que debes hacer algo; un tipo de conocimiento inexplicable sobre una situación que más adelante termina siendo cierto. La intuición es enigmática, en el sentido de que no apela al intelecto, sino que afecta y se ocupa de una parte profundamente espiritual de nuestra naturaleza.

"Porque el Señor da la sabiduría; conocimiento y ciencia brotan de sus labios. Él reserva su ayuda para la gente íntegra y protege a los de conducta intachable. Él cuida el sendero de los justos y protege el camino de sus fieles. Entonces comprenderás la justicia y el derecho, la equidad y todo buen camino; la sabiduría vendrá a tu corazón, y el conocimiento te endulzará la vida". Proverbios 2:6-15

Otra forma en la que Dios se comunica con nosotros es a través de sueños y visiones. Dios puede usarlos para traer tu atención a algo misterioso. Para encontrarle sentido a los problemas con los que hemos estado lidiando, para darnos una idea diferente de lo que se viene, y muchas cosas más. Aunque hay muchas personas obsesionadas con la interpretación de los sueños, a menudo los sueños son bien claros debido a que usan un lenguaje con imágenes y emociones que podemos entender.

"Dios nos habla una y otra vez, aunque no lo percibamos. Algunas veces en sueños, otras veces en visiones nocturnas, cuando caemos en un sopor profundo, o cuando dormitamos en el lecho, él nos habla al oído y nos aterra con sus advertencias, para apartarnos de hacer lo malo y alejarnos de la soberbia; para librarnos de caer en el sepulcro y de cruzar el umbral de la muerte". Job 33:14-18

Dios también usa los consejos de otras personas para comunicarse con nosotros. Por lo general es algo que oirás de gente que tiene una relación cercana con Dios. Por ejemplo, si en la iglesia las personas hablan de ti porque ven algo en común, como que serías un excelente profesor. Esta sería una forma en la que Dios te muestra que tienes ese don. Él ha allanado el camino para que tú lo sigas. Esto se debe a que, si las personas ven o reconocen algo en ti, ellas te asignan un rol. Aunque tendrás que enfrentarte a varios desafíos en un camino profeso dentro del ciclo espiritual, recibirás el apoyo suficiente para alcanzar tu meta. Una señal más evidente es si las personas que no se comunican entre sí opinan lo mismo sobre una situación en tu vida.

"Al necio le parece bien lo que emprende, pero el sabio escucha el consejo". Proverbios 12:15

"Sin dirección, la nación fracasa; el éxito depende de los muchos consejeros". Proverbios 11:14

Otra forma en la que Dios se comunica con nosotros es a través de su palabra, ya sea en la lectura o en sermones y mensajes. Sabrás que Dios se está comunicando contigo si un mensaje o sermón es convincente. La palabra *convicción* es perfecta para describir este fenómeno. Básicamente significa que, en ese momento, sientes que ese mensaje fue pensado para ti, fue creado contigo en mente. Por supuesto, ningún versículo o mensaje de un pastor fue escrito específicamente para ti, pero puedes estar en una posición en la vida en la que ese mensaje resuena profundamente en tu interior.

"Toda la Escritura es inspirada por Dios y útil para enseñar, para reprender, para corregir y para instruir en la justicia, a fin de que el siervo de Dios esté enteramente capacitado para toda buena obra". 2 Timoteo 3:16-17

Existe otra forma más directa en la que Dios se comunica con nosotros. Él nos habla a través de la voz en nuestra mente, una voz calma que habla de espíritu a espíritu. Quizás a estas alturas algunas personas se sienten incómodas. Aún así, si despejas tu mente, meditas sobre las escrituras y haces algunos de los ejercicios que mencionaremos en este libro, escucharás ideas y pensamientos y habrá imágenes que aparecerán de la nada en tu mente y te guiarán. No son solo pensamientos, son específicos a tus preguntas y traen consigo otras confirmaciones también. Una confirmación es cuando Dios dice una cosa y luego ocurre en el mundo algo que concuerda con su voluntad o sus deseos para ti.

La forma menos común, y a la que mucha gente le encantaría sentir o incluso pagaría por ello, es una voz audible. Es cuando escuchas una voz de verdad, de la misma manera que escuchas música en unos parlantes o escuchas hablar a alguien al lado tuyo. Ocurre de forma externa. Mientras lo lees puede ser atemorizante, o al menos lo parece. Esto se debe a que, en nuestras experiencias normales, no oímos voces que salen de la nada, y cuando ocurre puede ser un signo de inestabilidad mental. Dios puede usar este método, y cuando lo hace, te llenarás de calma, paz y entendimiento.

Otra forma es la pasión intensa. Puede ser una fuerte sensación de euforia que surge de la nada y te impulsa a hacer algo. Por lo general, las personas tienen experiencias como estas durante la adoración, en la que el espíritu de Dios desciende sobre ellas como una presencia abrumadora. En ese momento, una especie de sabiduría sobrenatural viene hacia ti; es tan evidente que no hay manera de confundirse o dudar de ella.

"En conclusión, ya sea que coman o beban o hagan cualquier otra cosa, háganlo todo para la gloria de Dios". 1 Corintios 10:31

"Todo lo puedo en Cristo que me fortalece". Filipenses 4:13

Dios utilizará diversos métodos para comunicarse contigo, tal como tú te comunicas con tus padres o amigos. No solo cara a cara; usas todas las herramientas a tu disposición para transmitir un mensaje y usas el método que mejor funcione en esa ocasión. Si están lejos, puedes alzar la voz. Si estás en otra ciudad, puedes llamarlos. Si no puedes hablar, puedes enviarles un mensaje. Y si ha pasado mucho tiempo y los extrañas, puedes hacer una videollamada con tus seres queridos. Dios hace lo mismo, y es muy probable que sea el mismo mensaje, ese que necesitas oír ahora mismo. Esta es otra forma en la que las confirmaciones ocurren: los mismos mensajes comunicados de distintas maneras.

¿Cómo puedo darme cuenta?

Ahora conoces las formas en las que Dios habla, ¿pero cómo puedes darte cuenta de que es Dios? Este es un problema central para todos los creyentes; lo llamo el síndrome de la ambigüedad perpetua. Cuando reciben un mensaje de Dios, piensan que la fuente no es clara o no están seguros de que realmente es Dios porque no está claro. A menudo le pregunto a estas personas qué es lo que necesitarían para convencerse de que es Dios quien les habla. Nunca tienen una respuesta de verdad, supongo se debe a que piensan que es una pregunta retórica. Me imagino que les gustaría que Dios bajara del cielo y les hablara envuelto en una luz enceguecedora. Tal vez sería prueba suficiente, ¿pero quién sabe?

Hemos insinuado las formas en las que Dios se revela a sí mismo y vale la pena volver a revisarlas. Dios confirma las cosas que te dice. No las dirá solo una vez, solo a ti y solo de una forma. Es como cuando tu pareja te envía un mensaje para que recuerdes comprar la leche, cuando ya sabes que debes comprar la leche. Tal vez sueñas con comenzar una campaña en línea para recaudar fondos para tu vecino. Entonces, escuchas la misma voz en tu cabeza cada vez más mientras rezas e incluso comienzas a sentirte bien al respecto. Un amigo puede preguntarte por qué no haces algo similar para tu amigo. Y es así como sabes que Dios te está hablando a ti.

Te darás cuenta de que es algo bueno simplemente porque lo es. Dios no te diría que hagas algo que puede ser dañino para ti, para tus seres queridos o para tu relación con él. Si está alineado con las escrituras, es bueno, fomenta su palabra y fortalece tu vínculo con él, entonces es Dios.

"—¿Por qué me llamas bueno? —respondió Jesús—. Nadie es bueno sino solo Dios". Marcos 10:18

Aquí es donde sueles escuchar la historia de Dios y Abraham. Esta historia a menudo nos hace pensar que Dios no siempre nos dice que hagamos cosas buenas o al menos moralmente aceptables. Si no conoces la historia, Dios le dice a Abraham que sacrifique a su hijo. Abraham casi lo hace, y justo cuando está a punto de golpear la cabeza de su hijo Dios le dice que se detenga, porque Abraham ya probó su fe. Parece una broma muy cruel. ¿Por qué Dios haría una cosa así? ¿Cómo Dios puede ser tan cruel? Seguramente Dios no siempre nos pedirá que hagamos cosas buenas. Él es más que capaz de decirnos que hagamos cosas y cambiar de opinión a último minuto. Esta parece ser la conclusión a la que muchas personas llegan con esta historia bíblica en particular. Escuchan esta historia y ven a un Dios caprichoso, capaz de instruir a las personas para que cometan actos moralmente reprobables sin razón alguna. Y con esa descripción, tal vez te sientas mejor llamando a esta entidad demonio en lugar de Dios.

Las personas que piensan así son las primeras que hacen preguntas como "y si Dios te pide que mates a tu vecino, ¿lo harías?". Me temo que me pondré un poco morbosa con lo que voy a decir, pero es solo por el debate. No trato de decir que Dios haría una cosa como esta, pero pienso que es una buena pregunta para analizar. Si estuvieras en esta situación y una voz se te apareciera y te dijera "soy el Señor, tu Dios y tu salvador, y te ordeno que mates a tu vecino", es probable que lo primero que pienses no sea "guau, Dios me está hablando"; sino mas bien algo entre "me estoy volviendo loco" y "debe ser algún espíritu maligno". Ahí es exactamente donde deben estar tus pensamientos. ¿Por qué? Dios no es contraproducente. Él trabaja para hacer las cosas de una manera mejor, no peor. La pregunta que debes hacerte es: "si tuviera que ir a la casa de mi vecino y matarlo, ¿cómo me haría sentir? ¿Qué impacto tendrían mis sentimientos en mi relación con Dios y con la comunidad?". Si la respuesta a eso, de tu conocimiento del mundo, es abrumadoramente negativa, entonces no es Dios. Si esto implica romper vínculos con tu familia, deshonrar a tu iglesia, hacer que dudes del mensaje divino y provocar un daño psicológico y emocional potencialmente irreversible, este no es Dios. Él nunca te pediría que hicieras algo que pueda poner en juego tu vínculo con él.

Ahora imaginas a un astuto terrorista diciendo: "Dios jamás haría nada que te pueda hacer daño. Entonces, él sabe que si matas a esta persona, será algo muy bueno para ti".

Recuerda lo que dije. Si con todo lo que sabes ahora, en este mismo momento, con la inteligencia que has adquirido, realizas una acción que puede llegar a dañar tu relación con Dios, con la iglesia o con tu familia y traer dolor y sufrimiento, no es Dios. Desde el momento en el que te permites actuar bajo impulsos ridículos o salvajes o invocaciones porque "el espíritu sabe más que yo", te abres a las influencias externas. Una señal de que Dios te está hablando es que él hará que todo lo que te diga sea inteligible para tu situación actual. No será un misterio total. Te aconsejo que apliques este criterio en las circunstancias más serias. Si Dios te ordenara que comieras pizza, no habría necesidad de semejante análisis.

"El Señor es bueno con todos; él se compadece de toda su creación". Salmos 145:9

Cuando pasas tiempo rezando y estudiando las escrituras, te acostumbras a la voz de Dios. El espíritu de Dios trabaja contigo en esos momentos para iluminar la palabra y traer más entendimiento a tu vida. Cuando lees la palabra y estás convencido de lo que lees, sabes que es Dios que te habla. Y cuando tengas dudas, puedes estar seguro de que puedes confirmar ese mensaje por fuera de las escrituras. Uno de los otros beneficios que tiene leer las escrituras y sumergirte en la palabra es que pasas tanto tiempo con el espíritu de Dios que puedes reconocerlo fácilmente la próxima vez que se comunique contigo. Tu mente se llenará de su palabra, y cuando mires al mundo, estará formado de tal manera que será fácil reconocerlo y percibir sus caminos y acciones en el mundo. Puede sonar algo extraño, pero ya has tenido antes una experiencia similar. El espíritu abre nuestra mente o nuestro ojo espiritual de la misma manera en la que el conocimiento puede cambiar cómo vemos las cosas a nuestro alrededor.

Por ejemplo, como cualquier estudiante te dirá, antes de aprender algo nuevo tienes que saber que el mundo a tu alrededor está lleno de características jamás antes vistas. No es porque estas cosas invisibles no están ahí, sino porque la mente del estudiante todavía no está entrenada para poder reconocerlas. Antes de que los estudiantes de psicología comiencen a estudiar la materia, comienzan viendo el comportamiento de los demás de manera bidimensional, como algo bueno o malo. Tienen opiniones mediocres sobre las motivaciones ajenas y la forma en que otros actúan, y ven los trastornos de salud mental como rasgos de personalidad o incluso como un mal comportamiento.

Es ahí cuando el estudiante comienza a ver un mundo aún más multifacético, donde las cosas son mucho más complejas e intrigantes de lo que parecen en un principio. Está más preparado para observar una situación o un comportamiento y pensar en un juicio mejor sobre el motivo detrás de ese comportamiento y si es normal. Sumergirte en la palabra de Dios te permite ver más allá del mundo que está frente a tus ojos, reconocer patrones, influencias ocultas y el significado de los eventos que suceden a tu alrededor.

"Tu palabra es una lámpara a mis pies; es una luz en mi sendero". Salmos 119:105

Es por esta razón que la mejor forma de escuchar a Dios o prepararte para reconocer sus formas fácilmente en tu vida es familiarizarte con su palabra. Esto te ayudará a discernir más fácilmente a los espíritus malignos.

Lo repito; Dios no es destructivo. Dios usa más de una manera, él confirmará lo que dice y, si te sumerges en las escrituras, podrás percibirlo al instante en otras áreas de tu vida.

¿Y ahora qué?

Ahora tienes una buena idea de algunas de las cosas a las que debes prestarle atención o debes hacer si quieres discernir las formas de Dios en tu vida. Conoces la importancia de leer y analizar las escrituras. Hasta ahora vimos cómo Dios nos habla y cómo podemos darnos cuenta de que es él, pero no hemos hablado de las formas en las que podemos escucharlo activamente. No es que Dios no nos habla; la mayoría de las veces nosotros simplemente no escuchamos. Entonces, te diré las formas en las que podemos escuchar a Dios.

Abúrrete

Sí, me oíste bien, permítete aburrirte un poco. Hoy en día, las personas le tienen tanto miedo a la inactividad que siempre están ocupadas con alguna forma de estímulo digital. En esta era y en esta economía, si no queremos aburrirnos, tenemos un sinfín de cosas para mantenernos ocupados. Y el aburrimiento es incómodo, así que lo evitamos a toda costa. Cuando estamos ocupados, absortos y entretenidos, ignoramos muchas cosas que Dios nos está diciendo porque estamos muy enfocados en otra cosa. Es como hablar con alguien que está mandándole mensajes a alguien más; no te presta atención y muchas veces ni siquiera te escucha. Para la espiritualidad, estar ocupado todo el tiempo es igual a mandarle mensajes a alguien más mientras entablamos una conversación.

"Pero tú, cuando te pongas a orar, entra en tu cuarto, cierra la puerta y ora a tu Padre, que está en lo secreto. Así tu Padre, que ve lo que se hace en secreto, te recompensará". Mateo 6:6

Entonces, asumo que vas a un lugar de adoración, lees las escrituras y estás dispuesto a escuchar lo que Dios tiene para decirte. Intenta este ejercicio si quieres escuchar a Dios. Aviso: esta es mi forma de hacerlo, pero existen otras maneras. Busca una habitación en donde puedas estar a solas y nadie pueda interrumpirte. En mi caso, es el baño. Despeja esta habitación de cualquier material de lectura o cualquier cosa que pueda llamar la atención o algo que estés tentado a usar si te aburres. Quita los juguetes, los adornos interesantes o cosas así. Por último, desactiva las notificaciones de tu teléfono y de otros dispositivos. Asegúrate de que los dispositivos no estén en la habitación. Luego quédate o enciérrate en esta habitación y desconéctate del mundo durante más o menos quince minutos. Si es necesario, pídele a un amigo de confianza que se quede junto a la puerta para hacerte responsable hasta que se acabe el tiempo. Puedes hacer esto si no confías lo suficiente en ti mismo como para lograrlo. Por ahora, todo bien.

Hay cosas que no deberías hacer una vez que te encuentres en esta habitación protegida. Por ejemplo, no te pongas a hacer ninguna actividad física extenuante como trotar en el lugar o hacer flexiones. No reces; tampoco hables demasiado. Simplemente no hagas nada. Tal vez al principio sientas mucha ansiedad, sobre todo si no estás acostumbrado a no tener nada para hacer. Incluso quizás sientas que escuchas el sonido de una nueva notificación en tu teléfono. Permítete sentir esta ligera ansiedad.

Solo déjala que suceda, no hagas nada. Solo escucha y siéntate. Notarás que tu mente comenzará a ponerse más activa y nuevos pensamientos aparecerán, tal vez cosas en las que nunca antes habías pensado o recuerdos enterrados. Tal vez comiences a pensar en cosas que te molestan y verás muchas de estas cosas más claramente cuando hagas la conexión en ese momento. Incluso pueden surgirte ideas completamente nuevas.

Esto puede estar acompañado de sentimientos de alegría, pasión y motivación para actuar; es una señal de que Dios te está hablando. Te has permitido ser permeante y recibir de él, entonces puedes escucharlo. Estos pensamientos pueden parecer invasivos, bruscos y muchas veces fuertes, pero no dudes; solo escucha. Felicidades, has aprendido a escuchar a Dios. Otra idea que puede cumplir el mismo propósito es salir a caminar en las horas más calmas. Puede ser tanto por la noche como temprano en la mañana. Hazlo por tu cuenta, sin conversar y sin compañía electrónica.

Escucha el mensaje correcto

En ocasiones, las personas se permiten aburrirse y pasar por ese proceso solo para quejarse de que no han oído nada. De hecho, a veces una ocasión no es suficiente para recibir algo de Dios. Me doy cuenta de que, cuando las personas no escuchan nada, la mayoría de las veces es porque están ignorando lo que ya se les ha dicho. En sus mentes tienen expectativas muy específicas de lo que esperan escuchar con ansias. No hay nada de malo en eso, porque muchas veces Dios responde a ello. Tal vez no es el momento perfecto para eso que tanto te preocupa. Dios quizás tiene otras ideas para ti. Ideas que, según su criterio, son más importantes. Entonces, Dios te habla sobre otras cosas, pero te rehúsas a escucharlo porque tienes tu mente enfocada en otra cosa. Esto no solo se aplica a los momentos en los que te permites aburrirte; se aplica a cualquier momento. Permítete estar abierto a cualquier cosa que Dios te diga, incluso si eso no es lo más importante para ti en ese momento.

Examina

Puedes pedir por una cuestión en particular, dejar que se asiente en tu mente y seguir con tu día. Por lo general, Dios se acercará a ti por ese tema en específico en alguna de las maneras que ya hemos visto. Simplemente examina todo tu entorno y tu mente. Mi forma favorita de usar esta técnica es dejar que la cuestión se asiente en mi mente y luego leer las escrituras. No pasa mucho tiempo hasta que llega ese momento de "¡ajá!" o cuando las escrituras hablan de mi problema o ayudan a echar algo de luz sobre él.

Pregunta a otros creyentes

Si tienes preguntas, escucha lo que los creyentes a tu alrededor dicen sobre el tema. Recuerda que Dios puede usarlos para comunicarse contigo. Y si lo que dicen es lo correcto lo sabrás dentro de tu corazón; tu alma resonará. No solo sucederá, sino que también se alineará con lo que has aprendido al leer las escrituras.

Pide una respuesta

Puedes pedir respuestas cuando reces antes de dormir y esperar que Dios las responda en tus sueños. A veces lo hará; otras veces no. En ocasiones Dios ya te habrá respondido y deberás observar detenidamente a tu alrededor, consultar su palabra, pasar tiempo a solas con él y abrir tu corazón para escucharlo.

También puedes hacer lo que yo llamo una plegaria de escucha. Le haces una pregunta a Dios, como "¿qué debería estudiar?", y esperas. Esperas a que aparezcan pensamientos en tu mente y te llenes de ideas y de información respecto de ese tema. Dios pondrá ideas y pensamientos en tu mente para responder esas preguntas. Por lo general suelen ser los más arbitrarios, los más difíciles de sacarse de la mente, ignorar u olvidar. Mientras más demandantes sean, más seguro puedes estar de que estás oyendo a Dios.

"Clama a mí y te responderé, y te daré a conocer cosas grandes y ocultas que tú no sabes". Jeremías 33:3

Haz observaciones

Las palabras importan, y mucho; por eso prestamos atención a las cosas que decimos. Sin embargo, todos sabemos que las acciones dicen más que las palabras. A veces, lo real es un mensaje mucho más fuerte que lo que escuchas. Las situaciones, las circunstancias y la realidad son mucho más poderosas e influyentes que el lenguaje adornado y maquillado. Una de las mejores formas de escuchar lo que Dios nos está diciendo es ver dónde estamos, qué está haciendo y cuáles son tus opciones. Muchas veces las palabras no son suficientes; Dios lo sabe, y tu situación te revelará cuál es la voluntad de Dios o lo que está intentando decirte. Esto puede variar, desde algo pequeño hasta algo grande. Por ejemplo, tienes reservas sobre vivir en una ciudad en particular, pero de repente una oportunidad única en la vida te surge en ese lugar, tal vez un puesto en otra empresa que te sienta mejor. Esta puede ser la forma en la que Dios te está hablando, sobre todo si descubres que allí puedes continuar con tu fe. Tienes formas de protegerla. Dios puede estar diciéndote que es momento de seguir adelante y cultivar nuevas experiencias. A veces, él nos habla al eliminarnos opciones. Cosas que no funcionan de la manera en la que queremos para poder volver a comenzar en un camino más adecuado para nosotros, un camino de mayor crecimiento y felicidad.

Nadie sabe por qué Dios hace esto, pero lo hace. Creo que a veces Dios conoce las cosas que no estamos listos para pensar o entender. Y simplemente tenemos que hacerlas. Cuando esto suceda, tu respuesta debe ser confiar. Confiar en que lo que sea que está sucediendo es para mejor. Porque al final siempre es así, incluso si te toma un tiempo darte cuenta.

Siempre debes confiar en que Dios se comunica y trabaja duro para ayudarte.

Capítulo 2: Propósito

A mi sobrino le encanta hacer una pregunta muy extraña sobre la vida salvaje. Nunca le pregunto por qué lo hace porque nunca le doy una respuesta satisfactoria, pero de todos modos sigue preguntando. La pregunta es "¿para qué sirve esto?". Tendría sentido si esa pregunta se refiriera a las herramientas, los juguetes y cosas así. Sin embargo, en cada ocasión, él solo quiere saber sobre animales. Es una pregunta tan extraña que se queda en mi mente y pienso en ella cada vez que veo una criatura salvaje en la televisión o en internet. Creo que la pregunta que hace mi sobrino es algo intuitivo para los adultos. Estamos acostumbrados a que las cosas encajen en una categoría o tengan un papel. Y cuando lo pienso de ese modo, preguntar para qué sirven las cosas no es muy distinto a preguntar cuál es su función. El motivo por el cual esta pregunta se quedó conmigo es que insinúa la pregunta más profunda sobre el propósito. Nuestro propósito es el papel que tenemos en el gran esquema de las cosas. Es eso que deberíamos estar haciendo con nuestra vida. Es el más grande de los objetivos. De alguna manera, pequeña o grande, todos tus objetivos o todas tus acciones son en servicio a esta misión superior.

Piensa en alguien que está fabricando un martillo. ¿Para qué lo fabrica? Lo fabrica con un propósito. Un propósito es poner los clavos en su lugar, pero esta herramienta tiene muchas funciones y muchas versiones diferentes. No todos los martillos son hechos de la misma forma, ni tienen el mismo propósito, ni se usan para una sola cosa. Una almádena puede derribar paredes, pero no la usarías para clavar un clavo. Algunos martillos se usan para tareas más simples como construir una pajarera, algunos son más pesados y vienen bien para construir una casa del árbol. Otros martillos pueden usarse como pisapapeles o tope para la puerta. Algunos martillos tienen características extra que les permiten arrancar clavos; otros son redondos y hasta te permiten moler granos.

La persona que fabrica un martillo puede tener una razón genérica para su fabricación. Sin embargo, la gente compra los martillos con una tarea específica o varias tareas en mente. Sus dueños les dan un propósito dentro de este conjunto mayor de actividades. Un martillo es un martillo por su función y sus características. No sorprende que las personas seamos de la misma manera. Parece extraño hablar de la humanidad de este modo porque seguramente no fuimos hechos con un propósito en mente. La humanidad en su conjunto, no cada individuo, fue creada por el bien de su creación, porque es algo bueno. Sin embargo, Dios tiene un propósito para nosotros en su reino. Él nos moldea a cada uno de nosotros para cumplir un propósito, porque nos crea, nos da una misión, un sentido, un significado, porque nos ha llamado hacia él.

¿Por qué es importante?

Sígueme la corriente durante un poco más. Estás sentado en la sala de estar, ocupándote de tus asuntos, tus pies descalzos apoyados en la suave alfombra peluda. Te gusta la sensación de la alfombra entre los dedos y en la planta de los pies; es un momento de placer. Ahora, imagina que entro pisando fuerte con unos zapatos con tacón o con suela dura y piso tu dedo del pie. Me miras confundido y lleno de dolor. Pero yo no muevo el pie. Al contrario; piso más fuerte y mantengo la mirada fija en ti. Podrías sacar tu pie de un tirón, pero tienes miedo de hacerte más daño si lastimas tu piel. La suela del zapato no se siente tan suave. Sigo presionando. Podrías patearme o empujarme, pero hay algo en mi mirada que te hace pensar que no deberías hacerlo. Ahora, ¿por qué importa tanto infligir tanto dolor sobre ti? Si te pregunto por qué debería sacar mi pie de encima, ¿cuál sería tu respuesta?

Piensa con cuidado antes de responder. No digas algo obvio. Claramente, por tus gritos y gemidos y tu cara desfigurada, debes estar sintiendo muchísimo dolor, así que no me digas eso. Piensa. ¿Acabas de decir que sería bueno que lo hiciera? ¿Y qué hay de lo bien que se siente causarte dolor? Eso también puede ser bueno. ¿Por qué importa tanto si es lo bueno o lo correcto?

Si fuera a hacerlo y esperara una respuesta verdadera, no serías capaz de pensar en una respuesta lo suficientemente satisfactoria. Algunas cosas simplemente son así. Debería sacar el pie de encima porque duele; no hay otra razón necesaria. Además, porque es bueno, ser bueno está bien y no hay otro motivo más que así es como son las cosas.

El propósito importa porque es algo bueno y duele sentir que no tienes un propósito. Así son las cosas. Las personas que exigen una respuesta mejor que esa nunca son exitosas. Aún así, las personas aprecian el ejercicio de formar grandes conceptos en su mente. No hay nada de malo en eso. Pero al final todo regresa a la misma respuesta, es bueno tener un propósito y duele si no es así. ¿No me crees? Discutamos el concepto de propósito durante unos instantes y veamos nuestras conclusiones después de algunos renglones.

Cuando no tenemos un propósito, perdemos nuestro sentido de dirección. No sabemos por qué hacemos lo que hacemos, por qué es importante o por qué deberíamos preocuparnos tanto. Con solo ese conjunto de problemas puedes ver que es algo malo. ¡Ups! Volvimos a lo mismo, ¿verdad? Volvemos a hablar de cómo se siente no tener una dirección, un significado, y de que es bueno saber que importas. ¿Lo ves? Puedo intentar pensar en otras explicaciones, pero todas vuelven a lo mismo. ¿Volvemos a intentarlo? Okay. Una vida sin un propósito es una vida vacía, y... no, no puedo hacerlo. Lo siento, pero no lo siento.

Encontrar tu propósito en la vida es importante a escala cósmica porque cumple un rol en el reino superior divino, que sustituye con creces a cualquier cosa que sabemos sobre el mundo. Tal vez de ahí es donde viene esa fuerte sensación, porque es lo mejor que alguien puede hacer en todo el universo, un motivo y un significado que trasciende todo lo que conocemos y entendemos. Podemos especular sobre esto todo el día, así que lo dejaremos aquí. En la próxima sección, hablaremos de cómo encontrar tu propósito, el deseo de Dios para tu vida y su voluntad.

En resumidas cuentas, queremos saber cuál es nuestro propósito en el mundo porque un propósito le da sentido a nuestra vida y nos hace sentir realizados. La fórmula es sencilla: el propósito equivale a la felicidad, tanto la terrenal como la divina. Es eso que nos completa.

Cómo descubrirlo

Una de las formas en las que puedes descubrir cuál es el propósito que Dios tiene para ti es ver tu diseño. Antes hablamos de martillos y de cómo ciertos tipos de martillos fueron hechos con un propósito específico en mente. Con las personas también es así. Tenemos una colección de rasgos, habilidades y talentos que son indicio de los roles que estamos destinados a interpretar. Ellos nos dicen cuál es nuestra misión o cuál debería ser. Me imagino a algunos de ustedes leyendo esto, quienes dan pasos en falso entre las cosas en las que son buenos y aquellas que los apasionan. Me identifico con eso. En la escuela era muy buena en ciencias, y un profesor me preguntó si quería ser parte de una actividad extracurricular: un equipo de ciencias que competía en exposiciones. Me gustaba viajar y formar parte de un equipo, pero no disfrutaba mucho de las actividades. Con la ciencia siempre me sentí insegura, ansiosa e incompetente, pero cuando estaba con mis amigos *nerds* me sentía bien. No me gustaba la ciencia, sino el lado social de esos eventos, y lo sabía.

Siguiendo esta lógica, parecería que estaba destinada a hacer ciencia, o al menos algo relacionado con la ciencia o STEM. Pienso que si hubiera seguido ese camino durante el tiempo suficiente, habría alcanzado el éxito pero me habría sentido miserable, como me sentía la mayoría de las veces en la escuela. Si ese era mi propósito en la vida, de seguro no era placentero y no me hacía sentir ninguna pasión. No sentía que contribuía a algo más grande que yo, y si hubiera sido así, no habría creído que era porque en verdad me importara.

Consideremos otra posibilidad. A veces nos apasiona algo en lo que no somos buenos. A veces, aunque parezca ser algo que estábamos destinados a hacer, nos sale tan horrible que parecemos no avanzar nunca. Solo porque una cosa te apasione o seas bueno en otra cosa no significa automáticamente que sea tu propósito. Sin embargo, la mayor parte del tiempo nuestro propósito se alinea con nuestras pasiones, con las cosas que nos salen relativamente bien y que experimentamos como un momento de definición.

Tu primera pista de lo que Dios dice sobre tu vida son las cosas que puedes hacer y las cosas que te apasionan. Allí, en esa intersección, yace tu propósito. Las oportunidades en las que estas dos cosas se unen son la señal de que Dios te llama. Entonces, mírate a ti mismo, tu personalidad, y mira a tu alrededor las cosas que están hechas a tu medida, esas son las cosas que deberías estar haciendo. Todo está en el diseño.

"Toda obra del Señor tiene un propósito; ¡hasta el malvado fue hecho para el día del desastre!".
Proverbios 16:4

"Porque somos hechura de Dios, creados en Cristo Jesús para buenas obras, las cuales Dios dispuso de antemano a fin de que las pongamos en práctica". Efesios 2:10

Otra forma de descubrir lo que Dios quiere que hagas con tu vida es escuchar lo que otras personas a tu alrededor dicen o han dicho o sugerido en el pasado. Recuerdo que en mis épocas de estudiante me decían que la ciencia podía ser mi futura carrera y me alentaban a seguir ese camino. Si todos lo decían, tal vez era algo que debía considerar, algo en lo que debía trabajar duro para encontrar mi pasión, porque claramente es lo que Dios quiere para mí. Pero los únicos que pensaban eso eran mis profesores de ciencias. Todos los demás veían algo diferente. Hablaban de mi agudo intelecto, de mi increíble capacidad de oratoria y de mi habilidad para formar conceptos interesantes. Ellos no sabían lo que podía hacer con todo eso, pero cuando encontré a Dios y comencé a hablar de Dios, se sentía bien para mí y para ellos también. Este grupo de personas era mucho más amplio y diverso y no provenía del mismo círculo social, la misma escuela o los mismos profesores.

Esta forma de ver las cosas puede funcionar también para ti. Escucha lo que diferentes personas han dicho siempre sobre ti. Estas personas deben conocerte lo suficientemente bien como para tener una justificación válida. No deben ser personas que no te conocen bien o conocen poco del tema en cuestión, o personas cuyos intereses están alineados de manera tal que no están siendo honestos contigo.

En ocasiones, Dios nos habla de manera directa. Comenzarás a escuchar su voz que te dice lo que debes hacer. Esta forma no es de las más comunes, pero ocurre si escuchas con atención y te sumerges en la palabra del Señor. Al hacerlo, te vuelves más sensible a su voz. Y cuando eres sensible, Dios comunicará fácilmente cuál debería ser el próximo objetivo en tu vida o a qué deberías dedicar tu vida.

Qué debes hacer antes de escuchar

Hemos hablado sobre anhelar un propósito y una dirección en tu vida, cómo recibirás esa información y cómo puedes encontrarla. Sin embargo, también tienes que conocer los pasos que debes seguir para hacer que esta revelación llegue a ti.

El primer paso es despejar el camino. Muchas veces no podemos escuchar lo que Dios desea o nos dice sobre la dirección en la que debería encaminarse nuestra vida porque simplemente estamos demasiado ocupados creando la vida que queremos. Estamos tan fijados en las cosas que queremos que no nos detenemos a escuchar lo que Dios quiere de nosotros. Este es el equivalente a "silenciar" a Dios porque, a pesar de que deseamos que él nos guíe y nos señale la dirección correcta, solo estamos dispuestos a escucharlo si de alguna forma se alinea con lo que deseamos. El ruido de nuestras vidas y nuestros deseos abruma a Dios. Por lo tanto, el primer paso, uno de los más difíciles, es dejar de lado nuestros deseos y anhelos. Es estar dispuesto a reevaluar y encaminarte hacia una dirección completamente distinta.

Quiero que te tomes unos instantes para analizar tus planes para el futuro, las cosas que esperas que ocurran. Ahora, ¿estás dispuesto a cambiar todo eso si Dios te lo pidiera, o estás tan apegado a esos deseos que renunciar a ellos sería difícil para ti? ¿Y la vida que vives ahora, tu trabajo y estilo de vida? ¿Estás dispuesto a cambiar eso? Si la respuesta es no, será difícil para ti escuchar lo que Dios quiere para tu vida, porque ya has decidido lo que tú quieres para tu vida y claramente estás comprometido con ello. Ahora que te has comprometido, busca una forma de ser feliz con eso. Dios no es de los que presionan a las personas para actuar de la forma en la que él quiere. Le gusta que tengas la posibilidad de elegir y valora la autonomía.

"Porque yo sé muy bien los planes que tengo para ustedes —afirma el Señor—, planes de bienestar y no de calamidad, a fin de darles un futuro y una esperanza".
Jeremías 29:11

"El corazón humano genera muchos proyectos, pero al final prevalecen los designios del Señor".
Proverbios 19:21

La forma de poner tu corazón en el lugar correcto es dándote cuenta de que todos estos planes, deseos y la vida que llevas ahora no es donde reside tu propósito y tu significado. El propósito y el significado residen en Dios; cualquier satisfacción que obtengas de todas esas cosas no es nada comparado con lo que Dios desea para ti. Segundo, todas las cosas en la vida son transitorias, pero la voluntad de Dios es eterna, no existe nada mejor, más honesto o absoluto que poner tu vida en las manos de Dios. Es el encargo más grande que alguna vez experimentarás. ¿Quién no querría algo así? Tercero, Dios no quiere que seas miserable, así que debes abrirte a su idea, incluso a la idea de que tal vez tengas que hacer un cambio considerable en tu vida. Él no promete que el proceso no será difícil o duro a veces, pero te garantiza que mientras lo hagas te sentirás pleno y tendrás un propósito en tu vida.

Ahora es el momento de aceptar la ayuda de Dios en tu vida. Debes estar dispuesto a dejar tu vida por él; si no resulta tan fácil para ti, trabaja en ello. Una forma de hacerlo es empezar de a poco. De eso hablaremos en el próximo capítulo.

Capítulo 3: Día a día

Esto es algo que seguramente ya sabes, pero que vale la pena decir de nuevo. Las cosas grandes están hechas de cosas pequeñas. La vida también está hecha de conjuntos de pequeñas decisiones y eventos que se acumulan y forman algo mucho más grande que la suma de sus partes. Involucrar a Dios en tus actividades del día a día, incluso a pequeña escala, trabaja para impregnar el tejido de tu vida con su presencia. Tenemos que sentir la presencia de Dios en nuestras vidas, acostumbrarnos a ella y a lo que Dios representa para nosotros; esto facilitará que podamos confiar el resto de nuestras vidas a Dios. Tal vez todo lo que debemos hacer es confiar en él las cosas pequeñas, esas cosas pequeñas que forman nuestra vida.

Las cosas pequeñas importan

Si piensas en tu día, verás que se compone de pequeñas decisiones efímeras en las que no pasas mucho tiempo pensando. Te despiertas y decides si tomar una ducha o no, si preparar el desayuno o comprar un panecillo en el camino, si ponerte ese atuendo en particular o elegir otro. Después, cuando sales de casa, decides si seguir por esa calle o tomar un atajo, según las demoras en el tráfico, para llegar al trabajo a tiempo. Decides si te sirves una segunda taza de café o bebes más agua. Nuestros días están llenos de pequeñas decisiones insignificantes. Puedes pensar en ellas como pequeños desvíos en lo que parece ser un día ajetreado lleno de actividades, pero tengo noticias para ti: ellas componen gran parte de tu día, en términos de tiempo. Y mucho más de lo que crees.

Si tuvieras que dividir las horas del día, esas decisiones representan más de un tercio del tiempo. Me percaté de esto cuando descargué en mi teléfono una aplicación para mantener un registro de mis actividades, que también asocié a mi computadora. La aplicación registraba todos los movimientos que hacía durante el día y también hacía un seguimiento de las aplicaciones que usaba y cuánto "tiempo de pantalla" ocupaba en ellas. Al final del día, tenía un informe completo sobre cómo administraba mi tiempo. Siempre había una gran parte del tiempo desaprovechada. A partir del informe podría decirse que pasaba más tiempo jugando que trabajando. Fue toda una sorpresa, porque yo pensaba que pasaba mucho tiempo siendo productiva en el trabajo o haciendo tareas relacionadas con mi trabajo, y lo hago, pero no tanto como pensaba en un principio.

El tiempo perdido estaba compuesto de esas pequeñas cosas inevitables. Cosas que no tienen nada que ver con la productividad o el ocio; son cosas que pasan entre el trabajo y el tiempo libre. La parte fea es que realmente no nos percatamos de todo el tiempo que consumen del día y en conjunto constituyen una gran parte de tu vida. Es como cuando ves estadísticas en internet sobre cuánto tiempo de tu vida pasas en el tráfico camino al trabajo o cuánto tiempo pasas durmiendo, pero raramente ves estadísticas sobre cuánto tiempo te lleva tomar decisiones o las tareas del hogar que no son de trabajo ni de ocio.

Hablemos de ocio. El ocio se compone de pequeñas decisiones que acaparan un montón de tiempo. Escogí estos ámbitos porque son aquellos en que las personas son realmente sí mismas, en los que tienen mucha libertad. Si invitas a Dios a esos ámbitos de tu vida, le darás a Dios gran parte de tu vida. Lo bueno es que no tienes que hacer nada drástico, simplemente tienes que dejarlo escoger qué película o serie deberías ver o qué libro leer, si deberías agregarle azúcar al café o hacer una caminata alrededor del barrio. De esta manera te familiarizarás con el espíritu de Dios, normalizarás su presencia y sus caminos y pronto aprenderás a confiar en él. Y cuando lo hagas, será fácil comenzar a escuchar cuando te diga algo sobre tu vida. Dios también te confiará cosas más grandes si has demostrado tu fe con las cosas pequeñas.

Aquí tienes algunos ejemplos de cosas pequeñas. Las tuyas pueden ser diferentes a las mías, y puedes crear tus propias cosas y añadirlas a la lista, porque la lista está pensada para ser extensa.

- Lo que deberías ver.
- Lo que deberías comer.
- Lo que deberías beber.
- Lo que deberías hacer en tu tiempo libre.
- Los libros que deberías leer.
- En qué redes sociales deberías pasar el tiempo y durante cuánto tiempo.
- ¿Deberías tener una mascota o una planta?
- ¿Qué actividad física deberías hacer?
- ¿Deberías tomar una siesta?
- ¿Deberías beber más agua?
- ¿Deberías charlar de cualquier cosa con esa mujer del trabajo todos los días?
- ¿Deberías decirle "hola" a tu vecino?

Cómo escuchar

Pido disculpas si hago que todo esto suene como que tienes que rezar, cerrar los ojos y esperar a que Dios responda cada vez que quieres una rebanada extra de pan. Bueno, no es una forma de vivir muy práctica y de hecho puede causarte más problemas en lugar de acercarte más a Dios. Vivir una vida en la que siempre estás esperando una respuesta de Dios, o que él intervenga en cada pequeña decisión, no funcionará de la manera que quieres. Sin embargo, Dios sí tiene algo que aportar en muchas de las pequeñas cosas que hacemos cada día. Entonces, ¿cómo saber qué te está diciendo y cómo escucharlo?

Molestia

La verdad es que la mayoría de las personas no escuchan lo que Dios les dice sobre las decisiones diarias que toman porque no les gusta lo que dice o porque están demasiado ocupadas evitándolo o asumiendo que él nunca habla o no les habla específicamente a ellas. Dios ya ha hablado sobre algo en tu vida. Es probable que estés esperando a que diga algo más o algo nuevo, pero él no dirá más nada de lo que ya ha dicho si no lo estás escuchando.

¿Conoces esa voz en tu cabeza que te dice que quizás no deberías comer otra dona o beber otra copa de vino, o que deberías regular la cantidad de azúcar que consumes cada día y comenzar a responder las llamadas de tu mamá? Ese puede ser Dios que te está hablando. Debido a la frecuencia con la que esa voz nos sigue y nos dice lo que debemos y no debemos hacer, y nos hace sentir mal cuando hacemos algo que se supone que no deberíamos hacer, digo que es una "molestia". Es como si alguien se parara detrás de ti y te insistiera en que hagas algo. A veces las personas están tan fijadas en un objetivo que escuchar esta voz tiene muy poco efecto, o nada en absoluto, en su decisión. Si no les afecta, es porque han renunciado a sus sentimientos de arrepentimiento.

En ocasiones, esta voz es solo nuestro subconsciente, que compila el pasado, el presente y los sueños del futuro, asocia los pensamientos adecuados con formas de comportarse y guía nuestro comportamiento para alcanzar distintos objetivos. Es la voz que nos vigila. Cuando es Dios quien usa esa voz, habrá varias señales. Lo que la voz te dice suele estar en la parte de atrás de la cabeza y se queda allí sin importar lo que hagas. Te convence y te fastidia. Es la misma sensación que tienes cuando ves un cuadro torcido colgado en la pared y no puedes resistir la tentación de enderezarlo. Excepto que, en esta situación, es esa sensación y esa voz sobre lo que estás haciendo o deberías hacer, pero a diferencia del cuadro torcido en la pared, te resulta abrumador. Entonces lo pospones, y mientras más lo pospones, más insensible te vuelves a esa sensación.

Si quieres a Dios en tu vida, debes comenzar a escuchar lo que dice sobre las pequeñas cosas de tu situación actual. Comienza con algo simple; haz el mínimo indispensable si es necesario. Pero cualquiera sea, hazlo ahora mismo, y verás que Dios te habla en otros ámbitos de tu vida y será más fácil confiar en él. Verás que te conviertes en una persona más tranquila y feliz consigo misma. Es como usar lentes por primera vez. Nunca sabes en verdad lo mala que es tu visión antes de usar lentes recetados. No sabes lo tensa, miserable o desequilibrada que es tu vida hasta que comienzas a escuchar a esa voz.

He hecho que esta voz suene como que solo te dirá lo que sí y no puedes hacer. A veces esta voz también te dará ideas, te hablará de pasión e inspiración. Sabes que viene de Dios porque se alinea con las escrituras, es constructiva en vez de destructiva y añade un sentido de dirección a tu vida. Cuando demuestras tu fe en este ámbito de tu vida, Dios comenzará a abrirte puertas y a hablarte sobre cosas que dan significado a nuestra vida, porque las cosas pequeñas conforman las grandes cosas.

"No se inquieten por nada; más bien, en toda ocasión, con oración y ruego, presenten sus peticiones a Dios y denle gracias. Y la paz de Dios, que sobrepasa todo entendimiento, cuidará sus corazones y

sus pensamientos en Cristo Jesús".
Filipenses 4:6-7

Lee las escrituras

Hazte al hábito de leer las escrituras al empezar tu día, incluso si lees solo unos pocos renglones o un párrafo, meditar sobre ellas y pensar en cómo pueden aplicarse a tu vida y en su importancia. Si de algún modo se conecta o se relaciona con tu situación, notarás pequeñas cosas que puedes comenzar a hacer de manera diferente ese mismo día. A veces las ideas llegarán, otras veces no habrá nada. Lo mejor es que ninguna frase se desperdicia; algún día, en alguna otra situación, esas palabras estarán en primer plano en tu mente y te guiarán.

"Mis ovejas oyen mi voz; yo las conozco y ellas me siguen. Yo les doy vida eterna, y nunca perecerán, ni nadie podrá arrebatármelas de la mano". Juan 10:27-28

Capítulo 4: Luz en la oscuridad

En la introducción, mencioné que el mundo espiritual es abundante y que algunos de los espíritus querrán influenciarte de varias maneras. Te he dado una razón para preferir a Dios por sobre todas las cosas. Sin embargo, tal vez te has preguntado cómo saber si son malos espíritus los que intentan lograr una conexión contigo. ¿Cómo puedes observar el mundo y discernir fácilmente lo bueno de lo malo? Responderé esta pregunta al final de este capítulo. Primero tengo que explicar términos como el mundo o reino espiritual y los propios espíritus. No voy a hablar de la demonología, piensa en ello como metafísica.

Naturaleza de los espíritus

Primero, voy a decir lo siguiente: la idea de que el mundo espiritual es un lugar habitado solo por lo espiritual es errónea, porque da a entender que el mundo físico está separado del mundo espiritual. Como dije anteriormente, los espíritus y los seres espirituales se relacionan y viven dentro del mismo universo creado por Dios. Son fenómenos que no observamos de manera directa con nuestra mente o con otras herramientas, pero como existen dentro de este universo, interactúan y pueden influir en nuestra experiencia observable. Es como una ceguera espiritual: los seres espirituales existen e interactúan con nosotros cada día, pero nos cuesta percibirlos.

Los espíritus son conciencias que existen más allá de nuestra observación directa. Como ellos tienen deseos, les gustan y no les gustan las mismas cosas. Piensa en la humanidad e imagina si fuéramos totalmente invisibles para las criaturas con las que compartimos este mundo. Imagina que no pueden vernos, pero a veces sienten nuestra presencia; que podemos influir en sus eventos y sobre ellas mismas para que logren un estado que se alinee más con nuestros deseos. Esto son los espíritus. También hay algo más, la forma en la que otras especies interactúan entre sí; hay algo de especismo a la vez. Actúan sobre la base de su propio interés, a menudo en detrimento de los humanos, de nuestro bienestar y éxito. Esto se debe a que, para ellas, es mucho mejor así. Algunas personas piensan que los espíritus son injustamente malos con los humanos. Y puede ser que lo sean, pero piensa en cómo los humanos son malos con otras especies por su propio bien. Los espíritus no nos necesitan; a diferencia de nosotros, necesitamos nuestro entorno, pero los espíritus nos tratan de la manera en que nos tratan por sus intereses. Son implacables, porque consideran que son superiores y merecen más. ¿Te suena familiar?

> *"Practiquen el dominio propio y manténganse alerta. Su enemigo el diablo ronda como león rugiente, buscando a quién devorar".* 1 Pedro 5:8

Dios y sus amigos, los ángeles, son quienes nos dicen que somos especiales, que quieren protegernos y todo eso. A los otros tipos les enfurece esta idea, y seguramente por eso se enferman de celos.

Entonces quieren sabotearnos por esta razón y por otras razones que no conocemos, la razón que tiene que ver con sus deseos e intereses aparte de la envidia y la ira. Cuando no estás junto a Dios, te abres a muchos otros espíritus cuyos intereses no se alinean precisamente con los tuyos, por lo que no tienen razones para preocuparse por tu bienestar. Pero Dios sí lo hace.

"Pues estoy convencido de que ni la muerte ni la vida, ni los ángeles ni los demonios, ni lo presente ni lo por venir, ni los poderes, ni lo alto ni lo profundo, ni cosa alguna en toda la creación podrá apartarnos del amor que Dios nos ha manifestado en Cristo Jesús nuestro Señor". Romanos 8:38-39

Cómo reconocerlos

Ya he revelado cómo puedes darte cuenta cuando un espíritu maligno está intentando conectarse contigo. Las formas que mencionaremos aquí están relacionadas con el elemento del interés propio en el conjunto de las personas.

Los espíritus nos hablan bastante a través de las críticas. Nos atacan justo en el centro. A menudo se refleja en cómo les hacen creer a las personas que son celosas, malas o que no merecen nada. Cultivan y mantienen un estado mental y una percepción de que los seres humanos son terribles, o que tú como persona eres mala, impura, desagradable e inútil. Cultivan la baja autoestima, la duda, la ansiedad y las imágenes distorsionadas. Si no podemos encontrar algo de amor propio en nosotros, lo natural es abandonarnos e incluso hacernos daño, y lo hacemos a través de acciones que perjudican nuestro bienestar. Abusamos del alcohol. Actuamos de tal manera que acabamos con nuestras relaciones y nos abstenemos de aprovechar oportunidades porque tenemos miedo. Incluso postergamos el trabajo porque no nos sentimos bien preparados. Todos estas acciones se originan de una sensación arraigada de insuficiencia. Si tienes pensamientos recurrentes que contribuyen a esas sensaciones, tienes un espíritu maligno en tus manos. Es incluso peor si el espíritu te ha convencido de que es Dios.

Aquí tienes algunos ejemplos de las formas en las que el espíritu te hablará:

1. "Tú no eres nadie".
2. "A nadie le importas".
3. "No vales nada".
4. "No puedes hacer nada bien".
5. "Eres un pecador y un hipócrita. Por eso tienes esos pensamientos sucios".
6. "Las cosas jamás se arreglarán. Todo siempre termina derrumbándose".
7. "¿En serio pensaste que podrías hacer eso? ¿Te has visto al espejo?".
8. "Eres un perdedor y un fracasado".
9. "Todo lo que tocas, lo rompes; ¡aléjate!".

Este tipo de pensamientos se adueñan de tu sentido de la culpa cuando haces algo malo. Exageran y envalentonan tu culpa a tal punto que es abrumadora y se convierte en un sentimiento de insuficiencia y resalta tus imperfecciones. Dios jamás te torturaría con tus errores. Él no pasaría cada minuto del día diciéndote lo indigno que eres solo por un pensamiento lascivo pasajero sobre una colega. Dios espera que reconozcas que lo que hiciste estuvo mal y que aprendas de ello, y él trabajará para asegurarse de que suceda. Si esto significa que debes perdonarte a ti mismo, darte una leve reprimenda y poder reírte de ello, ¡bien! Sentirse miserable al respecto es una forma segura de terminar en el camino del pecado. Entonces, si has llegado a un punto en el que no puedes perdonarte, tienes un espíritu que te está atormentando. Dios trabaja para sanarte, y perdonarse a uno mismo es un paso importante en el proceso.

"Por lo tanto, ya no hay ninguna condenación para los que están unidos a Cristo Jesús". Romanos 8:1

"Si confesamos nuestros pecados, Dios, que es fiel y justo, nos los perdonará y nos limpiará de toda maldad". 1 Juan 1:9

Espera. ¿Qué sucede si en verdad no sabes tocar la guitarra, o estás intentando aprender otro idioma? No puede ser algún espíritu que intenta hacerte daño, ¿verdad? En otras palabras, ¿qué sucede si tienes una buena opinión sobre tus habilidades o capacidades, pero esta observación es un poco incómoda de admitir o duele pensar en ella? Para mí, fue cuando tuve que aceptar el hecho de que no soy la mejor cantante, incluso después de haber pensado que sí lo era. Y que soy mala cocinando. Esto es lo que yo llamo juicios de valor objetivos y son diferentes a las críticas en muchos aspectos.

Si estás convencido de una verdad sobre ti mismo que no es cierta, quizás ya sufres de esa incapacidad de apreciar tu realidad. Los juicios de valor objetivos funcionan bien con nosotros porque son liberadores. Nos libran de los problemas de autoengaño. Los juicios de valor objetivos se sienten como si nos quitaran un peso de encima, aunque al principio causan dolor e incomodidad. Es normal; te estás adaptando a una nueva realidad mientras dejas ir algo a lo que te has dedicado mucho. La autocrítica hace todo lo contrario. Causa más tristeza y confusión, nos enceguece más y nos desconecta de nuestra realidad.

¿Cómo puedes verlo en otras personas? ¿Cómo puedes saber si están bajo la influencia de los espíritus malignos o si guardan malas intenciones en tu contra? Una forma de discernirlo es prestando atención a tus emociones subyacentes o instintos. Así es como el espíritu nos habla de los demás. El espíritu de Dios puede percibir lo que nosotros no podemos, y si algo no está bien, nos lo comunicará, y está en nosotros escuchar y actuar en consecuencia. ¿Cuántas veces has oído a alguien decir "sabía que había algo mal con ese tipo" o "definitivamente lo vi venir, no sé por qué no dije nada"? Es probable que muchas. En esos casos, puede haber sido el espíritu que te decía algo que puede ver y tú no. Por lo tanto, presta atención a esa sensación cada vez que interactúes con los demás.

Entonces, ¿qué sucede si sueles ser muy ingenuo y crees todo lo que te dicen? Busca los consejos de otras personas que conocen a Dios y al espíritu al igual que tú, tal vez ellas estén más en sintonía con lo que Dios les dice. Este es un lugar seguro en donde tus sospechas pueden ser confirmadas o corregidas.

¿Cuándo es buena la plática positiva? Nos dicen todo el tiempo que seamos optimistas y que solo dejemos entrar lo positivo, pero acabamos de ver que esto no es siempre buena idea. Debemos estar atentos a las influencias que dejamos entrar, incluso si suenan bien. La plática positiva es buena cuando no nos ata a las situaciones en las que tenemos que trabajar. Tal vez Dios te ha estado hablando sobre esas cosas en tu vida y cómo debes trabajar en ellas; tienes la ardua tarea de ser honesto y escuchar esa voz en lo profundo de ti que te habla de ese asunto imperfecto en tu vida. La buena plática positiva no te hace sentir sucio. Existe una sensación en lo más profundo de tu mente, o en algún otro lugar, que te hace sentir mal, ansioso o confuso.

Todos tenemos voces de plática positiva, o negativa, en nuestras mentes. La mía me dice que mi peso es el adecuado para mi altura; pero cuando calculé mi IMC, me muestra que estoy en el rango de sobrepeso. Me miré al espejo y pensé: "¿y ahora?". La voz en mi mente me dice: "aún no estás tan gorda como tu amiga Mary o tu prima Katie, así que no está tan mal", aunque sí estaba mal. Los desafíos de los demás no hacen que los míos sean menos importantes; esta voz es una distracción. Entonces, en vez de coincidir con lo que dice esta voz, tomé medidas para solucionar mi problema. Comencé a controlar lo que comía y la cantidad de tiempo que estaba activa cada día.

Piensa en el apostador que pierde los ahorros de toda su vida y aún cree que si apuesta en ese caballo, o lo echa a suertes otra vez, puede recuperar el dinero. Parece una forma positiva de ver la vida, pero no es buena, es dañina. Es probable que el apostador pierda todo su dinero y termine endeudado, miserable y hasta sin hogar. Puede aparecer de otras formas, como cuando alguien niega su adicción a una sustancia. Lo has oído miles de veces: "puedo dejarlo en cualquier momento. No lo necesito". Así la persona reafirma que solo es para sentirse bien, invencible o superior, pero es una trampa que la lleva a la autosuficiencia y la ignorancia, hasta que es demasiado tarde y la sustancia ha causado un enorme sufrimiento y pérdida. Piensa en el estudiante que ve sus notas a mitad del semestre y dice: "no están tan mal. Puedo mejorar". Nos encanta ver que las personas se mantienen positivas y motivadas para lograr sus metas y superar sus obstáculos, pero, idealmente, no queremos vivir en un mundo en el que tenemos que ir contra viento y marea para lograr algo que no debería requerir tanto esfuerzo. Entonces lo evitamos, porque sabemos que la mayoría de las veces intentar lo imposible nos lleva a fracasar.

Una de las formas descaradas en las que los espíritus nos atacan es mediante las críticas. Para algunas personas es muy fácil reconocerlo, así que seguro te preguntas por qué lo menciono siquiera. Bueno, tengo que cubrir las espaldas. La más artera que encontré es la plática positiva que muchas veces oculta la negación o la mentira. Hemos mencionado brevemente que las ilusiones que nos hacemos pueden causar mucho dolor; este es un caso similar, pero no siempre ocurre de ese modo.

Separa las cosas malas de lo maligno

Los espíritus malignos en tu vida hacen que cosas malas sucedan. Muchas cosas malas pueden sucederte, pero existen dos grandes tipos: las que son resultado de algo natural y las que ocurren por los espíritus malignos. El truco es poder distinguir entre ambas.

Las cosas terribles que ocurren como resultado de algo natural pueden ser dolorosas y traumáticas, como la muerte y los desastres naturales. Otro tipo son los accidentes que ocurren por fallas o errores humanos. Las personas no son perfectas; cometen errores, y a veces esos errores conducen a resultados lamentables. Un accidente de tránsito, una explosión en una planta nuclear o una pareja que se divorcia. La forma en que vivimos esos eventos son resultado de cómo somos o de cómo es el mundo; no intentan destruir nuestra fe o alejarnos de Dios. Pueden ser devastadores, sí, pero no nos provocarán para abandonar a Dios o a nuestra fe ni nos harán sentir notablemente atascados. Nuestros esfuerzos para superar una situación mala se sentirán como un logro, aún si suceden de forma paulatina. No te sientas atascado. Hace falta muchísima paciencia para superar estas situaciones, y lo veremos porque nuestros esfuerzos cuentan. Puede que quieras rendirte, pero sabes que no es porque las cosas están rotas o no funcionan.

Las cosas malas que ocurren por culpa de los malos espíritus supondrán un desafío para tu fe. Te atacan, te provocan para que te rindas, igual que en la historia de Job. Notarás en esta historia que, mientras más fiel es Job, peor se pone la situación, y él es desafiado todo el tiempo a abandonar su fe en Dios. Cuando enfrentas un desafío que ataca directo a tu fe e intentas ser fiel y leer la Biblia e ir a la iglesia, estas actividades resultan muy difíciles. Quizás es un espíritu maligno el que te ataca. No deberías sentir que la cosa se pone peor mientras más acudes a Dios; deberías llenarte de esperanza y ganas de luchar para lograr el fin deseado. Las cosas pueden salir mal, tu pareja puede morirse de una enfermedad terminal, pero es el fin deseado en el gran esquema de las cosas. No debes sentirte atascado, atrapado o completamente fuera de control. No deberías sentirte solo o abandonado por Dios. Si te sientes así, tienes un espíritu en tus manos.

Personas bajo la influencia de los espíritus

Si puedes ser tan amable contigo mismo, debes ser así con otras personas. Los espíritus malos forman visiones del mundo y formas de pensar que hacen que las personas actúen en contra de sus intereses. Los espíritus son más inteligentes que nosotros; ven mucho más y necesitan poseer personas para ser efectivos. Solo tienen que darle a las cosas un empujoncito en la dirección correcta.

A lo largo de tu vida conocerás personas que no son buenas para ti. Algunas de ellas son solo seres humanos con defectos y otras están bajo la influencia de un espíritu malo. No estoy hablando de posesión. No voy a decirte que tu vecino insoportable está poniendo a prueba tu fe porque está poseído. Hablar de posesión o usarla como excusa para el mal comportamiento deshumaniza y demoniza a las personas. Cuando las demonizas es muy difícil entenderlas o encontrar amor en tu corazón. Y cuando te cuesta encontrar amor o comprensión en tu corazón para con los demás, no estás escuchando al espíritu de Dios. Las personas influenciadas por los espíritus para hacer ciertas cosas son iguales a ti. Si no te analizas con cuidado, eres igual de vulnerable a las malas influencias. No puedes decirme, honestamente, que no existe un ámbito de tu vida en el que no te sientas desafiado o te cueste por culpa de tus debilidades o que no existen entidades espirituales que intentan aprovecharse de ello y muchas veces lo consiguen. A veces, los espíritus no necesitan decir nada. Solo tienen que invadir tu entorno y generar una situación que ponga a prueba tu fe y te haga flaquear. Y si lo haces, no seas duro contigo mismo; el objetivo es acercarte a Dios, no castigarte por cada error que cometas.

Las personas en tu vida que están bajo la influencia de los espíritus intentarán debilitar tu fe y tu vínculo con Dios en las cosas que hacen directa e indirectamente. Quiero dejar claro que las personas que lo hacen no son malas. Tal vez a ti te alivie pensar que lo son, pero simplemente no es así. Es el tipo de pensamiento que aleja tu amor por los demás y convierte en enemigos a personas que son víctimas. Ellas en verdad no te odian; pueden tener odio dentro de sí, pero proviene de un lugar poco feliz. Tu respuesta debe ser compasiva y debe intentar ayudarlas o salir de la red que se teje a tu alrededor.

Cuando comiences a sonsacar la luz de la oscuridad, ten cuidado con los pensamientos y las emociones como los siguientes. Los escribiré en una lista para que sean más fáciles de recordar.

- Juzgar a los demás.
- Pensar que las personas son malvadas o están poseídas.
- Despreciar a los demás o sentir odio o desagrado.
- Pensar que el mundo sería un lugar mejor sin ciertas personas en vez de otras.
- Sentir ira por quienes defienden ideas y formas de vivir perjudiciales.
- Estar tentado a tomar medidas drásticas al límite de lo inmoral o a cometer actos ilegales para protegerte.
- Cerrarte a los demás cuando te explican sus experiencias o su realidad.
- Intentar forzar tu forma de ver las cosas en los demás.

Debes prestar atención a estas cosas porque te llevan de vuelta al pantano del que estás intentando salir. En lugar de arreglar las cosas y fomentar a Dios, estás alistándote en las fuerzas del enemigo. Y a esos espíritus les agrada ese tipo de soldado, el que cree que está del lado correcto porque los espíritus hacen el trabajo por él sin darse cuenta y que demoniza a otros creyentes como él que siembran discordia.

Capítulo 5: Sabiduría

En la introducción, he tocado el tema de la sabiduría sin mencionarla abiertamente. Las personas suelen combinar la sabiduría con conocimiento e inteligencia. La sabiduría es la aplicación óptima de herramientas como el conocimiento, la inteligencia y el talento. La gran pregunta es: ¿cómo se obtiene la sabiduría? La sabiduría es un atributo apenas comprendido pero muy deseado por los creyentes. Ellos creen que tiene muchísimos beneficios, y están en lo cierto. Dios no la querría para nosotros si no sirviera para nada.

¿Qué es la sabiduría?

La sabiduría tiene un significado mucho más abarcativo que el del discernimiento. El discernimiento se ocupa del mundo espiritual sobre el mundo de la experiencia directa. Es ser espiritualmente perceptivo en tu vida y en el mundo y se desarrolla después de establecer una relación íntima con Dios. Esta relación servirá para refinar tus instintos espirituales y salir al mundo y no pasar nada por alto. Por eso el énfasis de este libro está en la comunicación con Dios. Es el suelo fértil en el que crece el discernimiento.

La sabiduría es cómo el conocimiento que tienes, tanto lo que la vida te enseña como la educación formal, entra en acción en tu vida, sobre todo en cuestiones que poco tienen que ver con la espiritualidad. Es una distinción muy sutil que no resiste un análisis en profundidad. En esencia, es la historia de cómo la experiencia nos hace más expertos en nuestras relaciones, ya sean espirituales o no.

La sabiduría de Dios en acción

Cuando estás lleno de la sabiduría de Dios, aumenta tu confianza, tu paz y tu conformidad con las decisiones que tomas. Tus decisiones y la forma en que te mueves en el mundo fomentan amor y paz, rehúyen a todos los prejuicios y promueven el reino de Dios. Tus proyectos en este mundo son creados con paciencia desde una posición de empatía, simpatía y humildad.

Es difícil explicar la sabiduría, pero tengo una analogía. Antes de comenzar tu relación con Dios, has tenido experiencias terrenales que conforman tu visión del mundo. Eres como un tosco bloque de mármol: bordes afilados, curvas torpes y una superficie áspera. Eres algo, pero no del todo. Cuando llegas a Dios, él saca su martillo y cincel y remueve la roca no deseada; hasta puede quitar varias curvas. Al principio te verás algo deforme, pero pronto él comenzará a crear nuevas curvas y formas.

Te dará una forma definida y notable. Suavizará los bordes y las superficies para sacar al dios o diosa que hay en ti.

A través de tu relación con Dios, obtendrás atributos y características en los que aplicas la sabiduría.

- Sabes cuándo renunciar o trabajar más duro.
- Sabes cuándo es el mejor momento para hacer un trato.
- Puedes prever.
- Tienes un sentido de pertinencia.
- Atraviesas dificultades y mantienes la calma.
- Eres consciente de tus capacidades y sabes cómo aplicarlas.
- Eres los resultados de toda tu vida, no solo tú mismo.
- Buscas la cooperación, no la competencia; es parte de tu instinto.
- Valoras el conocimiento por sí mismo, no por lo que puede hacer por ti.
- Te das cuenta de que no existe el tiempo perdido.
- Sabes escuchar y percibir exactamente lo que dicen los demás.
- Logras apreciar el poder de la observación.
- Te metes en debates no para ganar, sino para aprender algo nuevo y corregir tus errores.
- No te avergüenzas de tus errores y defectos al punto de no hacer nada. Reconoces que todo el mundo los tiene y que lo más sensato es seguir adelante.
- Valoras la consistencia por sobre los destellos repentinos de genialidad.
- No le tienes miedo a la mortalidad.
- Reconoces que juzgar a los demás es infructífero.

Hay muchos más atributos que son señales de sabiduría. Cuando los veas, sabrás cuáles son.

"En cambio, el fruto del Espíritu es amor, alegría, paz, paciencia, amabilidad, bondad, fidelidad, humildad y dominio propio. No hay ley que condene estas cosas".
Gálatas 5:22-23

Conclusión

"Después de decir esto, Pablo se puso de rodillas con todos ellos y oró. Todos lloraban inconsolablemente mientras lo abrazaban y lo besaban. Lo que más los entristecía era su declaración de que ellos no volverían a verlo. Luego lo acompañaron hasta el barco". Hechos 20:36-38

Con este texto hemos hecho mucho por nosotros mismos. Comenzamos con las formas típicas en las que Dios nos habla. También te expliqué cómo darte cuenta de que es Dios quien te está hablando. Compartí algunos consejos para saber escucharlo. Sabiendo que esta información es limitada, escribí dos capítulos que tratan sobre el propósito y la vida diaria. Están relacionados entre sí porque las cosas pequeñas conforman cosas grandes. Hablamos de dejar a Dios a cargo de las cosas pequeñas para que te confíe las cosas grandes. También reconocimos que nos da más confianza cuando Dios toma el mando, en el caso de quienes estaban un poco más reticentes a ceder el control. Espero que esto llegue a las personas que más quieres, y con algo de práctica, lo hará.

Incluso si dejaste de leer, fue un buen comienzo, pero faltaba algo. También tienes que entender que existen muchas influencias ahí afuera que no piensan en tu propio bien. Tenemos que hablar de ellas, aprender a reconocerlas y a tratarlas cuando ya está todo dicho. Esta información te ayudará a ver a tus enemigos por dentro y fuera. También te enseñó sobre los fallos en el pensamiento que les facilitan a estas influencias cambiar tu vida por completo. Esta fue sin duda la parte más larga, pero está buena.

Lo último que hicimos fue hablar de sabiduría. Te enseñé que si practicas todo lo que hemos plasmado en este libro de manera constante, lo obtendrás, y Dios te moldeará. Es algo genial, porque por fin entendimos que la sabiduría es un proceso, no es un manual de instrucciones.

Estoy en mi porche tomando té y mirando hacia el jardín. Veo a los niños jugar en la calle. Todo está en calma una vez más. Y te digo, querido lector, qué viaje hemos tenido. Gracias por recorrerlo conmigo.

Audio de meditación guiada de 10 minutos ¡gratis! (En inglés)

¿No te gustaría añadir aún más motivación, inspiración y valor en tu camino hacia la espiritualidad? Como agradecimiento, desde lo más profundo de mi corazón, te concedo acceso GRATUITO a un audio de diez minutos de meditación guiada de la llama violeta (en inglés).

Si estás listo para soltar toda esa energía negativa que ya no te sirve, aprovecha esta meditación de la llama violeta.

- Con la llama violeta podrás liberar la energía bloqueada en tu interior fácilmente

- Limpia tu karma para aumentar tu felicidad

- Haz crecer tu espíritu de nuevo y regresa al camino hacia tu destino

Haz clic aquí y obtén tu audio de meditación guiada de la llama violeta ¡gratis! (En inglés)

bit.ly/violetflameguided

Por favor, deja una reseña en Amazon

Desde lo más profundo de mi corazón, quiero agradecerte por haber leído este libro. Realmente espero que te ayude en tu viaje espiritual y a vivir una vida más feliz y empoderada. Si te ha sido de ayuda, me gustaría pedirte un favor. ¿Serías tan amable de dejar una reseña de este libro en Amazon? Lo apreciaría muchísimo y sé que tendrá un impacto en las vidas de otras personas que buscan alcanzar la espiritualidad en todo el mundo y les dará esperanzas y energía.

¡Muchas gracias y buena suerte!

Angela Grace

CPSIA information can be obtained
at www.ICGtesting.com
Printed in the USA
BVHW062357090623
665688BV00015B/1042